LE MOT DE L'ÉDITEUR

**Vous adorez la série *Les Experts* ?
Vous vous passionnez pour les
faits divers ? Vous voudriez savoir
comment les enquêteurs arrivent
à coincer les criminels grâce
à des preuves scientifiques ?**
Alors plongez dans les coulisses
de la police scientifique avec Jacques
Pradel. De quoi vérifier après lecture,
si les flics et les détectives
du catalogue POINTS sont crédibles
dans leurs enquêtes.

Les Éditions **P●INTS**

Né en 1947, Jacques Pradel est animateur de radio et de télévision, journaliste et écrivain. Présentateur d'émissions devenues cultes, « Lorsque l'enfant paraît » avec Françoise Dolto sur France Inter, « Perdu de vue » et « Témoin n° 1 » sur TF1, il a publié plusieurs ouvrages dédiés au *true crime*. Après avoir animé « Café crimes » sur Europe 1, il présente depuis 2010 « L'heure du crime » sur RTL. Il a reçu en 2005 le prix Roland-Dorgelès dans la catégorie Radio, décerné par le ministère de la Culture.

Jacques Pradel

Avec la collaboration de Stéphane Munka

POLICE SCIENTIFIQUE

LA RÉVOLUTION

Les vrais experts parlent

Éditions SW Télémaque

TEXTE INTÉGRAL

ISBN 978-2-7578-6756-3
(ISBN 978-2-7533-0126-9, 1ʳᵉ édition)

© Éditions SW Télémaque, 2011

Le Code de la propriété intellectuelle interdit les copies ou reproductions destinées à une utilisation collective. Toute représentation ou reproduction intégrale ou partielle faite par quelque procédé que ce soit, sans le consentement de l'auteur ou de ses ayants cause, est illicite et constitue une contrefaçon sanctionnée par les articles L.335-2 et suivants du Code de la propriété intellectuelle.

Sommaire

La tuerie de Monfort

Où l'on découvre les coulisses d'une enquête emblématique, un procès qui a failli tourner au fiasco, alors que les gendarmes pensaient avoir réuni les preuves incontestables de la culpabilité de l'accusé... Et un « CoCrim » qui entre en scène pour rétablir in extremis la situation !

L'affaire Flactif

Où l'on va découvrir un assassin qui s'exprime à la télé, une victime qui n'a pas toujours le beau rôle, et des gendarmes en blouse blanche qui découvrent le pot aux roses...

L'entomologie légale : les insectes au service de la justice

Où l'on découvre que les insectes qui sont les maîtres du temps et qui ont traversé les plus grandes catastrophes géologiques depuis près de 250 millions d'années sont également les meilleurs alliés des experts pour dater la mort d'une victime.....................

Médecine de catastrophe

Où l'on apprend comment les principes de la criminalistique appliqués aux scènes de catastrophes naturelles, d'accidents d'avions ou d'attentats terroristes pour identifier les victimes, permettent aux familles d'entamer leur deuil. Et où l'on fait la connaissance d'un acteur de terrain, un médecin des armées, médecin légiste, qui fut l'un des acteurs importants de cette nouvelle révolution.....................................

Département « Signal Image Parole »

Où l'on découvre que les « oreilles d'or » de la gendarmerie ont également la vue bien aiguisée, jusqu'à traquer les indices sous le sol ou à travers les murs....

Avant-propos

Ce livre n'est pas un manuel de police scientifique. Il ne vise pas à l'exhaustivité. Ni même, parfois, à l'impartialité ! Son ambition est de raconter au grand public comment un certain nombre d'affaires criminelles ont pu être résolues ces dernières années par la gendarmerie nationale, grâce aux avancées de la police technique et scientifique, une véritable révolution survenue il y a un peu plus de vingt-cinq ans, à la suite du fiasco de l'affaire Grégory. Nous y reviendrons longuement dans cet ouvrage.

C'est à partir de cette époque du début des années 80, qu'est véritablement apparue à la gendarmerie la nécessité de revoir globalement l'ensemble de la méthodologie dans l'approche et le traitement technique et scientifique de l'enquête judiciaire. Ce que l'on appelle en France la « criminalistique », et dans le monde anglo-saxon « les sciences forensiques ».

Le projet d'emmener le lecteur à la découverte de l'IRCGN, l'Institut de recherche criminelle de la gendarmerie nationale de Rosny-sous-Bois, est né au fil des émissions radiophoniques de ces dernières années et de toute une série de rencontres, du haut en bas de la hiérarchie. J'ai pu ainsi découvrir que l'image d'Épinal du gendarme guettant les infractions des automobilistes au bord des routes avait vécu. J'ai découvert, au sein des différents laboratoires de l'IRCGN, des hommes et des femmes passionnés, rigoureux, ouverts, pudiques, ne se prenant pas pour des héros de série télévisée et conscients de la nécessité de ne pas baisser la garde face à une criminalité toujours plus inventive.

Le fort de Rosny, ce « temple » de la vérité judiciaire, est aussi un monument moderne, symbole, n'ayons pas peur des mots, de la lutte perpétuelle du bien contre le mal.

Nous allons vous emmener dans les coulisses de quelques-unes des enquêtes les plus passionnantes de ces dernières années pour vous raconter, avec ceux qui en ont été les acteurs ou les témoins, les grandes étapes d'une révolution scientifique qui continue encore aujourd'hui…

Au terme de cette enquête journalistique chez les « gendarmes en blouse blanche », une certitude s'impose : si les outils de haute technologie ont bouleversé ces dernières années le quotidien des enquêteurs, il faut se garder de demander à la science plus qu'elle ne peut donner. Ne pas faire de l'ADN la nouvelle « reine des preuves » et toujours garder à l'esprit que ces outils parfois futuristes ne sont là que pour aider les enquêteurs de terrain à recueillir des éléments de preuves selon le principe de base de toute enquête policière, énoncé par le « père » de la criminalistique, le professeur Edmond Locard[1], dont il n'est pas inutile de rappeler ici les deux

---

1. Lire la biographie d'Edmond Locard, un des pères de la police scientifique, par Michel Mazévet (*Edmond Locard, le Sherlock Holmes français*, éditions des Traboules, 2006). Né le 13 décembre 1877 de Arnaud Locard, ingénieur et passionné d'histoire naturelle, et de Marie Gibert de Sennevières, cultivée et passionnée de théâtre et de musique, Edmond Locard poursuit des études brillantes (il maîtrisait onze langues à l'âge adulte, dont le sanskrit). Il soutient sa thèse de doctorat de médecine en 1902 (la médecine légale au XVIIᵉ siècle). Il fonde en 1910 le laboratoire de police technique de Lyon, qu'il équipe peu à peu de matériel performant : appareil de micro-photographie, hatoscope (microscope destiné aux

grands principes : « Nul ne peut agir avec l'intensité que suppose l'action criminelle sans laisser des marques de son passage. » Et : « Tantôt le malfaiteur a laissé sur les lieux les marques de son activité, tantôt, par une action inverse, il a emporté sur son corps ou sur ses vêtements les indices de son séjour ou de son geste. »

C'est ce que l'on appelle la théorie de l'échange. C'est ce qui permet à tout enquêteur de confondre un coupable qui nie, ou d'étayer ses aveux par des preuves matérielles incontestables. C'est ainsi que chaque directeur d'enquête peut se donner les moyens de répondre aux questions que pose chaque mystère criminel : qui a commis les faits ? Quand ? Comment ? Avec quoi ? Et, éventuellement, pourquoi ?

Les pionniers

On pourrait dater l'apparition de la police technique dans une investigation policière à la fin du XVIIIe siècle, en Écosse. En 1786, « l'affaire Richardson » est résolue par les enquêteurs à partir d'un moulage d'empreintes de pas réalisé sur la scène de crime. L'auteur des faits est spectaculairement arrêté et confondu lors des funérailles de la victime ! Au cours du XIXe siècle, l'identification des criminels est la préocupation principale des policiers. Les Anglais seront les premiers à créer un registre de criminels arrêtés.

---

expertises balistiques), graphoscope, etc. Il a financé de ses propres deniers les débuts du laboratoire, mais ne bénéficia d'aucune pension puisque sans statut officiel… Pendant la Première Guerre mondiale, il a contribué à casser le chiffre allemand. Il publie en 1923 le *Manuel de technique policière* et rédige de 1931 à 1940 le *Traité de criminalistique*. Il est décédé le 4 mai 1966.

En France, c'est sous Louis XIV qu'un édit royal de 1667 crée un corps de police indépendant, séparant l'institution judiciaire et l'administration policière. Cette décision est due à un véritable coup de sang du Roi-Soleil, lorsque, deux ans plus tôt, le 24 août 1665, deux voleurs s'étaient introduits en plein jour dans l'hôtel particulier du lieutenant criminel Jacques Tardieu et l'avaient assassiné après avoir tué sa femme d'un coup de pistolet. « Jour et nuit on vole et on tue ici à l'entour de Paris », s'était écrié le roi ! « Nous sommes arrivés à la lie de tous les siècles ! »

La première police indépendante est placée sous les ordres de La Reynie, lieutenant général de la police de Paris, qui mènera l'une des premières « enquêtes » de notre histoire nationale, au cœur de la haute société de l'époque : « l'affaire des Poisons ».

Au début du XIXe siècle, un médecin, Mathieu-Joseph Orfila, avait écrit le premier traité de toxicologie, et mis aussi au point le premier test d'identification du sang. En 1836 James Marsh invente le premier appareil de dépistage de l'arsenic dans les tissus humains. Ces avancées techniques et scientifiques qui touchent tous les domaines révolutionnent déjà la police française qui commence à s'appuyer sur ses propres inventeurs et savants. En 1871 est créé le laboratoire municipal de chimie, puis en 1881 le laboratoire central de la préfecture de police de Paris, alors que le professeur d'entomologie Paul Brouardel inaugure la première salle d'autopsie de Paris. On doit finalement à Edmond Locard la création du premier véritable laboratoire de police scientifique, à Lyon, en 1910.

Un expert à la Belle Époque : Alphonse Bertillon

L'histoire du premier criminel arrêté en France grâce à ses empreintes digitales remonte à l'année 1902. À l'époque, la police scientifique balbutiante venait de faire une de ses plus grandes découvertes : les empreintes digitales étaient différentes pour chaque individu. Les traces, qu'on appelait des « dermatoglyphes », laissées par des voleurs ou des criminels sur toutes sortes d'objets ou de surfaces, comme des tables, des meubles, des vitres, des poignées de portes, des verres, pouvaient être photographiées, agrandies, et comparées avec celles archivées dans les tout premiers fichiers établis par la police pour chaque délinquant arrêté. Si le suspect n'était pas fiché, il suffisait de comparer ses empreintes avec celles relevées sur la scène du crime pour le confondre ou pour l'innocenter !

Nous sommes le 17 octobre 1902 à Paris. Ce matin-là, un bourgeois élégant fait irruption dans un des commissariats du 8e arrondissement. Il a l'air bouleversé, un peu perdu. Il se précipite sur le policier de permanence à l'accueil. Il se présente : Docteur Alain Acaux, chirurgien-dentiste, installé au 107 rue du Faubourg-Saint-Honoré. Le médecin explique qu'il vient de découvrir, en arrivant à son cabinet, le cadavre de son domestique, Joseph Reibel. Et il ajoute : « On l'a assassiné ! » Le policier recueille sa déposition et pose les questions de routine : est-il sûr qu'il est bien mort ? Pourquoi parle-t-il d'un assassinat ? Le Dr Acaux fait remarquer que ses connaissances médicales lui permettent de faire la différence entre un vivant et un mort. Il ajoute que le mobile du crime est certainement un cambriolage car il a trouvé ses meubles et ses armoires fracturés. On a visiblement fouillé son cabinet vraisemblablement à la recherche d'objets précieux et de valeurs. C'est tout ce qu'il peut dire sur le moment. Il ajoute que, la veille au soir, Joseph Reibel avait décidé de rester dormir au cabinet, comme cela lui arrivait parfois pour éviter de se rendre au domicile de son patron situé aux Batignolles. La raison ? Il faisait mauvais temps, il pleuvait des trombes. Il s'évitait ainsi pour le lendemain matin de traverser tout Paris dans les encombrements pour se rendre à son travail…

Quelques heures plus tard, quatre messieurs sobrement vêtus se présentent au cabinet du dentiste pour constater les faits. Sont présents le juge d'instruction Joliot, qui va diriger l'enquête jusqu'à l'éventuel procès de l'assassin, le commissaire Cochefert, chef de la Sûreté, dont les hommes vont mener l'enquête et le docteur Soquet, médecin légiste qui doit déterminer les causes et les circonstances de la mort.

Le dernier de ces visiteurs est un homme dont la réputation n'est plus à faire. Il s'appelle Alphonse Bertillon. Il est chef du service de l'identité judiciaire.

Alphonse Bertillon avait révolutionné, depuis 1880, le travail de recherche de la police en ce qui concerne la description des suspects. Jusqu'alors, et depuis des siècles, on se contentait de quelques vagues précisions : le fuyard a les yeux bleus, ou gris ; les cheveux blonds, ou noirs ; il est grand, moyen, petit… Cela donnait en général des résultats peu probants. Bertillon, lui, a changé tout cela en créant un service d'anthropométrie judiciaire reposant sur le constat qu'à partir d'un certain âge, certains points physiques demeurent inamovibles d'un individu à l'autre.

À chaque arrestation désormais, Bertillon arrive avec ses instruments de mesure et prend note de toutes les particularités du suspect : la taille bien sûr, mais aussi l'envergure des bras, la longueur des oreilles, l'écart entre les yeux, les mesures de la tête, longueur et largeur. Les criminels peuvent changer d'identité, mais celui qui est déjà passé entre les mains de Bertillon n'est plus en sûreté. Un rapide coup d'œil à sa fiche suffit pour le reconnaître et, chaque mois, une bonne trentaine de fuyards sont identifiés.

Seul inconvénient majeur de la méthode : pour identifier un récidiviste, il faut que ce dernier soit déjà fiché au « bertillonnage », comme on dit désormais !

À l'occasion de la mort de Joseph Reibel, Alphonse Bertillon va se trouver confronté au plus cruel dilemme de sa carrière : s'obstiner dans sa méthode au risque de paraître ridicule, ou plier l'échine devant une technique plus évoluée que la sienne et se sentir quelque peu humilié…

Le cadavre de Joseph Reibel repose dans l'antichambre du cabinet du Dr Acaux. Assis, le dos contre une chaise, les yeux ouverts, une serviette nouée autour du cou, avec laquelle il a été étranglé. Des traces de griffures au niveau du nez et des joues indiquent que la victime a lutté avec son agresseur. Le domestique a certainement été tué peu après son souper, car il n'a pas eu le temps de débarrasser la table ni de faire la vaisselle. Dans l'évier, on retrouve un torchon imbibé de salive qui a dû servir à bâillonner et à étouffer le malheureux. Avec son énorme appareil photo, Bertillon immortalise la scène du crime, demandant aux personnes présentes de ne toucher à rien avant qu'il ait terminé ses clichés.

En examinant les meubles fracturés, le juge Joliot aperçoit un trousseau de clés sur le manteau de la cheminée. D'après le dentiste, ce sont celles de Joseph qui les gardait en permanence sur lui. Cela ne lui ressemble pas de les avoir ainsi laissées en évidence ! Mais, si le cambrioleur avait les clés à sa disposition, alors pourquoi avoir ainsi brisé les serrures et les carreaux ? Il semble au chef de la Sûreté que le cambriolage soit un leurre destiné à mettre la police sur une fausse piste, même si une somme de 1 600 francs semble effectivement avoir disparu.

C'est alors que le juge appelle Bertillon pour lui montrer un morceau de vitrine brisée. L'expert scientifique devient tout pâle : il découvre sur le verre, bien distinctes, bien visibles, des traces papillaires, des empreintes digitales nettes. La bête noire de Bertillon !

Les empreintes sont effectivement la bête noire de Bertillon, car la dactyloscopie est née à peu près en même temps que son fichier anthropométrique. Mais depuis 1892, d'éminents spécialistes avaient confirmé la supériorité potentielle de la preuve papillaire sur le « bertillonnage », car, disaient-ils, les empreintes sont absolument infalsifiables et différentes d'un individu à l'autre.

C'est ainsi que depuis 1894, face à la pression de ses supérieurs, Bertillon avait accepté un peu à contre-cœur d'ajouter sur ses fiches signalétiques l'empreinte à l'encre de quatre doigts de la main droite et – depuis 1900 – celle de l'index gauche en plus !

Toutefois, Bertillon demeurait d'autant plus persuadé de la supériorité de sa méthode, qu'aucun malfrat n'avait jamais été arrêté grâce à ses empreintes digitales…

Pourtant, dans cet appartement du 107 rue du Faubourg-Saint-Honoré, il est confronté aux traces d'empreintes les plus nettes qu'il ait jamais vues. Il va donc devoir les comparer systématiquement avec toutes les empreintes fichées depuis maintenant huit ans dans ses archives.

Il commence d'abord par les comparer avec celles de la victime. Résultat négatif. Puis il s'attache à comparer celles-ci avec toutes celles qui se trouvent sur ses fiches. Un véritable travail de Romain qui va finalement porter ses fruits.

Bertillon tombe sur le nom de Henri Léon Scheffer, cocher livreur de 27 ans, « bertillonné » le 9 mars précédent pour une affaire de vol et d'abus de confiance…

Pendant ce temps, l'enquête classique de police a mené les limiers de la préfecture sur la trace d'un certain Georges. Ils ont découvert que Joseph Reibel, le domestique du dentiste, était homosexuel. Il avait présenté ce Georges comme un parent au médecin qui n'avait pas été dupe. L'homme avait été vu également par le concierge du 107 qui en avait donné une description très précise : « Plutôt grand, cheveux châtains, visage rond, nez assez fort, moustache en croc, barbe. Vu la dernière fois vêtu d'un costume prince-de-galles marron ». Malgré toutes leurs recherches, les enquêteurs n'avaient pas pu identifier l'inconnu.

C'est Alphonse Bertillon qui constate qu'au-delà des empreintes digitales, la description portée sur la fiche de Scheffer est bien celle du petit ami du domestique.

Scheffer, arrêté peu après à Marseille, avouera très vite qu'il était bien l'assassin de Joseph Reibel.

La presse saluera Bertillon comme le premier expert scientifique de la police à identifier un assassin par ses empreintes digitales. Il en est aujourd'hui considéré comme l'inventeur…

Les prémices d'une révolution

Où l'on revient sur une affaire dont les tragiques
rebondissements hantent encore la mémoire de chacun.
Et où l'on découvre que la mort d'un petit garçon
retrouvé dans les eaux sales de la Vologne,
a provoqué chez les gendarmes une prise
de conscience qui allait révolutionner
la police scientifique.

Les révolutions commencent souvent à bas bruit, par des événements, parfois des drames, dont personne n'imagine sur le moment les remises en cause radicales qu'ils vont déclencher.

Ce changement brutal, ce chambardement peut toucher tous les domaines, la politique bien sûr, mais aussi les arts, les idées… et la science.

La révolution de la police scientifique a eu lieu en France en deux temps, mieux vaudrait dire d'ailleurs en deux grandes époques, séparées par une inexplicable période de désaffection qui a duré plusieurs décennies[1] : le début, puis la fin du XXe siècle.

Du côté de la police nationale, en 1980, les laboratoires de « police technique et scientifique » ne comptent que 35 scientifiques en activité. On les sollicite

---

1. Voir à ce sujet l'encadré « Les pionniers ».

d'ailleurs rarement. Les services régionaux de police judiciaire ne font presque plus appel aux techniciens de l'identité judiciaire. Ils sont en effet trop peu nombreux pour couvrir l'ensemble du territoire. D'une manière générale, faute de moyens, les enquêteurs ont aussi des difficultés à effectuer correctement les constatations !

Lorsqu'une analyse importante s'impose, il n'est pas rare que les juges d'instruction de l'est de la France se tournent vers le BKA, le Bundeskriminalamt, l'office fédéral de police criminelle allemand, dont les laboratoires sont considérés comme les plus performants en Europe[1]. Il existe également à cette époque, un laboratoire privé français, installé près de Bordeaux : le CARME (Centre d'applications et de recherches en microscopie électronique), dirigé par Loïc Le Ribault[2]. Son matériel ultramoderne de microanalyse et sa passion pour la police scientifique lui valent alors une certaine notoriété. Il forme d'ailleurs à cette époque un certain nombre de gendarmes et de policiers français et étrangers aux méthodes modernes de police technique et scientifique (habits blancs, protection des scènes de crimes, tamponnoirs pour les relevés de traces de poudre, etc.).

Cette situation va perdurer jusqu'à la grande réforme engagée par le ministre de l'Intérieur Pierre Joxe, qui confiera en 1985 à un « grand flic », Jacques Genthial, ancien de la police judiciaire et de la fameuse brigade criminelle, une mission de réflexion sur la police scientifique qui marquera le véritable renouveau des laboratoires de la police nationale.

1. Le BKA a été fondé en 1951.
2. Décédé début juin 2006, Loïc Le Ribault était docteur en sciences et expert en microanalyse près la cour d'appel de Bordeaux et la Cour de cassation de Paris.

Du côté de la gendarmerie nationale, jusqu'en 1987, il n'y aura aucun laboratoire de police scientifique. Et pour cause : seuls les laboratoires de la police nationale sont autorisés[1] ! Selon les textes législatifs, les gendarmes sont autorisés à réaliser des opérations « simples » de police technique. Pendant de longues années d'ailleurs, la gendarmerie n'avait pas été autorisée à mener des enquêtes préliminaires ! Mais, à partir de 1957, les missions de police qui lui sont confiées vont lui permettre de développer, dans un certain flou juridique, les bases d'une formation criminalistique au moins technique (relevé d'empreintes digitales, des traces de pas et de pneumatiques, photographie judiciaire). La réforme du code de procédure pénale autorise enfin la gendarmerie à faire des enquêtes préliminaires. Le début des années 70 voit la création du STRJD, le Service technique de recherches judiciaires et de documentation. En 1984, le Centre technique de la gendarmerie nationale (CTGN) s'installe à Rosny-sous-Bois.

Ce rapide rappel était nécessaire pour mieux comprendre l'importance de la révolution de la police scientifique qui va changer la donne presque simultanément, du côté de la police nationale et surtout du côté de la gendarmerie, qui va se doter d'un outil de formation, d'analyse et d'expertise criminalistique, dont les compétences sont aujourd'hui reconnues dans le monde entier.

Il est curieux de constater d'ailleurs que ces deux démarches parallèles prennent leur essor après deux échecs retentissants très mal vécus par l'opinion publique, qui symbolisent en quelque sorte l'urgence et

1. Ils sont situés dans les villes de Lyon, Marseille, Toulouse et Lille. Dirigés par un chef de laboratoire, ils sont placés sous l'autorité du préfet de région.

la nécessité qu'il y avait pour la police et la gendarmerie à mettre leurs pendules à l'heure de cette fin de siècle !

Pour la police nationale, l'échec se nomme Thierry Paulin[1]. Ce jeune Martiniquais, né en 1963, surnommé « le tueur de vieilles dames », avait assassiné entre octobre et novembre 1984, huit femmes âgées dans le 19e arrondissement de Paris. Il en a tué onze de plus entre décembre 1985 et juin 1986. Pourtant fiché à la police de Toulouse pour plusieurs délits, aucun rapprochement n'avait pu être fait avec les meurtres en série de Paris. Il ne sera arrêté qu'en 1987. On peut considérer que cette terrible série criminelle aurait pu être interrompue plus tôt. Thierry Paulin a incontestablement profité du désordre et du retard de la police technique et scientifique de la police nationale. 1984, c'est l'année où le fichier automatisé des empreintes digitales a – enfin – été autorisé, après l'avis favorable de la CNIL (Commission nationale de l'informatique et des libertés). Jusque-là, aussi incroyable que cela nous paraisse aujourd'hui, les empreintes digitales étaient comparées à la main, fiche par fiche !

L'électrochoc : l'affaire Grégory Villemin

Pour les gendarmes, l'échec porte aussi un nom : celui du petit Grégory, quatre ans et deux mois, dont l'assassin n'a jamais pu être identifié jusqu'à aujourd'hui.

Rappel des faits

Nous sommes le 16 octobre 1984. Vers 17 heures, le petit Grégory Villemin disparaît alors qu'il joue devant

---

1. Thierry Paulin est mort du sida en prison, en 1989, avant l'ouverture de son procès.

la maison de ses parents à Lépanges-sur-Vologne, un village des Vosges qui compte un peu plus d'un millier d'habitants. Ses parents, Christine et Jean-Marie, le cherchent en vain dans tout le village. Ils signalent sa disparition aux gendarmes en fin d'après-midi…

Quatre heures plus tard, le corps de l'enfant est retrouvé dans la rivière, à sept kilomètres de là. Grégory est mort noyé. Ses mains et ses jambes sont liées par des cordelettes. Ça n'est pas un accident, c'est un assassinat !

Un photographe assiste à la scène… La photo sera publiée à la une de la presse dès le lendemain. Elle traumatisera toute la France…

L'horreur du crime s'accompagne d'une révélation : quelques heures avant la découverte du corps de Grégory, ce même 16 octobre, l'oncle de l'enfant a reçu un appel téléphonique d'un « corbeau » qui harcèle les Villemin depuis trois ans. La voix anonyme dit ceci : « *Je me suis vengé. J'ai pris le fils du chef. Je l'ai mis dans la Vologne !* »

Le 17 octobre, au lendemain du drame, Jean-Marie Villemin reçoit une lettre anonyme du même « corbeau ». Il lit : « J'espère que tu mourras de chagrin, le chef ! Ça n'est pas ton argent qui pourra te redonner ton fils. Voilà ma vengeance, pauvre con. »

Dans les jours et les semaines qui suivent, des centaines de journalistes investissent la région, campant sur les lieux pour certains, traquant la moindre rumeur, le moindre « témoin » porteur peut-être de l'improbable scoop après lequel tout le monde court…

L'affaire Grégory devient un véritable feuilleton national où chaque jour apporte son « information exclusive », en général démentie quelques heures plus tard…

Et puis l'histoire s'emballe ! Bernard Laroche, cousin germain de Jean-Marie Villemin, est dénoncé aux gendarmes comme l'assassin par Murielle, sa belle-sœur âgée de 15 ans ; aveux réitérés devant le juge d'instruction, en tête à tête, quarante-huit heures plus tard. Mais Murielle est une gamine fragile. Vite dépassée par les événements, elle se rétracte et proclame au contraire quelques jours plus tard l'innocence de Laroche ! Celui-ci est toutefois inculpé pour enlèvement et homicide volontaire par le juge Jean-Michel Lambert, qui instruit l'affaire. Nous sommes alors le 5 novembre.

Le 4 février, le même juge, *contre l'avis du ministère public*, libère Bernard Laroche qui reprend son travail. Le parquet ne fait pas appel de cette décision.

Et le 29 mars, c'est le second drame de l'affaire : Jean-Marie Villemin, persuadé que Laroche est bien le « corbeau » et l'assassin de son fils, l'abat d'un coup de fusil !

Et puis c'est l'enchaînement fatal, qui va encore brouiller un peu plus la compréhension de l'histoire. Le juge a dessaisi la gendarmerie de l'enquête et l'a confiée au SRPJ de Nancy. Le *shaker médiatico-judiciaire* ajoute un nouvel ingrédient à sa composition : les « on-dit », la rumeur, largement relayée par quelques journalistes avides de sensationnel, laissent entendre que « le corbeau » qui est aussi le meurtrier n'est pas un homme ! C'est une femme. On murmure qu'elle a été la maîtresse de Laroche… On l'a vue à la poste du village la veille du drame… C'est la mère ! C'est Christine Villemin elle-même qui a assassiné son propre fils !

Le 5 juillet 1985, le juge Lambert inculpe Christine Villemin d'assassinat et la place en détention, sous mandat de dépôt ! Elle va y rester onze jours. Mais la chambre d'accusation de Nancy, *constatant l'absence totale de charges*, décide de la libérer[1] !

---

1. Christine Villemin est libre mais elle demeure inculpée ! Il lui faudra attendre huit ans – 1993, le 3 février – pour que la justice rende définitivement un « non-lieu » au motif de « l'absence totale » de charges !

Les acteurs de l'affaire sont alors divisés entre les « pour » et les « contre », ceux qui sont persuadés de son innocence et ceux qui la considèrent coupable. La division, l'affrontement touchent l'ensemble de l'opinion du pays ! Marguerite Duras y va de son commentaire, après une parodie d'enquête sur les lieux. Elle n'a pas pu rencontrer Christine Villemin, mais, le 17 juillet, elle publie dans *Libération* son fameux article : « *Christine V., la mère sublime, forcément sublime* », où elle fait part de sa conviction quant à la culpabilité de Christine Villemin ! Quelques mois passent... En novembre 1993, Jean-Marie Villemin est jugé pour l'assassinat de Bernard Laroche, à Dijon, où l'affaire a été « dépaysée ». Après six semaines d'audience, il est condamné à cinq ans de prison, dont un an avec sursis. Deux semaines plus tard, ayant purgé l'essentiel de sa peine lors de la détention préventive, il est libéré...

Le 3 février 2003, le dossier du meurtre non élucidé de Grégory Villemin est définitivement clos. La prescription de dix ans commence. La justice peut donc encore décider de rouvrir l'affaire en cas de découverte d'un « fait nouveau » jusqu'en février 2013.

Les investigations de la dernière chance ?

Il reste aujourd'hui un très mince espoir d'aboutir un jour à la vérité. Il y a trois ans, au début du mois de décembre 2008, la chambre d'instruction de la cour d'appel de Dijon ordonnait la réouverture, sur charges nouvelles, de l'information close en 2003[1]. De nouvelles analyses et comparaisons génétiques ont été engagées l'année suivante. Mais ces expertises n'ont pas pu mettre en évidence de correspondance entre l'ADN de

1. La chambre de l'instruction de Dijon a confié en 2008 les investigations à la gendarmerie. Tout un symbole pour l'institution tant décriée dans cette affaire !

170 protagonistes directs ou indirects du dossier et les empreintes génétiques isolées sur plusieurs pièces à conviction.

Le 20 octobre 2010, de nouvelles analyses de certains scellés de l'affaire ont été décidées par la cour d'appel de Dijon, à la demande des parents de Grégory. On peut considérer en effet qu'il s'agit cette fois des investigations de la dernière chance.

Ces analyses concernent :

– un cheveu très long retrouvé sur le pantalon de Grégory ;

– une recherche complémentaire d'ADN, concernant les cordelettes de tous les scellés au niveau des nœuds ;

– une recherche de foulage sur la lettre anonyme de revendication du meurtre, postée le 16 octobre ;

– l'expertise des enregistrements des voix des corbeaux (l'homme et la femme) ;

– des prélèvements d'ADN concernant quatre personnes, proches des Villemin à l'époque.

Les enquêteurs ont commencé à exécuter début janvier 2011, la décision qui vise à prélever l'ADN de quatre personnes qui avaient un lien direct ou indirect avec les époux Villemin et qui n'ont jamais été soupçonnées par les enquêteurs à l'époque.

Au moment où nous écrivons ces lignes (été 2011), le rapport des expertises concernant l'ADN n'a pas encore été rendu public. Cette publication est attendue pour le dernier trimestre 2011.

Retour sur les gâchis de l'enquête

On ne peut pas comprendre l'amertume des hommes de terrain, les gendarmes qui ont mené une partie de cette enquête calamiteuse avec le sentiment d'un immense gâchis, ni la prise de conscience qui a saisi la hiérarchie de la gendarmerie au niveau national, sans revenir sur quelques points de l'enquête qui démontrent que si l'IRCGN avait existé à l'époque, nul doute que l'affaire aurait été bouclée en quelques semaines.

Le colonel de réserve Étienne Sesmat avait 29 ans à l'époque. Il était capitaine et il commandait la compagnie départementale d'Épinal. C'est lui qui a été le premier à conduire l'enquête pour la gendarmerie. Il a longuement expliqué dans un livre publié en août 2006[1] comment les choses s'étaient réellement passées : un devoir de mémoire, explique-t-il, pour le petit Grégory, la victime sacrificielle d'une terrible jalousie et d'une volonté de vengeance qui a conduit au drame. Une volonté aussi de laver son honneur bafoué et celui des gendarmes accusés d'avoir truqué un certain nombre de pièces du dossier pour faire accuser Bernard Laroche[2], le cousin de Jean-Marie Villemin, le père de l'enfant.

Aujourd'hui encore Étienne Sesmat fait remarquer que l'enquête des gendarmes a duré en tout et pour tout dix-huit semaines si on retient la date du 20 février 1985, lorsque le juge Jean-Michel Lambert dessaisit la gendarmerie pour confier l'enquête au SRPJ de Nancy. En réalité, précise-t-il, la véritable enquête n'aura duré que huit semaines, car les enquêteurs se retrouvent quasiment au chômage technique, n'effectuant que quelques vérifications et auditions à la demande exclusive du juge, dès le début du mois de décembre. Cela, à cause de la polémique qui enfle sur le travail des gendarmes accusés de protéger Christine Villemin, accusés surtout d'avoir maquillé les déclarations de Murielle Bolle lors de sa garde à vue du 2 novembre.

---

1. *Les deux affaires Grégory*, éditions Belfond.
2. Bernard Laroche a été abattu d'un coup de fusil par Jean-Marie Villemin le 29 mars 1985 alors qu'il était inculpé pour enlèvement et assassinat. Sa mort a éteint l'action de la justice à son encontre. Il est donc toujours présumé innocent.

Pourtant, le gendarme demeure persuadé que ces huit semaines d'enquête effective ont débouché sur la vérité. Pour lui, les seules zones d'ombre de l'affaire sont d'ordre politico-médiatique, dues principalement à une instruction désastreuse.

Notre propos, en citant ce livre, n'est pas de nous ériger en défenseurs du gendarme injustement accusé. Il a d'ailleurs bénéficié d'un non-lieu général de la justice concernant les accusations de faux en écriture et de subornation de témoin, comme l'expliquait en 2009 la journaliste Isabelle Horlans dans une dépêche de l'Agence France Presse : « Les gendarmes de Bruyères et d'Épinal, placés sous l'autorité du chef d'escadron Chaillan et du capitaine Sesmat, ont subi les pires humiliations en 1985. Traînés dans la boue par la presse, qui dénonçait leurs erreurs quand celles-ci incombaient au magistrat instructeur Jean-Michel Lambert, ils ont été dessaisis de l'enquête sans ménagement, au profit des policiers de Nancy qui avaient juré "pouvoir faire craquer la mère". Ils ont été aussi la cible d'une plainte déposée en janvier 1985 par Bernard Laroche. Le suspect de l'époque reprochait à cinq d'entre eux des "faux et usage de faux", et une "subornation de témoin", en l'occurrence sa belle-sœur accusatrice, Murielle Bolle. Les procédures engagées furent instruites durant des années, avant que soit rendu un non-lieu général. Mais l'opprobre les a longtemps poursuivis. Dans cette affaire, les militaires accusés de tous les maux ont cependant été réhabilités par le président de la chambre d'accusation de Dijon, Maurice Simon. C'est lui, avec ses conseillers, qui, en juin 1987, a annulé une cinquantaine de pièces du dossier mal ficelé par le juge Lambert. »

L'amertume du capitaine Sesmat repose sur les rares éléments de police scientifique qui faisaient de Laroche un suspect potentiel, mais qui n'ont pas pu être versés au dossier d'instruction par suite des erreurs procédurales du juge d'instruction.

Il s'en est expliqué dans une interview accordée à Jean-Marie Pontault et Éric Pelletier du magazine *L'Express* [1], à l'occasion de la publication de son livre *Les deux affaires Grégory* :

« Au début de l'enquête, explique Étienne Sesmat, Bernard Laroche n'est pas pour autant soupçonné d'être le fameux corbeau qui sévit depuis des années et a revendiqué le meurtre dans une lettre. Au même titre que tous les proches des Villemin, il est soumis à une dictée. Des estafettes transmettent régulièrement ces écrits à Anne-Marie Jacquin-Keller, un expert en écriture réputé de Strasbourg. C'est elle qui, la première, nous signale des éléments très forts de concordance. Il y aura ensuite la découverte d'un "foulage", c'est-à-dire l'empreinte laissée par un écrit sur une feuille placée au-dessous de celle utilisée. En observant la lettre de revendication avec une lumière rasante, on découvre les initiales "L B". Or les comparaisons réalisées, notamment avec des procès-verbaux d'audition de Bernard Laroche, montrent que celui-ci signait justement "L B". Il y a aussi cette voix du corbeau, "l'homme à la voix rauque", enregistrée sur des cassettes audio. Sur les 135 voix comparées, six peuvent correspondre, dont celle de Laroche. Mais il y a surtout le témoignage de sa jeune belle-sœur, Murielle Bolle. Elle a reconnu avoir assisté à l'enlèvement de l'enfant dans la voiture de Laroche. »

*

Au-delà des propos du colonel Sesmat, voici un bref relevé de la plupart des dysfonctionnements qui

1. *L'Express* du 31 août 2006 : « Le gendarme et le corbeau ».

expliquent le naufrage de l'affaire et qui montrent à l'évidence que la police scientifique, telle qu'on la connaît aujourd'hui, aurait pu changer le cours de l'enquête en répondant à des questions essentielles.

L'enfant est-il bien mort dans la Vologne ?

Pour le savoir, il aurait fallu analyser l'eau contenue dans les poumons à la recherche de diatomées[1]. Leur présence aurait pu lever le doute sur l'hypothèse de l'accident domestique, par exemple une noyade de l'enfant dans son bain. Les scientifiques n'ont jamais pu trancher la question car les prélèvements au cours de l'autopsie n'étaient pas suffisants en volume, ni bien réalisés !

La mort de Grégory ne serait-elle pas consécutive à une piqûre d'insuline ? (Un emballage d'insuline injectable avait été retrouvé près du lieu de la découverte du corps.)

Le toxicologue chargé de préciser si on trouve de l'insuline chez l'enfant dira que l'échantillon biologique était impossible à analyser : « un dé à coudre de plasma, centrifugé, congelé à -30° » !

Pourquoi les expertises de comparaison d'écriture n'ont-elles pas été versées au dossier ? (Elles désignaient Bernard Laroche comme un des scripteurs potentiels.)

Le code de procédure n'a pas été respecté pour les experts en écriture. Pour l'une des expertises, le juge n'avait pas requis l'expert par écrit, selon la règle. L'autre expert n'était pas inscrit sur la liste des experts

---

1. Les diatomées sont des microalgues unicellulaires planctoniques présentes dans tous les milieux aquatiques (avec une préférence pour les eaux froides).

agréés. Il aurait dû prêter serment par écrit, ce qui n'a pas été fait ! Les expertises ont été annulées !

Pourquoi certains procès verbaux d'auditions et certains scellés ont-il été annulés lors de l'enquête de la police judiciaire de Nancy ?

La police judiciaire a « oublié » d'établir certains procès-verbaux. Des scellés ont été contestés. Un témoin n'a pas reconnu sa signature sur l'étiquette portant le cachet de cire !

Incident au cours du procès : le président s'étonne de la présence d'un autre ruisseau à côté de l'endroit où on a trouvé le corps de Grégory.

Le commissaire du SRPJ de Nancy affirme que le bon endroit est celui où on a trouvé le corps. Or, tous les chronométrages effectués pour vérifier les emplois du temps de suspects n'ont été réalisés que sur cette seule hypothèse. Une différence de quelques minutes peut être capitale dans une affaire criminelle ! S'agit-il d'une erreur ? Le cours du ruisseau s'est-il modifié entre l'époque des faits et le procès tardif ? Personne ne saura jamais !

Pourquoi aussi peu d'indices et de prélèvements ont-ils été relevés sur la « scène de crime », au bord de la Vologne ?

Réponse du général Jacques Hébrard, ancien directeur de l'IRCGN : « On constate par rapport à ce qui se fait aujourd'hui de précautions en matière de protection de scène de crime, que tout le monde circulait librement, les journalistes étaient très proches des lieux, magistrats, policiers et gendarmes évoluent dans la zone. S'il y avait eu des empreintes des pneus de la voiture venue déposer l'enfant, cela aurait été constaté. Malheureusement à l'époque ce n'était pas un réflexe.

Lorsque l'on retrouve l'enfant, et qu'on le sort de l'eau, tout le monde piétine la scène. Un photographe réussit à venir sur la berge, il photographie l'enfant. Il sera évacué par les gendarmes. Mais il n'avait rien à faire là ! La notion de gel des lieux n'existait pas. Aucune méthodologie criminalistique n'est appliquée.

Les gendarmes de l'époque sont en vareuse et en baudrier avec l'arme à la ceinture.

Il y a bien sûr eu des polémiques sur l'enquête, mais en dehors de ces aspects-là, on prend conscience, à ce moment-là, que ce ne sont pas de bonnes conditions de travail. Nous sommes quand même au milieu des années 80, cela n'est pas acceptable.

Aujourd'hui tout cela nous semble évident, la tresse, le bandeau jaune et noir… L'interdiction de pénétrer sur le périmètre… À l'époque, la brigade ou la section d'enquête ne dispose pas de tous ces éléments, cela n'est pas intégré au processus d'enquête.

C'est pourquoi l'affaire Grégory, en dehors du fait qu'elle donne lieu à cette prise de conscience d'un point de vue scientifique, nous incite aussi à réfléchir à la manière de construire une enquête… »

Les années 90 vont survenir sans que le mystère de l'affaire Grégory ne soit élucidé… Mais pendant ce temps la réforme de la police scientifique, qui est devenue la priorité de Pierre Joxe, va enfin doter la police nationale des outils qui lui manquaient. Les ordinateurs portables vont apparaître, des procédés physico-chimiques qui étaient totalement ignorés vont permettre de relever des empreintes sans la fameuse poudre noire qui a fait tant de dégâts dans l'affaire Grégory. La recherche sur l'ADN va faire des bonds de géant. Bientôt les années 80 apparaîtront comme la préhistoire de l'enquête judiciaire… Et la gendarmerie nationale va devenir un acteur majeur de cette révolution, comme nous l'ont raconté ceux qui en ont été les principaux acteurs.

Naissance de l'IRCGN

*Où l'on fait connaissance des principaux acteurs
d'une révolution qui continue encore aujourd'hui.
Et où l'on découvre que les aventures vécues par
les « vrais experts » n'ont rien à envier aux feuilletons
télévisés. À une différence près cependant : ils mettent
en général un peu plus de cinquante-deux minutes
pour trouver l'assassin !*

Accidents, catastrophes, crimes, attentats : aujour-
d'hui la preuve scientifique constitue un élément
incontournable dans une enquête judiciaire. Témoignages et aveux ne parviennent plus à emporter la
conviction des magistrats et des jurés. La gendarmerie
nationale[1] traite chaque année plus du quart des crimes
et délits commis en France.

Pour mettre en œuvre de la façon la plus efficace
possible l'ensemble des moyens nouveaux apportés par
la science, la gendarmerie s'est dotée depuis une vingtaine d'années d'un outil ultraperfectionné, un plateau
technique unique en France, regroupant en un seul lieu,
le fort de Rosny-sous-Bois, le maximum de compétences. L'IRCGN est devenu aujourd'hui l'un des six

---

1. La gendarmerie nationale compte près de 100 000 personnels. Ses
missions judiciaires sont la constatation des crimes, délits, contraventions,
le rassemblement des preuves et la recherche des auteurs d'infractions.

grands laboratoires français de police scientifique. Il est doté de matériels à la pointe de la technologie

Serge Caillet, Jacques Hébrard, Yves Schuliar, François Daoust, actuel directeur de l'IRCGN, ont vécu au plus près toutes les étapes de la véritable révolution scientifique qui accompagne l'IRCGN depuis sa création. Ils ont accepté de nous ouvrir les portes des différents laboratoires de Rosny-sous-Bois, en toute liberté, pour nous en faire découvrir certains secrets… Tous ont accepté de se livrer, certains pour la première fois, en nous parlant aussi de leur aventure personnelle et des pierres qu'ils ont apportées avec passion à cet édifice collectif qui réunit à l'heure actuelle les meilleurs experts de la gendarmerie. Certains outils techniques, certaines procédures d'enquête sont encore, à l'heure où nous écrivons ces lignes, du domaine du confidentiel. Car dans la guerre de mouvement que se livrent enquêteurs et délinquants, l'IRCGN veille à conserver une longueur d'avance sur le camp des malfaiteurs. Ses responsables nous ont toutefois permis de porter à la connaissance du public, quelques informations sur les nouvelles armes de la police scientifique. À l'heure où vous lirez ces pages, la plupart auront fait l'objet de communications scientifiques, ou encore – et c'est le plus probable – auront été dévoilées à l'occasion des procès de la rentrée judiciaire.

Pour mieux comprendre les différentes étapes de cette révolution de la police scientifique au cours des vingt-cinq dernières années, il fallait pénétrer dans les coulisses des enquêtes les plus emblématiques de la gendarmerie nationale. La plupart d'entre elles sont connues superficiellement du grand public, parce qu'elles ont fait la une de l'actualité, comme l'accident de la princesse Diana, la tuerie de Monfort, l'affaire Flactif ou encore le crash du mont Saint-Odile ou celui du Concorde… D'autres sont restées inconnues de l'opinion et n'ont passionné que les spécialistes qui en connaissent les enjeux, comme l'extraordinaire travail de terrain qui a permis l'identification des victimes du tsunami. Toutes ces affaires ne sont pas criminelles, mais elles sont liées par l'utilisation de nouvelles techniques d'enquête et par la mise au point de procédures scientifiques inédites qui peuvent permettre, des mois ou des années plus tard, de résoudre des affaires criminelles mystérieuses.

L'IRCGN ne prend part qu'à un volet spécifique des enquêtes – celui de la révélation de preuves scientifiques – qui doit permettre ensuite aux différents services d'enquêtes et aux juges d'instruction de confondre les coupables, présumés innocents jusqu'à ce que les magistrats et les jurés populaires tranchent au cours d'un procès d'assises. La « vérité judiciaire », fondée dans notre droit sur « l'intime conviction », nécessite une approche rigoureuse de l'enquête. Dans ce cadre spécifique, l'action des experts de l'IRCGN a souvent été déterminante. Mais, « déterminante » ne signifie pas toujours couronnée de succès ! L'IRCGN a aussi ses échecs, et ses membres en parlent sans ambages. Car les experts se nourrissent aussi de leurs revers, voire de leurs fiascos, pour en éviter la répétition dans de nouvelles enquêtes.

La chaîne de Police technique et scientifique (PTS) de la gendarmerie est constituée de trois niveaux. Sur l'ensemble du territoire, répartis dans les brigades territoriales, ce sont plus de 5 500 techniciens en identification criminelle de proximité (TICP) qui procèdent à la recherche des traces et indices sur des cambriolages. Aux chefs-lieux des départements, 450 techniciens en identification criminelle (TIC) traitent les scènes d'infraction et de crime. Une grande partie des indices ainsi prélevés par ces différents acteurs sont adressés à l'IRCGN pour y être traités.

L'Institut de recherche criminelle de la gendarmerie nationale est depuis le 1er janvier 2011 intégré avec le

Service technique de recherches judiciaires et de documentation au sein du Pôle judiciaire de la gendarmerie nationale. Cet ensemble rejoindra en 2014 une nouvelle implantation ultramoderne à Pontoise.

TIC

Les enquêteurs de la gendarmerie utilisent systématiquement les outils de la science et de la technologie avec l'aide d'un personnel spécialement formé : les TIC (techniciens en identification criminelle), qui interviennent sur les scènes de crime pour effectuer les actes de police technique et scientifique.

À l'origine en 1949, la formation de police technique en gendarmerie se résumait à un simple stage de photographie et technique judiciaire. À l'époque, la formation n'excède pas quelques heures. On se contente d'inculquer à quelques officiers de police judiciaire volontaires, les techniques de la recherche d'empreintes digitales, le moulage d'empreintes de pas, plus quelques trucs et astuces hérités des heures glorieuses de Bertillon. Au point que ces techniciens investissent, à l'époque, les scènes de crime *après* les premiers enquêteurs, les membres du parquet, voire le juge d'instruction. Le corps évoluera très lentement, s'agrémentant de quelques nouvelles techniques de prélèvement, notamment pour le sang. Mais l'heure n'est pas encore aux blouses blanches et à la complète prophylaxie.

La situation n'est guère plus glorieuse en 1984, quand Serge Caillet décide de revoir complètement leur fonctionnement. Le concept de technicien en identification criminelle (TIC) a été créé au sein de la gendarmerie en 1987. Aujourd'hui, ils sont une entité indépendante et reconnue au sein de la gendarmerie.

Les TIC aujourd'hui…

Le TIC est l'intermédiaire entre les enquêteurs des brigades de gendarmerie et ceux de l'IRCGN. Ses missions sont donc multiples : organiser les constatations sur les lieux d'un crime ou d'un délit ; rechercher les preuves matérielles au travers d'opérations techniques, notamment des prélèvements d'indices ; renseigner les magistrats et les officiers et sous-officiers de gendarmerie qui dirigent les enquêtes judiciaires (qu'on appelle des directeurs d'enquêtes) ; et exploiter les résultats des analyses scientifiques réalisées par les laboratoires pour faire avancer l'enquête[1]. Il existe, à l'heure actuelle, plus de 100 équipes de TIC en France. Leurs moyens sont adaptés à la recherche de toutes traces et indices (micro-traces, en milieu sec ou humide…). Ils disposent notamment d'un véhicule équipé et de treize mallettes de prélèvements qui répondent à des domaines d'investigations précis : stupéfiants, biologie, incendie-explosion, constatations, micro-prélèvements… et de tout le matériel nécessaire pour éviter de « polluer » les échantillons : pochons stériles pour les scellés, tamponnoirs, pinces stériles, ruban adhésif, moyens de photographie (appareils photographiques et caméras), écouvillons pour l'ADN, et kit de recherche de stupéfiants. Chaque mallette permet d'effectuer plus d'une centaine de prélèvements (sang, salive, tissu cutané, empreintes digitales…) et aussi de conserver une arme sans la toucher, ni risquer de blesser quelqu'un, tout en préservant les traces.

1. Les TIC, tous volontaires, reçoivent une formation de neuf semaines au Centre national de formation de police judiciaire (CNFPJ) de l'école de gendarmerie de Fontainebleau. Les plus expérimentés participent à la formation des autres militaires aux actes de police technique et scientifique.

Ils disposent en outre d'un plateau technique pour procéder à des révélations simples de traces digitales et à l'exploitation de différents supports.

« Il nous a fallu tout inventer, se souvient le général Hébrard. Pensez qu'à l'époque, il ne nous était même pas venu à l'idée de faire comme les Américains, et au moins circonscrire d'un ruban jaune le périmètre d'enquête. N'importe qui pouvait investir les lieux d'une scène de crime. » Poser la fameuse bande jaune et noire, siglée « Gendarmerie nationale », est aujourd'hui le premier réflexe des TIC. « On gèle les lieux, continue le général Hébrard. Cette étape est entrée dans les mœurs. Si le directeur d'enquête veut se faire une opinion, il doit s'équiper comme les TIC pour ne pas polluer la scène. Dans toutes les affaires, cette procédure est systématique. Des photographies sont faites, on fait un repérage avec des chiffres inscrits là où on sait que l'on doit relever certains éléments, ce qui permet de ne pas les piétiner. L'idée est de reconstruire, d'après la scène de crime, le scénario de ce qu'il s'est passé. Il faut le faire avec un maximum de précautions. Il y a plusieurs façons de le faire : par quadrillage, du centre vers l'extérieur, le tout est d'être sûr de ne pas oublier un mètre carré de la scène !

Auparavant, nous travaillions à base de photographies et de dessins. Aujourd'hui, il y a des logiciels capables de faire une modélisation d'une scène, très rapidement. Avec la photographie numérique, on peut faire des milliers de photographies, cela a complètement modifié le traitement des données, même si la méthodologie de base reste la même. On illustre et il ne faut pas oublier que pour chaque prélèvement, les cavaliers fléchés ou numérotés [1] sont fondamentaux. La position d'une trace

---

1. Voir cahier photo, « L'affaire Flactif ».

a une réelle importance pour que les mesures et le positionnement puissent attester de quelque chose. »

En 2008, afin d'apporter systématiquement une réponse scientifique à tous les faits de petite et moyenne délinquance et ainsi optimiser l'exploitation des grands fichiers nationaux d'identification (empreintes digitales et empreintes génétiques), la gendarmerie a déployé des enquêteurs sensibilisés à la PTS, les techniciens en identification criminelle de proximité (TICP). Leur mission est triple : assurer dans un premier temps le gel des lieux, réaliser des actes techniques simples. Ils ont pour cela des mallettes dédiées (gel des lieux, empreintes digitales et biologie). Chaque brigade territoriale dispose de ces TICP.

Sitôt que les TIC de proximité considèrent que la scène d'action dépasse leurs compétences, ils peuvent bénéficier de l'appui de leurs collègues départementaux. Enfin, tous ont aussi la possibilité de solliciter l'IRCGN pour les épauler.

Dès qu'un mystère tenace entrave le succès d'une enquête, qu'une scène de crime apparaît particulièrement complexe, l'IRCGN entre en scène.

Scène de crime

Le principe de base de toute enquête policière moderne, est de « faire parler la scène de crime en prélevant tout indice susceptible de permettre de reconstituer le scénario de l'action et d'identifier son ou ses auteurs ».

Sur le terrain, toute procédure commence donc par isoler et geler la scène de crime, c'est-à-dire, interdire à toute personne étrangère à l'enquête d'y pénétrer. Puis il faut photographier et fixer sur le papier la configuration des lieux, relever des empreintes, traquer le moindre indice avec le matériel adapté. Aujourd'hui, près d'un siècle après son élaboration, le principe de l'échange du professeur Locard[1] est toujours valable. On peut le résumer ainsi : tout auteur d'une infraction laisse des traces sur le lieu de son forfait, et il emmène avec lui des éléments issus de ce lieu.

La phase de prélèvement est la première étape. Une fois recueillis, les indices sont mis sous scellés et envoyés vers divers laboratoires pour y être analysés. Une bouteille, une fibre textile, un mégot, une trace de salive, de sang ou de sperme peuvent « parler », et ainsi aider à déterminer l'identité de l'auteur et son mode opératoire. Les analyses scientifiques peuvent permettre d'écrire l'histoire du crime et ainsi reconstituer le scénario et la chronologie des événements. Contrairement à ce que pourraient laisser croire les films de cinéma et de télévision qui ont popularisé la police scientifique ces dernières années, il est rare que les experts aboutissent à coup sûr à la solution des mystères criminels et, en tout cas, jamais en 52 minutes ni même en 1 h 30 !

Même si nous vivons dans les faits, depuis un peu plus de vingt ans, une véritable révolution de la police scientifique, il ne s'agit que d'un plus, qui vient ajouter à la palette des enquêteurs des moyens d'investigation jusqu'alors inconnus.

L'IRCGN, c'est aujourd'hui 220 scientifiques qui œuvrent chaque jour dans le fort de Rosny-sous-Bois, situé quelques kilomètres à l'est de Paris. Les scientifiques qui y travaillent sont bardés de diplômes, et trouveraient sans mal meilleure solde dans le privé. Mais au-delà du sens du devoir, ou de la passion personnelle, ils

---

1. Le docteur Edmond Locard a fondé en 1910 le laboratoire de police technique de Lyon ; il est considéré comme le « père » de la police scientifique française. Cf. note 1, p. 12-13.

ont trouvé à l'Institut un sens de la solidarité inconnu ailleurs.

Les principaux acteurs de la création de l'IRCGN nous ont raconté la petite histoire d'une véritable aventure humaine qui devait donner naissance à l'un des instituts de police scientifique les plus performants au monde.

À l'origine : le traumatisme de l'affaire Grégory

« Il est évident que la prise de conscience de nos faiblesses date de cette époque, se souvient le général Hébrard. Nous souffrions aussi, depuis toujours, d'une image caricaturale. Pour les Français, le gendarme représentait le petit bonhomme habillé en bleu qu'on voyait au bord des routes pour sanctionner les conducteurs, distribuer des contredanses. »

Jusqu'en 1958, la gendarmerie nationale n'avait qu'une fonction de sécurité publique.

C'est le fiasco de l'affaire Dominici qui a décidé les pouvoirs publics à élargir la fonction de police judiciaire aux gendarmes. Le 4 août 1952, au soir, toute une famille anglaise, Anne et Jack Drummond, ainsi que leur fillette, Elizabeth, avait été assassinée au bord de la RN96, à quelques dizaines de mètres de la ferme de la « Grand'Terre », située sur la commune de Lurs, dans les Basses-Alpes. L'enquête, confiée au commissaire Sébeille de la 9e brigade mobile de Marseille, va désigner le « patriarche », Gaston Dominici, 75 ans, comme l'auteur du triple meurtre. Malgré des témoignages contradictoires, des destructions de preuves, des rapports d'expert tronqués, et une enquête menée uniquement à charge, celui-ci sera condamné à mort le 28 novembre 1954, puis il sera gracié par le général de Gaulle en 1960. Près de soixante ans après les faits, l'incertitude plane encore sur l'unique culpabilité de Gaston Dominici.

Les premières sections de recherches, avec des officiers pourvus de qualité de police judiciaire, ont pour but de créer une véritable émulation entre police et gendarmerie. Les juges d'instruction sont invités à choisir l'une ou l'autre à discrétion. Ce qui va créer une très forte inimitié entre les deux corps, mis en concurrence. Aujourd'hui encore, à l'heure du rattachement de la gendarmerie au ministère de l'Intérieur, la police judiciaire demeure un sujet sensible.

La création de l'IRCGN, qui s'appelle d'abord la Section technique d'investigation criminelle de la gendarmerie (STICG), remonte à l'année 1987. Elle est l'œuvre d'un homme : Serge Caillet. Ce polytechnicien, licencié en droit, qui vient d'être élevé par le président de la République au rang de général de corps d'armée de la gendarmerie nationale, fin juin 2011, a tiré de l'analyse du fiasco de la tristement célèbre « affaire Grégory », un enseignement principal : saisir cette opportunité pour convaincre sa hiérarchie de la nécessité d'ouvrir systématiquement un volet scientifique dans les enquêtes traditionnelles de gendarmerie.

« L'idée était dans l'air du temps, se souvient Jacques Hébrard. Les télévisions diffusaient les premiers reportages consacrés à la police scientifique, venus des États-Unis. Il nous fallait tenter l'expérience. » L'état-major, traumatisé par le dessaisissement de ses enquêteurs au profit de la police judiciaire de Nancy, ne fut pas difficile à convaincre. « Nous savions tous que c'était l'avenir. »

À l'époque, la police nationale dispose déjà de cinq laboratoires, répartis entre Marseille, Lyon, Lille, Toulouse et Paris selon leurs spécialités. Serge Caillet envisage, lui, de regrouper toutes les compétences scientifiques dans le même lieu. Il crée ainsi de toutes pièces le premier laboratoire de la gendarmerie. Et il voit grand : pour s'imposer dans le dispositif, il veut un budget conséquent, et une liberté totale dans ses recherches. Faut-il se concentrer sur les empreintes digitales ? la botanique, très en vogue à l'époque ? les groupes sanguins ? l'accidentologie ? Serge Caillet veut tout couvrir. « Il n'existait, à l'époque, que quelques stages de photographie de scènes de crime, rappelle le général Hébrard. C'est dire s'il fallait tout reprendre à zéro. » Aidé d'une quinzaine de collaborateurs, Serge Caillet obtient d'investir des locaux disponibles au fort de Rosny-sous-Bois, pour regrouper en un même lieu tous ses futurs spécialistes… Les pontes de la police nationale ne voient pas ce projet d'un bon œil. Ils avancent un argument massue : à quoi bon dépenser l'argent public, font-ils remarquer, pour créer un laboratoire supplémentaire destiné à réaliser au sein de la gendarmerie ce que les policiers savent déjà faire depuis longtemps ? « Mais Serge Caillet, qui est, rappelons-le, aussi bon juriste qu'il est un excellent polytechnicien, est convaincu que l'expertise jouera un rôle de plus en plus important dans la procédure. Forgé au principe d'une justice équitable, il demeure également sensible à la notion de contre-expertise. Il découvre alors ses principaux arguments dans le code de procédure pénale », se souvient Jacques Hébrard. Il précise : « Sur avis motivé d'un magistrat, et s'il n'y a pas d'autre expert disponible, on peut faire appel à un spécialiste qui prête serment, pour procéder à des examens scientifiques et à des expertises au profit des enquêteurs. C'est l'acte de naissance du laboratoire de la gendarmerie ! »

Serge Caillet s'entoure dans un premier temps de quelques sous-officiers qui procédaient déjà à quelques actes simples de police technique au sein du STRJD, de la balistique, de la comparaison d'écriture, du maquillage de véhicule. Il adjoint à cette équipe quelques sous-officiers particulièrement diplômés, un docteur en géologie et un biologiste.

Il fait plusieurs voyages à l'étranger, en Italie, aux USA et en Israël pour concevoir le laboratoire que la gendarmerie lui a demandé de conceptualiser.

Première mission : transformer les vieux bâtiments du fort de Rosny-sous-Bois en laboratoires ultramodernes. « Il n'y avait pas de locaux dignes de ce nom, se souvient Jacques Hébrard. Serge Caillet récupère les espaces libres constitués d'anciens appartements, pour les faire transformer. Il prévoit la construction d'un tunnel de tir en sous-sol, pour la balistique et fait installer les gaz nécessaires aux instruments analytiques dans tout le bâtiment : il faut aussi pouvoir faire un peu de chimie. Il consacre même une salle aux examens acoustiques, similaire à celle qu'il avait vue à Jérusalem. Cette chambre anéchoïque, qu'on appelle aussi "chambre sourde", était extraordinaire. Entièrement capitonnée, aucun son n'était réfléchi. Sitôt la porte fermée, je me souviens que j'entendais battre mon cœur. » Enfin il fait construire un garage pour les examens automobiles.

Le bâtiment pratiquement achevé, il décide d'étoffer la petite équipe et commence par recruter ceux qui doivent faire le succès de leur institut. Il convoque ainsi à Rosny-sous-Bois quelques officiers en poste de commandement dans une compagnie, et possédant par ailleurs un diplôme scientifique. C'est ainsi que Jacques Hébrard se retrouve, un matin de l'année 1989, dans le bureau de Serge Caillet : « Je commandais à l'époque la compagnie de gendarmerie départementale d'Argelès-Gazost, dans les Hautes-Pyrénées. Et j'avais déjà croisé Serge Caillet, à l'occasion de stages. Nous partagions un certain attrait pour l'essor des sciences criminalistiques, mais j'étais loin de me douter, ce matin-là, que je passais un entretien d'embauche. » La conversation est badine, dérive sur les dernières avancées américaines en matière de police scientifique, et se conclut sur une poignée de main. Jacques Hébrard fait désormais partie de l'IRCGN. C'est le début d'une aventure personnelle et d'un pari sur l'avenir, car, à l'époque, la création du laboratoire reste confidentielle et très peu, parmi ceux qui en ont entendu parler, se risquaient à lui prédire un grand succès. Jacques Hébrard est enthousiaste. Il veut prendre part à l'aventure, sans se douter qu'un jour il dirigerait cet institut.

En octobre 1990 la petite Section technique d'investigation criminelle de la gendarmerie prend le statut d'institut et devient l'IRCGN. Au départ, la direction du laboratoire est confiée à un agrégé de toxicologie, pharmacien chimiste du service de santé des armées, Paul Lafargue, qui présidera aux destinées de l'IRCGN jusqu'en 1995, Serge Caillet occupant le poste d'adjoint, avant d'en prendre la direction de 1997 à 2003.

Tous deux vont créer un institut de police scientifique… La tâche est certes excitante. Mais par quoi commencer ? D'autant qu'à l'époque, la science criminalistique, « forensique » comme disent les Anglo-Saxons, est balbutiante. Serge Caillet décide d'envoyer ses futurs experts aux quatre coins du monde pour comparer leurs connaissances à ce qui se pratique à l'étranger. En épluchant les nombreux traités d'accords internationaux signés par la France, il obtient des meilleures polices du monde des stages pour ses gendarmes. Il les fait aussi participer à des congrès scientifiques. C'est ainsi que Jacques Hébrard se rend en Australie à Adélaïde au congrès de l'IAFS (International Association of Forensic Sciences).

De retour d'Australie, il retrouve ses collègues pour qui le stage a été tout aussi déstabilisant. Les uns reviennent des États-Unis, du Canada, d'autres d'Angleterre ou d'Italie. Tous ont fait le même constat : le retard français est considérable. Les moyens financiers des polices étrangères sont immenses, comparés aux budgets français.

Le nerf de la guerre sera donc l'argent ! Au total, l'IRCGN sera doté de près de quatre millions de francs (près de six cent mille euros). Une somme énorme pour l'époque. Chacun des 27 premiers experts va avoir pour mission de développer sa spécialité, et de recruter les meilleurs spécialistes pour les seconder : « Serge Caillet a des talents d'organisateur, se souvient Jacques Hébrard. Lors d'une réunion, il nous présente une architecture de ce que pourrait être le laboratoire, divisé en départements spécifiques. » Dans la division « A » sont intégrés les empreintes digitales, la balistique, les véhicules, l'analyse des documents et la comparaison d'écriture. Des techniques anciennes dont certains avaient déjà la maîtrise.

« Ces disciplines étaient bien développées, renchérit Jacques Hébrard. Par exemple, le travail sur les véhicules consiste à savoir faire réapparaître les numéros de série des voitures volées, meulés par les trafiquants. Avec différents produits chimiques, on peut faire réapparaître ces numéros et démonter les réseaux de trafic de voitures. On travaille à l'époque au profit des sections de recherche de gendarmerie qui sont souvent confrontées à ce type de délinquance. » Certains des premiers gendarmes maîtres de ces techniques joueront plus tard un rôle important lors de l'accident de voiture qui coûta la vie à la princesse de Galles.

Une autre équipe s'attelle à la comparaison d'écriture, domaine sensible depuis l'affaire Grégory. D'autres se penchent sur la balistique : « Nous sommes quand même à l'époque sous les ordres du ministère de la Défense ! rappelle Jacques Hébrard. Nous disposons donc d'armuriers que nous mettons à contribution. Enfin, nous travaillons sur l'empreinte digitale et sur les traces biologiques. Ce domaine va bientôt être déterminant, puisque nous sommes au seuil de l'utilisation de l'ADN en criminalistique ! Mais, à l'époque, c'est surtout l'empreinte digitale qui nous intéresse, et la gendarmerie rejoint la police nationale dans l'Automated Fingerprint Identification System » (AFIS Morpho, qui constitue le fichier automatisé des empreintes digitales). L'informatique balbutiante préfigure déjà l'avenir.

Entre 1987 et 1990, le futur Institut va de découvertes en découvertes. Les 27 experts s'enthousiasment devant le champ des possibles qui leur est offert. S'inspirant des modèles anglais et américain, Philippe Masselin, un ancien patron du GIGN, qui travaille au Centre national de formation de police judiciaire à Fontainebleau, théorise le « gel de la scène de crime », et conçoit les premières mallettes de prélèvements d'indices qui vont bientôt équiper les techniciens en identification criminelle. Mieux, il définit le véhicule idéal pour ce type de mission, et le dote d'un réfrigérateur. Les gendarmes biologistes Tabary et Lambert sont rejoints par une pharmacienne du service de santé des armées, Mme Fillancq, et se penchent sur les premiers travaux concernant l'ADN...

Les avancées de l'équipe sont spectaculaires, si bien qu'en octobre 1990, les résultats de l'ensemble des travaux réalisés par cette poignée de gendarmes sont suffisamment convaincants pour que M. Barbeau, directeur général de la gendarmerie nationale, décide de la création définitive de l'IRCGN.

Serge Caillet a remporté la première manche de son combat. Mais il va falloir faire ses preuves vis-à-vis de la police. La reconnaissance de l'IRCGN n'est, pour beaucoup de responsables de la police nationale, qu'une faveur accordée, « de celles que l'on concède à une cousine montée à la capitale pour réussir dans le métier d'artiste mais dont on prévoit le rapide retour en province, afin de libérer la chambre » ! Mauvais calcul. En dehors de ses facultés d'organisateur, Serge Caillet s'attache à suivre les pas de ses illustres prédécesseurs, et concentre ses efforts sur la détection des empreintes digitales, le traitement de l'image et l'informatique… Il va être servi par l'Histoire.

Jacques Hébrard découvre en effet qu'il existe à l'Institut de police scientifique et de criminologie de Lausanne, en Suisse romande, une entité universitaire qui forme les policiers aux nouvelles techniques de révélation des empreintes digitales. Il sollicite un stage qui va s'avérer très fructueux. Car, en cette fin d'année 1990, un certain Pierre Margot s'apprête à faire plusieurs communications importantes. Ce chercheur de nationalité suisse a fait entre autres des études en Écosse à l'université de Strathclyde, et rentre d'un stage de travail à Camberra en Australie. Ses recherches (qui l'ont conduit à diriger l'Institut de police scientifique et de criminologie de Lausanne) ont porté sur la détection d'empreintes digitales et l'ont amené à découvrir que n'importe quelle surface touchée est susceptible de conserver les empreintes. C'est à l'époque totalement révolutionnaire ! Voilà bientôt un siècle que le procédé de reconnaissance par empreinte digitale est connu, mais restreint à quelques surfaces très précises, tels le verre ou le plastique. Pierre Margot, aidé de chercheurs australiens, a élaboré toute une série de procédés physicochimiques pour détecter des empreintes digitales sur pratiquement tous les types de support. Il a de plus mis au point une lampe polychromatique dont l'emploi est révolutionnaire. Jacques Hébrard s'empresse de communiquer ces découvertes encore confidentielles à l'IRCGN. Il voit dans ces avancées révolutionnaires un moyen de faire progresser la recherche criminalistique ; il ne se doute pas qu'il va introduire l'IRCGN dans le cercle des laboratoires jadis limité à la police nationale.

« Le personnel chargé des enquêtes scientifiques n'avait pas la culture qui consiste à s'informer à l'étranger, constate aujourd'hui le général Hébrard. J'étais personnellement subjugué par les avancées de la police suisse, capable de révéler, sous mes yeux ébahis, une empreinte digitale cachée dans une immense tapisserie. » En rapportant à ses supérieurs les résultats de cette expérience, Jacques Hébrard brisait sans le vouloir un tabou. Car, si les scientifiques du monde entier ont pour usage de se retrouver régulièrement à des colloques pour échanger leurs informations, les experts en criminalistique avaient pour réflexe de cacher leurs découvertes. « Cela était dû au fait que la moindre communication avait pour corollaire le risque d'informer les délinquants », explique-t-il.

Le début de l'année 1991 sera tout aussi riche en bouleversements. La police américaine parvient cette année-là à résoudre sa première affaire criminelle grâce à l'ADN d'un suspect retrouvé sur une scène de crime. L'IRCGN se penche immédiatement sur cette nouvelle technique, et développe son propre laboratoire d'analyse de traces biologiques, aujourd'hui installé dans le nord de Paris, et qui réalise plus de cent mille tests par an. Cette dernière décennie du XXᵉ siècle voit également l'arrivée massive des ordinateurs, et des logiciels de reconnaissance permettant d'automatiser les fichiers. La numérisation est en marche. Il faut un homme pour comprendre cette révolution. Ce sera François Daoust.

Il rêvait de devenir avocat dans un grand groupe industriel, mais François Daoust a rencontré la gendarmerie à l'occasion de son service militaire. « J'ai été encadré par un gradé qui me parlait des enquêtes, du monde judiciaire. » À la fin de ses études, François Daoust renonce au barreau pour présenter le concours de la gendarmerie, qu'il intègre en 1984, un mois avant l'affaire Grégory. « Je me passionnais pour l'affaire.

J'étais surpris par le peu de moyens techniques dont disposaient les gendarmes. Les traces de foulage, comme les expertises en écriture, avaient été confiées à des experts privés. Pourquoi la gendarmerie n'avait-elle pas ce type de talent à disposition ? » Ayant travaillé avec Jacques Hébrard, du temps où celui-ci commandait une unité de haute montagne, il lui fait part de ses interrogations. En 1989, François Daoust est convoqué à Rosny-sous-Bois pour une éventuelle mutation.

« Le chef d'escadron Caillet, dans un premier temps, me dit que mes connaissances universitaires en droit l'intéressent. Il faut en effet que le travail de l'Institut soit juridiquement inattaquable. » Serge Caillet lui désigne un bureau vide. « Il m'explique qu'il veut que je fonde la division "B", consacrée à l'informatique. C'était vertigineux ! » Sa mission : travailler sur le piratage informatique et les escroqueries. « C'était visionnaire parce qu'en 1990, il n'y avait pratiquement rien. C'était un pari sur l'avenir d'imaginer que ces nouvelles technologies allaient se développer. » L'époque est encore aux documents grossièrement falsifiés, aux fausses lettres de change, aux bons au porteur aux signatures trafiquées.

À Jacques Hébrard la division « A » de physique-chimie. À François Daoust celle de l'ingénierie et de l'informatique… Une troisième division de l'IRCGN va bientôt voir le jour : celle de l'identification humaine. Elle sera supervisée par Yves Schuliar.

Médecin praticien du service de santé des armées, Yves Schuliar décide d'entamer une formation en criminalistique et en médecine légale. Chef du centre médical du Centre technique de la gendarmerie nationale où est implanté l'IRCGN, l'aventure criminalistique le tente. Il va alors pousser la porte de Serge Caillet et lui proposer d'inclure dans son laboratoire le volet médico-légal, ce qui en France est inédit. C'est la gestion des catastrophes qui l'intéresse.

« Au départ, tout commence pour moi à l'occasion de la catastrophe de Los Alfaques, le 11 juillet 1978. Ce jour-là, un camion-citerne explose à proximité d'un camping, dans une région très touristique d'Espagne, causant la mort de 216 personnes. Toutes les polices d'Europe ont été mises à contribution, dans la mesure où plus de 25 nationalités différentes étaient représentées parmi les victimes. Mais les corps étaient dans un tel état que les identifications ont posé d'énormes problèmes avant d'être rendus aux familles. Les pouvoirs publics avaient dépêché sur place des spécialistes de l'identité judiciaire, pour essayer de gérer au mieux, mais il n'y avait pas de véritable intervenant ayant des connaissances spécifiques en la matière. Interpol, seul, avait tenté de mener une réflexion sur ce type d'événement. Sans succès. Je voulais m'y intéresser. » Yves Schuliar travaille d'abord à mi-temps pour l'IRCGN, avant de seconder Philippe Masselin, en 1995, au sein de la division « C » de l'identification humaine, qui couvrira l'ADN, l'anthropologie, l'odontologie et l'entomologie.

Aujourd'hui encore, l'IRCGN est structuré selon ces trois divisions criminalistiques. L'IRCGN, poursuivant sa progression, s'est engagé dans un processus d'accréditation le conduisant à devenir le premier laboratoire de criminalistique accrédité en France en 2007 et se situe parmi les leaders européens en la matière.

C'est à un voyage en son sein que nous vous convions.

Différence entre l'IRCGN et l'Institut de police scientifique et technique de la police nationale

La grande différence tient d'abord dans la conception de son organisation. La gendarmerie dispose d'un seul plateau pluridisciplinaire, regroupant les activités criminalistiques et médico-légales, situé à Rosny-sous-Bois et prochainement transféré à Pontoise. La police nationale a regroupé ses laboratoires au sein d'un établissement public, l'Institut national de police scientifique (INPS) formant ainsi un réseau et dont le siège se situe à Écully.

Compte tenu du caractère opérationnel des missions réalisées par l'IRCGN, les personnels y travaillant sont dans leur grande majorité des militaires de la gendarmerie et du service de santé des armées. Les officiers sont majoritairement issus des grandes écoles militaires (Polytechnique, Saint-Cyr, École navale, École de l'air) ou d'écoles d'ingénieurs. De nombreux sous-officiers et quelques personnels civils, bardés de diplômes, complètent le dispositif.

Ces différentes origines permettent à l'IRCGN de disposer de personnels ayant à la fois la compétence scientifique et la connaissance des enquêtes de terrain. D'ailleurs, ils effectuent régulièrement des retours dans des unités opérationnelles après quelques années passées à Rosny-sous-Bois. Ils sont donc plus à même de connaître l'évolution des activités criminelles et des modes opératoires de leurs auteurs afin de mieux leur faire obstacle en tentant de garder toujours une « longueur d'avance » sur les délinquants.

Les ingénieurs et techniciens qui travaillent au sein des laboratoires de l'INPS appartiennent à un corps de police technique et scientifique et ne sont pas policiers.

La gendarmerie a également mis au point ces derniers mois des unités mobiles d'analyses scientifiques, dont un bus hi-tech, qui peut être amené au plus près de la scène de crime, afin de réaliser des analyses en temps réel et donc permettre aux enquêteurs de terrain d'optimiser les résultats scientifiques et ainsi d'ouvrir de nouvelles investigations ou vérifications en temps réel. Tous les policiers et gendarmes savent que les premières heures d'une enquête déterminent souvent son succès ou son fiasco.

Diana, le mystère de la Fiat Uno

Où l'on apprend que la « Fiat fantôme » se trouvait
bien sur les lieux de la tragédie sous le tunnel
de l'Alma. Où l'on découvre pourquoi le prince Philip
d'Angleterre est accusé par Mohamed Al-Fayed
d'avoir commandité l'action d'un commando
des services secrets britanniques pour éliminer
son ex-belle-fille. Et où les limiers scientifiques
de l'IRCGN finissent par faire éclater la vérité.

Samedi 30 août 1997. 21 h 50. Dodi Al-Fayed et lady
Diana Spencer[1] arrivent à l'hôtel Ritz, célèbre palace
parisien situé place Vendôme, propriété du richissime
homme d'affaires Mohamed Al-Fayed. Leur jet privé,
un Gulfstream aux couleurs vert et or des magasins

---

1. Diana Spencer aura été au cœur de l'actualité tout au long de cet été
1997. Le divorce avec Charles, prince d'Angleterre, est officiel depuis un
an. Depuis, la princesse de Galles collectionne les aventures amoureuses,
sans trop se cacher, comme une sorte de vengeance contre un homme qui
ne l'a jamais aimée, et qui commence, lui-même, à s'afficher régulièrement
en public avec sa maîtresse de toujours, Camilla Parker-Bowles. Mais la
dernière conquête de la princesse provoque un scandale politique, qui
secoue la cour d'Angleterre. Car, depuis le mois de juillet, elle se montre
au bras de Dodi Al-Fayed. Or, le père de Dodi, Mohamed Al-Fayed, à qui
l'on refuse la nationalité britannique, est l'un des adversaires les plus
acharnés de la famille d'Angleterre. Le milliardaire est persuadé que la
famille régnante d'Angleterre ne veut pas le compter parmi ses sujets et
qu'elle est responsable de cette situation. La romance entre Diana et son
fils Dodi tombe à point. C'est une revanche dont il se délecte chaque jour !

Harrod's, s'était posé l'après-midi même à 15 h 30 sur l'aérodrome du Bourget, en provenance de Sardaigne où ils avaient terminé leurs vacances d'été. Leur projet était de passer ensemble une dernière soirée à Paris avant que la princesse ne retourne en Angleterre pour retrouver ses deux fils, William et Harry.

Le couple s'était rendu ensuite, non loin du bois de Boulogne, à la villa Windsor, l'hôtel particulier somptueux qui avait abrité les amours d'Édouard VIII, le « roi de cœur », qui avait abdiqué pour les beaux yeux de la roturière – et divorcée – Wallis Simpson. Après la mort de la duchesse, en 1986, Jacques Chirac, alors maire de Paris, avait demandé à Mohamed Al-Fayed son aide financière pour réhabiliter les lieux, et créer un musée dédié au couple mythique qui les avait habités depuis 1953.

Al-Fayed avait accepté la proposition, obtenu un bail de location de vingt-cinq ans de la Mairie de Paris, et s'y était installé avec sa famille. En quelques années, il avait investi plus de 50 millions de dollars et racheté à l'Institut Pasteur, légataire universel de la duchesse, l'intégralité du mobilier et des objets de décoration qui s'y trouvaient.

Le rêve secret de Mohamed Al-Fayed, qui se considérait comme le « sauveur d'un élément fascinant » de l'histoire de la Couronne d'Angleterre, c'était d'obtenir enfin, pour prix de ce service, la récompense la plus chère à ses yeux : le passeport britannique qui ferait enfin de lui un digne citoyen du Royaume-Uni ! Or, malgré ses demandes répétées, la naturalisation lui était systématiquement refusée depuis de nombreuses années[1]. Comprenant qu'il n'obtiendrait pas ce passe-

---

1. La nationalité britannique peut s'obtenir par naturalisation, mais elle est décidée *de façon totalement discrétionnaire* par le secrétaire du Home Office. En règle générale, celui-ci suit certains critères, bien que rien,

port tant espéré, par dépit, il avait décidé de tout vendre chez Sotheby's à Londres. La vente était prévue pour le 9 septembre[1]. Dodi avait voulu montrer l'endroit à Diana, lui faire visiter la maison et son magnifique jardin.

En fin d'après-midi, Dodi et Diana se rendent au Ritz une première fois, pour quelques minutes, puis ils repartent à 19 heures, pour aller se reposer dans l'appartement de Dodi, rue Arsène-Houssaye, à deux pas de la place de l'Étoile. Ensuite, ils ont réservé pour le dîner au bistrot « Chez Benoît », rue Saint-Martin.

Pour tous leurs déplacements dans Paris, c'est le chauffeur attitré de Dodi, Philippe Dourneau, qui conduit la Mercedes 600. Il est suivi de près par une Range Rover de protection conduite par Henri Paul, le chef de la sécurité du Ritz, accompagné de leurs deux gardes du corps britanniques. Depuis leur arrivée au Bourget, le petit convoi a été suivi par plus d'une dizaine de paparazzi à moto ou en scooter.

Dodi et Diana restent un peu plus longtemps que prévu dans l'appartement de la rue Arsène-Houssaye, dont ils ressortent à 21 h 30. La présence des paparazzi et des curieux les fait alors renoncer à se rendre au restaurant « Chez Benoît » et ils décident d'aller se réfugier au Ritz où ils arrivent donc à 21 h 50. Ils se rendent

---

légalement, ne l'y oblige, et qu'il peut accorder ou refuser la naturalisation selon son bon plaisir. Les critères varient selon que le requérant est marié ou non à un citoyen britannique. En l'occurrence, de nombreux scandales financiers auxquels son nom est mêlé, valent à Mohamed Al-Fayed des tracasseries administratives qui retardent indéfiniment le processus de naturalisation.

1. Après la mort dramatique de Dodi et Diana, Sotheby's repoussera cette vente aux enchères de plusieurs mois et Mohamed Al-Fayed annoncera que son produit, estimé entre 3 et 5 millions de dollars, sera consacré, à « des projets soutenus par la princesse Diana et Dodi Al-Fayed durant leur vie ». Façon de lier leurs noms à jamais aux amants célèbres qui avaient causé en leur temps l'un des plus grands scandales de la cour d'Angleterre !

alors au restaurant du palace, « L'Espadon », réputé pour ses fruits de mer et ses poissons, mais les services de sécurité du Ritz s'inquiètent de la présence dans la salle de deux clients inconnus qui ont posé à leurs pieds de gros sacs en plastique qui pourraient dissimuler des appareils photo. Le couple décide aussitôt de quitter les lieux et de se faire servir à dîner dans la suite impériale qu'ils occupent à l'étage. L'enquête révélera plus tard que les deux clients en question n'étaient en fait que de paisibles touristes anglais, dont les sacs renfermaient d'inoffensives boîtes de cigares…

La princesse de Galles et Dodi ont prévu, après le dîner, de rentrer passer la nuit à l'appartement de la rue Arsène-Houssaye. Ils ont constaté en arrivant au Ritz que, malgré l'heure tardive, la sortie principale de l'hôtel est toujours encombrée de dizaines de paparazzi. La princesse ne souhaite plus se prêter au jeu cette nuit-là. A-t-elle conscience d'avoir été trop loin dans l'exposition médiatique de ses amours, instrument de la guerre larvée qu'elle livre à son ex-belle-famille ? Est-elle tout simplement lasse du harcèlement des journalistes et de la petite foule de curieux qui font le pied de grue place Vendôme ?

C'est à ce moment que le scénario tragique commence à se mettre en place. Conseillé par la direction de l'hôtel et avec l'approbation de ses gardes du corps, Dodi Al-Fayed décide de laisser devant l'hôtel sa propre voiture conduite par son chauffeur, ainsi que la Range Rover des gardes du corps, en guise de leurre, pour tromper les photographes. Pendant ce temps, accompagné de Diana, il montera à bord de la Mercedes-Benz S280 que l'hôtel tient à sa disposition près de la seconde sortie, plus discrète, qui donne sur la rue Cambon. Il est convenu qu'Henri Paul, le chef de la sécurité de l'établissement, les conduira lui-même à bon port.

Henri Paul, rentré chez lui, est alors rappelé immédiatement sur son portable par le responsable de nuit de la sécurité de l'hôtel[1], François Tendil. Il est 21 h 57. Quelques minutes plus tard, il est de retour sur place. Et il attend l'heure du départ en compagnie des gardes du corps, pendant que Dodi et Diana dînent à l'étage.

Il est maintenant un peu plus de minuit. Diana et Dodi sont descendus et ils attendent dans le petit hall qui donne sur l'arrière de l'hôtel. M. Paul se tient à quelques mètres d'eux. La Mercedes de location vient se garer devant la porte de la rue Cambon. Déjà, quelques paparazzi, qui ne se sont pas laissé prendre à la manœuvre de diversion, s'approchent. Dodi s'engouffre à l'arrière de la voiture en compagnie de Diana. Le garde du corps Trevor Rees-Jones prend place à l'avant. Henri Paul s'installe au volant et démarre. Il est 0 h 20. Dans six minutes, le destin des occupants de la voiture basculera tragiquement sous le tunnel du pont de l'Alma…

La Mercedes rejoint d'abord la place de la Concorde, et ses passagers découvrent alors que leur stratagème a

---

1. À 22 h 08 – comme le prouvent les vidéos de surveillance du palace – Henri Paul gare sa petite Austin place Vendôme. Souriant, il s'entretient avec Thierry Rocher, directeur de nuit du Ritz, puis se rend au restaurant « L'Espadon », où il retrouve, à la table n° 1, les deux gardes du corps de Dodi, Trevor Rees-Jones et Kes Wingfield. Le ticket de caisse (n° 4891) de la table n° 1, d'un montant total de 1 260 francs (mis sur le compte de la suite impériale), saisi par les enquêteurs, mentionne le repas des deux gardes du corps ainsi que deux pastis. Les commandes ont toutes été effectuées entre 22 h 06 et 23 h 11. « Au bar, nous avons été rejoints par M. Paul. Ce dernier a pris une consommation de couleur jaune (…), puis une autre », a pudiquement précisé Trevor Rees-Jones au juge Stephan, comme s'il s'agissait de banal jus de fruits.

Patrice Lanceleur, barman à « L'Espadon », se souvient très bien, lui, d'avoir servi deux pastis à M. Paul. « Il est connu que M. Paul avait tendance à boire, a-t-il déclaré aux enquêteurs. (…) J'ai eu l'occasion, à plusieurs reprises, de le voir ivre à l'intérieur de l'hôtel. Ce soir-là, lorsque M. Paul a quitté le bar en compagnie des deux gardes du corps, il a bousculé M. L'Hotellier, premier barman, et titubait jusqu'à la sortie. » Source : *L'Express* du 12 mars 1998, dans l'article : « Diana. Le récit inédit des témoins du Ritz ».

fait long feu. Les photographes, en moto ou à scooter, prévenus par les guetteurs de la rue Cambon, les rejoignent. La Mercedes accélère brutalement. Plutôt que de remonter l'avenue des Champs-Élysées, Henri Paul s'engage sur la voie Georges-Pompidou, à une allure vertigineuse. La voiture distance facilement ses poursuivants. Elle s'enfonce sous le tunnel du pont de l'Alma. C'est alors que, pour des raisons encore largement inconnues à ce jour, peu après l'entrée du tunnel, le chauffeur perd le contrôle du véhicule, la voiture heurte le muret de séparation entre les deux voies, puis fait une embardée avant de s'encastrer dans le 13e pilier central, qu'elle percute à pleine vitesse. Henri Paul et Dodi Al-Fayed meurent sur le coup. La princesse de Galles, très grièvement blessée, est transportée en ambulance à l'hôpital de la Pitié-Salpêtrière où elle arrive peu après deux heures du matin. Elle finit par succomber à ses lésions internes et les médecins la déclarent officiellement morte deux heures plus tard… Seul Trevor Rees-Jones, sauvé par le gonflement de son airbag, survivra, après plusieurs semaines de coma [1].

Très vite, les photographes qui poursuivaient le couple sont pointés du doigt. On parle de leur comportement irresponsable, qui aurait incité Henri Paul à adopter une conduite dangereuse. Ont-ils gêné la conduite du chauffeur, au point de provoquer l'accident ? En réalité, au moment de l'accident, ils étaient largement distancés, et ils seront plus tard mis hors de cause. Dans les mois suivants, des rumeurs, alimentées par Mohamed Al-Fayed, laissent entendre que l'accident pourrait avoir été provoqué… par les services secrets anglais ! Le père de Dodi, pour sa part, affirme que Diana était enceinte.

---

1. Malheureusement, il ne retrouvera jamais la mémoire des minutes qui ont précédé l'accident et ne pourra rien apprendre aux enquêteurs sur les circonstances du drame.

Il est toujours persuadé aujourd'hui, malgré toutes les procédures judiciaires en France et en Grande-Bretagne qui ont conclu à l'accident, que la princesse et son fils ont été l'objet d'un complot et qu'ils ont été assassinés par les services secrets anglais, le MI6. Opération commanditée, dit-il, par le prince Philip, duc d'Édimbourg, qui, selon lui, est raciste et n'acceptait pas l'idée que ses petits-enfants puissent avoir des frères ou des sœurs musulmans ou à demi arabes. Al-Fayed a affirmé à plusieurs reprises que le prince Philip contrôlait le SIS [1]. La voiture ayant été volée, puis accidentée, avant la tragique soirée, comme l'enquête l'a révélé par la suite, il aurait été possible, selon lui, à la faveur des réparations, de trafiquer son électronique de bord pour désactiver l'assistance de la direction, rendant cette lourde limousine impossible à contrôler…

L'enquête, confiée à la police judiciaire de Paris, s'annonce donc sensible et périlleuse, compte tenu de l'énorme pression médiatique, diplomatique et politique, due à la personnalité des victimes. Cinq groupes de la célèbre brigade criminelle de Paris sont chargés des investigations, à la demande de Martine Monteil, la patronne de la Crim' depuis 1996. Celle-ci y gagnera au passage le surnom de « Mlle Maigret », attribué par la presse britannique.

Pour ne laisser planer aucune ombre sur ce dossier sensible, Martine Monteil et le juge d'instruction Hervé Stephan sollicitent également le département Véhicules de l'IRCGN dont les compétences sont reconnues dans toute l'Europe, et *qui est, à l'époque, le seul laboratoire français à détenir une banque de données « Optiques et Peintures »*.

---

1. Le Secret Intelligence Service (SIS), également connu sous la dénomination de MI6 (à l'origine *Military Intelligence section 6*), est le service de renseignements extérieurs du Royaume-Uni.

Martine Monteil

Extrait d'une interview accordée à Christophe Cornevin, publiée dans *Le Figaro*, le 25 novembre 2008, à l'occasion de la publication de son livre de souvenir : *Flic, tout simplement*, aux Éditions Michel Lafon. À l'époque du drame, elle était chef de la brigade criminelle de Paris depuis 1996.

Au moment de l'affaire Diana, la brigade criminelle a été saisie pour enquêter sur cet accident de voiture. N'était-ce pas disproportionné ?

Non, pas du tout. J'avais même, d'ailleurs, mobilisé cinq groupes de la Crime sur l'affaire. Au départ, mes fonctionnaires ont un peu râlé, mais la princesse de Galles était une icône planétaire. Pour beaucoup, il était inconcevable de voir ainsi disparaître un mythe au milieu de la nuit, dans un banal accident à Paris. Les rumeurs les plus fantaisistes ont couru sur sa mort. Les plus hautes autorités ont fait appel à la Crime pour faire une procédure chromée, d'une absolue rigueur. Dans trente ans, si on avait mal travaillé, on aurait brocardé des béances dans la procédure. Le chef de Scotland Yard était associé au déroulé de l'enquête, qui a duré une année. À la fin, nous avons été félicités par l'ambassadeur de Grande-Bretagne. Si c'était à refaire, je ne changerais rien.

Le département Véhicules de l'IRCGN.
Comment l'IRCGN fait parler les voitures…

Le département Véhicules, situé comme les autres au fort de Rosny-sous-Bois, est imbattable sur ce genre d'expertise. Le garage, seule partie construite spécifiquement lors de la création de l'Institut, est équipé d'un pont élévateur, entouré de paillasses, et d'un petit laboratoire de chimie qui permet de travailler sur ce qui fut l'activité principale des premières années : la révélation des numéros de châssis meulés par les malfaiteurs sur des véhicules volés – c'est ce qu'on appelle couramment « le maquillage ». C'est Serge Caillet, le pionnier, qui l'a initié. « Nos premières affaires, au début des années quatre-vingt-dix, concernaient la mise en évidence de ces maquillages de véhicules, se souvient le général Hébrard. Les trafiquants de voitures volées faisaient disparaître les inscriptions initiales des constructeurs sur les moteurs, et en frappaient de nouvelles. Mais grâce à des procédés chimiques, nous parvenions à les faire réapparaître. »

« Convaincu que le véhicule est une source d'information importante pour les enquêteurs et que dans de nombreux cas, il laisse aussi des traces sur les lieux d'infraction, très vite nous vient l'idée de travailler sur les différents équipements des véhicules, continue Jacques Hébrard. Nous nous intéressons alors aux pneumatiques, aux optiques, à la peinture, et même à l'électronique embarquée. » L'équipe des spécialistes automobiles, constituée principalement de mécaniciens au départ, s'est agrandie au fil du temps tout en élargissant son champ de compétence. La réputation de cette petite entité commence à s'imposer tant en France qu'à l'étranger. C'est ainsi qu'à l'époque du drame du tunnel de l'Alma, en 1997, le labo « mécanique » peut déjà s'appuyer sur les autres départements de l'IRCGN et mettre à contribution les physiciens, les chimistes et les électroniciens de l'Institut. Mais le grand avantage de l'IRCGN est avant tout, comme on l'a dit plus haut, une banque de données « Optiques et Peintures » qu'il est seul à détenir en France !

« Dès le début des années 1990, nous nous étions rapprochés de la police allemande, et nous avions découvert qu'ils exploitaient un logiciel baptisé "Luna", recensant toutes les caractéristiques des optiques des véhicules construits en Allemagne, raconte Jacques Hébrard. Nous avons décidé de faire de même. »

Phares, feux arrière, clignotants, les optiques sont d'une importance souvent capitales, car – c'est un fait peu connu du grand public – leur design peut évoluer d'année en année, voire de mois en mois, sur chaque véhicule, au gré des sous-traitants choisis par les constructeurs automobiles. Mais, grâce à sa banque de données, un expert averti peut parvenir à différencier deux modèles, apparemment identiques, et aboutir à l'identification d'un type de véhicule et même d'un millésime, c'est-à-dire de l'année de mise en circulation du véhicule qui en a été équipé !

C'est pourquoi les spécialistes de l'IRCGN sont souvent sollicités dans les affaires de délit de fuite où les gendarmes ne disposent bien souvent que de quelques éléments infimes – débris de verre ou éclats de peinture retrouvés près du corps d'une victime ou sur les lieux d'un accident. Là encore, le fameux « principe de l'échange » d'Edmond Locard se vérifie régulièrement... C'est ainsi que des personnes ayant causé un accident sont retrouvées par l'identification de leur véhicule, soit parce qu'elles ont laissé sur place un débris d'optique ou de pare-brise, une trace de la peinture de leur carrosserie, un morceau d'antenne de radio..., soit parce qu'on retrouve sur leur véhicule des fibres de vêtements ou l'ADN de leurs victimes, ou encore des microparticules provenant de la voiture accidentée.

« À l'instar de la police allemande, nous nous sommes donc rapprochés des constructeurs automobiles, pour obtenir le plus grand nombre de caractéristiques techniques se rapportant aux véhicules, et nous avons créé notre propre banque de données », raconte Jacques Hébrard. Toutes les optiques qui équipent les véhicules répondent à des normes strictes, et chaque modèle est systématiquement déposé auprès de l'UTAC[1]. En laboratoire, on observe les dessins, on relève les numéros de série éventuellement présents sur les débris ; on étudie les stries et les marquages que l'on trouve sur les optiques.

Les experts de la gendarmerie commencent leurs investigations par l'analyse des différents fragments d'optiques automobiles collectés sur les lieux de l'accident par les policiers de la brigade criminelle. Des dizaines de débris en matière plastique ou en verre ont été recueillis et mis sous scellés. L'adjudant Didier Brossier, de l'IRCGN, se voit remettre cinq scellés. Trois d'entre eux semblent faciles à identifier. L'étude de ces morceaux lui permet de reconnaître immédiatement un clignotant appartenant à la Mercedes. Pour corroborer son examen, il sollicite la société Daimler et se fait remettre les optiques équipant le modèle S280. Pour chacun d'entre eux, il réalise un moulage en élastomère, et tel un amateur de puzzle, il plaque sur les moulages les débris dont il dispose et reconstitue partiellement l'optique, par assemblage. Avec les deux scellés restants, la mission est plus complexe, il s'agit de tenter d'identifier une marque et un type de véhicule à partir d'un grand nombre de débris de feu rouge. Ce

1. L'Union technique de l'automobile, du motocycle et du cycle (UTAC) exerce des missions officielles dans le secteur automobile. L'UTAC est un service technique notifié auprès de la Commission européenne et de l'ONU.

travail méticuleux d'observation des éléments et la consultation des catalogues de pièces optiques des constructeurs automobiles, lui permettent cependant d'attribuer ces débris à ceux d'un *feu arrière équipant les véhicules Fiat de type Uno fabriqués entre 1983 et 1989!*

Cette conclusion change toutes les données de l'enquête et oriente les soupçons du juge d'instruction et de la brigade criminelle sur la présence d'un tiers dans l'accident. Ce sera le début du « mystère de la Fiat Uno ».

La Fiat fantôme

Une nouvelle découverte va bientôt conforter la thèse de l'implication ou, au moins, de la présence d'une Fiat Uno. En effet, les enquêteurs de la Crim', assistés de spécialistes de l'IRCGN mandatés par le magistrat, découvrent sur la portière droite et sur le rétroviseur de la Mercedes, *une rayure minuscule de couleur blanche qui les intrigue*. Ces deux éléments de la voiture sont confiés aux experts de Rosny-sous-Bois. Là aussi, la conjonction du savoir analytique et la possession d'une banque de données « Peintures » vont s'avérer déterminantes.

Dans le domaine de l'analyse des peintures automobiles, l'IRCGN s'est inspiré d'un outil dont disposait le Bundeskriminalamnt allemand. Il s'agit d'une banque de données de spectres de peintures apposées sur les véhicules. Grâce aux liens tissés avec la police allemande, un protocole d'analyse des peintures est arrêté, permettant de comparer un échantillon avec les plaques étalons de peinture apposée chaque année sur les différents modèles.

Cette banque de données donnera d'ailleurs lieu en 1997 à la mise en place d'une banque de données européenne.

L'utilisation de ce fichier technique permet, à partir d'un éclat de peinture, de déterminer la marque, le type, la couleur commerciale et la période de fabrication. Les analyses réalisées par le capitaine Patrick Touron et le gendarme Jean-Charles Bouat, experts de l'IRCGN désignés dans ce domaine d'analyse, permettront de mettre en évidence que *la peinture transférée sur la Mercedes est une peinture fabriquée pour des véhicules commercialisés par Fiat, apposée sur des modèles Uno entre 1983 et fin août 1987…*

Les deux spécialistes retrouvent également, sur la partie basse de la portière, des traces noires d'une matière utilisée dans l'industrie automobile pour la fabrication des pare-chocs. *Les Fiats Uno sont équipées de pare-chocs noirs de cette matière…*

Les experts de l'IRCGN pousseront leurs investigations jusqu'à récupérer une Mercedes similaire à celle de l'accident et une Fiat Uno pour vérifier la compatibilité des traces retrouvées avec les hauteurs respectives des véhicules l'un par rapport à l'autre.

Peinture comme optiques, une fois analysés et observés, sont catégoriques : *il y a bien eu un contact, un choc léger, avec une Fiat Uno blanche.* Celui-ci a été suffisamment fort pour briser un feu de signalisation et imprimer une double trace de peinture blanche et de matière plastique noire sur une bonne partie de la longueur du côté droit de la Mercedes. En revanche, l'impact n'a pas été assez important pour immobiliser la Fiat Uno.

Les résultats de l'IRCGN sont d'ailleurs très vite recoupés par deux témoins, qui affirment à la police avoir aperçu une Fiat Uno déboucher du tunnel, alors que l'accident venait d'avoir lieu. Trevor Rees-Jones,

71

par contre, une fois sorti du coma, sera frappé d'une amnésie partielle, et ne sera jamais en mesure d'apporter les éclaircissements nécessaires.

Une Fiat Uno était donc présente sur les lieux. Mais comment la retrouver ? Une rapide recherche dans les fichiers d'immatriculation indique qu'en France, plus de 40 000 Fiat Uno blanches sont en circulation. Sans désemparer, la brigade criminelle qui possède un document technique, rédigé par l'IRCGN, faisant état des traces à rechercher, examinera plusieurs dizaines de véhicules sans jamais hélas mettre la main sur le modèle en cause [1].

« Dans cette enquête, rien n'a été laissé au hasard, déclare Jacques Hébrard, Nous avons par exemple fait vérifier l'emploi du temps complet du véhicule Mercedes, depuis le matin du 30 août, afin de déterminer si l'éventuel choc avec une Fiat avait pu se produire plus tôt dans la journée. Une cliente du Ritz avait été transportée dans l'après-midi dans cette Mercedes, mais ne se souvenait pas d'un accrochage. Le visionnage des images de vidéosurveillance du garage nous a permis de confirmer qu'en toute fin d'après-midi, les traces de peinture blanche n'apparaissaient pas sur la portière. *Nous étions donc certains que le conducteur de la Fiat Uno était, d'une façon ou d'une autre, sinon impliqué, du moins témoin de l'accident.* »

Fort de ces constatations, l'IRCGN, représenté par Jacques Hébrard, prend contact, aux alentours du 20 septembre 1997, avec le juge d'instruction Hervé Stephan. Le magistrat, convaincu par le sérieux et l'efficacité du travail des gendarmes qui viennent de lui révéler leurs premières découvertes, à propos de l'implication de la Fiat Uno, leur confie alors *l'analyse complète du véhicule.*

---

1. Pendant l'enquête, près de 8 000 propriétaires de Fiat Uno seront contrôlés par la police et la gendarmerie.

Un collège de cinq experts est alors constitué par le juge. Il est composé, d'une part, de deux experts privés inscrits à la cour d'appel de Paris (M. Michel Nibodeau-Frindel et M. Bernard Amouroux) et de trois experts de l'IRCGN, le lieutenant-colonel Hébrard (inscrit sur la liste des experts près la cour d'appel de Paris), l'adjudant-chef Gilles Poully et l'adjudant Serge Moreau. « Une procédure normale, explique Jacques Hébrard aujourd'hui. Si quelqu'un ayant rang de chef d'État avait été accidenté dans un pays étranger, cela aurait déclenché automatiquement les enquêtes… et les contre-expertises nécessaires. Il est évident que chacun a dû mettre de côté ses inimitiés ou ses rancœurs. » Manière polie de souligner que, cette fois, la collaboration entre justice, police nationale, experts indépendants et gendarmerie sera totale, au moins cette fois !

Depuis l'accident, le véhicule Mercedes est entreposé à la fourrière Mac Donald, dans le 19e arrondissement de Paris. C'est là qu'avaient déjà été prélevés la portière droite et le rétroviseur portant la trace de peinture blanche qui avaient été confiés à l'IRCGN pour les premières analyses. Le juge décide cette fois de faire transporter l'épave à Rosny-sous-Bois, mais seulement après la reconstitution sur les lieux de l'accident, prévue pour le 30 septembre, presque un mois, jour pour jour, après le drame. L'IRCGN et le collège d'experts participeront activement à cette reconstitution judiciaire avec le département « Véhicules » de l'Institut.

« Je crois que je n'ai jamais vu autant de journalistes de ma vie sur une seule place, celle de l'Alma, en train de tenter de nous apercevoir, se souvient Jacques Hébrard. Nous avons passé la nuit dans le tunnel, à l'abri des regards, mais on entendait le bruit de la foule au-dessus de nos têtes. » Munis des relevés fournis par les premiers enquêteurs sur le terrain (la brigade de constatation des accidents de la préfecture de police), les gendarmes vont mettre en œuvre un nouvel outil, un laser distancemètre, encore rarement utilisé à l'époque, pour tenter de reconstituer le plus exactement possible la trajectoire de la Mercedes sous le tunnel, compte tenu des traces d'impact et des coups de freins relevés au sol…

« Au petit matin, comme convenu avec le magistrat, le véhicule est enfin transporté au fort de Rosny-sous-Bois, raconte Jacques Hébrard. La Mercedes est entreposée dans le garage du département. Notre mission est d'examiner le véhicule dans sa totalité et d'apporter toutes aides techniques concernant les causes et circonstances exactes et complètes de l'accident survenu sous le tunnel. Nous pouvons aussi recevoir les déclarations des personnes autres que les mis en examen… »

La tâche qui attend les experts est immense. Dans un premier temps, ils procèdent à une prise de mesures très précise de l'ensemble des déformations du véhicule[1]. « Très rapidement nous nous tournons vers le constructeur et nous nous rendons au siège de Mercedes France, afin de pouvoir obtenir un certain nombre d'éléments d'information relatifs à ce véhicule. Leur collaboration a été totale, bien au-delà de nos espérances ! Dans un premier temps, nous avions besoin de données très techniques comme les énergies de déformation, mais aussi de renseignements sur le véhicule, sur sa traçabilité. Il s'agissait de déterminer l'historique complet du véhicule. »

---

1. Une boucle d'oreille de la princesse de Galles est d'ailleurs découverte lors de l'examen et du démontage du véhicule. Elle est remise au juge Stephan pour restitution à la famille.

Histoire d'une voiture

La Mercedes S280 immatriculée 688 LTV 75 est achetée neuve en 1994 par une société implantée sur la Côte d'Azur. Elle est très vite revendue à une autre société, à qui elle est volée. Retrouvé quelques semaines plus tard, le véhicule est accidenté. Il est alors réparé avant d'être remis en vente. C'est alors que la société de louage du Ritz s'en porte acquéreur pour un peu plus de cent mille francs de l'époque (soit 15 000 euros).

« Par une chance incroyable, souligne Jacques Hébrard, toutes les réparations avaient été effectuées par le réseau Mercedes, ce qui fait que nous avions un historique complet de chaque pièce et équipement du véhicule. Si bien que nous avons pu constater qu'aucune n'avait été modifiée au moment de l'accident. Ce qui éloignait d'autant la perspective d'un attentat, d'un sabotage. »

Mais en attendant l'identification éventuelle du propriétaire de la Fiat Uno impliquée dans l'accident, il faut aller encore plus loin dans les investigations.

Le collège d'experts décide donc de se rendre au siège du constructeur, à Stuttgart en Allemagne. Nous sommes au début du mois de novembre 1997. *L'objectif est de déterminer à quelle vitesse la voiture s'est encastrée dans le pilier du tunnel de l'Alma.* Pour cela, il faut obtenir des informations confidentielles, que seul le constructeur peut fournir, sur l'estimation des « forces de déformation ». Ce point est déterminant et les experts savent que rien n'oblige Daimler-Benz à les dévoiler. Avant de commercialiser un véhicule, le constructeur doit savoir comment et de quelle façon il se déforme lors d'un choc à une certaine vitesse. Ces études, appelées « crash-tests », sont habituellement réalisées en laboratoire, à l'aide de mannequins, mais à des vitesses n'excédant pas les soixante-cinq kilomètres par heure. Et s'il existe bien une table de correspondance pour aider au calcul de vitesse plus grande, comment déterminer avec la plus grande précision la vitesse à laquelle la voiture conduite par Henri Paul a percuté l'un des piliers du tunnel de l'Alma ? C'est l'objet du déplacement du collège d'experts qui se rend en Allemagne.

« Nous sommes reçus au siège de Stuttgart, raconte Jacques Hébrard. Après quelques amabilités, nous nous retrouvons dans une grande salle de réunion, face à un véritable cénacle d'experts. Tous silencieux. Il régnait véritablement une ambiance solennelle. L'essentiel de nos questions portait sur les forces de déformation de leur véhicule en fonction des impacts que nous avions relevés, et de la vitesse que nous pensions avoir mesurée. Nous avons ensuite évoqué la possibilité d'un choc avec un véhicule de type Fiat Uno, en leur livrant, avec autorisation du magistrat instructeur, les mesures précises que nous avions relevées... Ils sont restés un temps silencieux. Puis nous ont posé, à leur tour, un certain nombre de questions. Chacune était d'une précision redoutable. La maison mère de Mercedes, Daimler, a noué depuis longtemps des partenariats avec la police allemande, jouant toujours franc jeu afin de perfectionner leurs véhicules, dans le sens d'une plus grande sécurité. Nous avions donc bon espoir qu'en de telles circonstances notre demande allait être reçue favorablement. Nous n'avons pas été déçus. »

Les Allemands demandent alors que leurs propres experts puissent procéder à un certain nombre de mesures du véhicule. Requête acceptée par le magistrat instructeur. « Puis nous restons sans nouvelle durant deux mois. »

Pendant ce temps, les experts français passent au crible la carcasse de la voiture. « Élément par élément, on va procéder à toute l'analyse du véhicule, précise Jacques Hébrard. Cela va jusqu'aux différentes huiles, prélevées en deux exemplaires (un pour expertise et l'autre pour une éventuelle contre-expertise). On demande d'ailleurs au magistrat de nous autoriser à solliciter des laboratoires privés, spécialisés dans l'étude de ces échantillons, parce que analyser de l'huile, c'est une spécificité très pointue. Aucun de ces organismes n'a relevé la moindre anomalie, ce qui signifiait que ces huiles n'avaient pas été trafiquées dans l'intention de causer un accident. Ensuite, chaque pièce mécanique a été analysée, à la recherche d'un éventuel problème technique, voire d'un sabotage. »

Fin mars 1998, le directeur technique de Mercedes France demande à être reçu à l'IRCGN, accompagné de plusieurs ingénieurs venus de Stuttgart.

Rendez-vous est pris très rapidement. « Un des membres de leur délégation est arrivé dans nos locaux, raconte Jacques Hébrard, avec une mallette contenant deux boîtiers. Dans chacun d'eux, se trouvaient un dossier documentaire et une cassette VHS : "La réponse à vos questions se trouve entre la cassette n° 1 et la cassette n° 2", nous dit-il. »

Jacques Hébrard introduit la première cassette dans le magnétoscope. Ce qu'il voit dépasse ses espérances ! Sur les images, on découvre en effet un hangar de Stuttgart où les accidentologues allemands ont reconstitué, à l'identique, le pilier du tunnel de l'Alma dans lequel s'était encastrée la Mercedes lors de l'accident[1] ! La suite est encore plus spectaculaire : les Allemands ont sacrifié deux véhicules identiques qu'ils ont crashés

1. Le coût moyen d'un tel crash-test est évalué par les spécialistes à, au moins, 100 000 euros.

contre un pilier similaire, dans des conditions de vitesse et de trajectoire déterminées à partir des mesures et des constatations effectuées sur le véhicule accidenté et sur la scène ! Le résultat est stupéfiant, car sous les yeux des experts français, se déroule le film de l'accident qui a coûté la vie à trois des quatre occupants de la voiture. Et ému la planète.

Chaque boîtier contenait une vidéo de l'accident reconstitué, correspondant à une énergie de déformation, donc à une vitesse bien précise. Et chaque cassette VHS était accompagnée d'un relevé technique complet, que les experts de l'IRCGN examinent aussitôt avec l'enthousiasme qu'on imagine !

« L'enjeu était énorme pour Mercedes en termes de sécurité, souligne Jacques Hébrard. Il faut rappeler aussi que la marque allait présenter quelques mois plus tard, en octobre de cette année 1998, un nouveau modèle de classe S au Mondial de l'automobile de Paris. Toute mauvaise publicité concernant la sécurité aurait été très malvenue à cette époque. C'est certainement la raison pour laquelle les ingénieurs allemands ont tenu à apporter tous les éléments techniques nécessaires, avec une franchise confondante. »

Les deux crash-tests, réalisés à partir des données fournies au mois de janvier 1998, ainsi que les données techniques rattachées, sont donc mis à disposition des experts. Les deux véhicules crashés sont pratiquement identiques à celui qui hante désormais le hangar de l'IRCGN.

« À partir de ces éléments, continue Jacques Hébrard, nous savions qu'il était désormais possible par encadrement des données, de déterminer d'une part l'énergie de déformation du véhicule, et, par des calculs cinématiques, d'estimer une vitesse d'entrée dans le tunnel. Pour ce faire un nouveau déplacement à Stuttgart aura lieu au mois de septembre suivant, pour procéder sur les deux véhicules crashés à des mesures complémentaires nécessaires.

À partir des crash-tests réalisés l'un à 109 km/h et l'autre à 95 km/h, et des mesures effectuées sur les trois véhicules, les différents calculs cinématiques permettront d'établir une arrivée dans l'entrée du tunnel à plus de 130 km/h[1].

« L'ensemble des modules électroniques du véhicule ne pouvant être contrôlé que sur un véhicule du même type, nous en louons un également, explique Jacques Hébrard, une Mercedes type S280, similaire à celle de l'accident, et nous l'amenons dans les locaux techniques de Mercedes à Saint-Denis (93). Les cinq calculateurs électroniques, dont celui de l'airbag, sont ainsi testés par un expert en électronique de l'IRCGN, l'adjudant Potier. Il contrôle le bon fonctionnement des divers éléments et édite à l'aide du système (HHT – Hand Hold Tester) les messages d'anomalies mémorisés dans les différents calculateurs. Rien de suspect n'est relevé[2]. »

Profitant de la mise à disposition du véhicule Mercedes, des motos de même type que celles utilisées par les paparazzi sont également louées et des mesures de performance sont réalisées sur le circuit de Montlhéry, afin d'obtenir des informations concernant les performances en vitesse des différents véhicules mis en cause dans l'affaire. Cela confirme les témoignages selon lesquels les motos des photographes ne se trouvaient pas à la hauteur de la Mercedes au moment de l'accident…

Les ceintures de sécurité sont aussi passées au crible par les experts. Il faut savoir que lorsqu'un passager a

1. Selon le rapport final des experts, la Mercedes aurait percuté le pilier à une vitesse d'au moins 118 km/h.
2. Conclusion : il n'y a pas de « vice caché » touchant au bon fonctionnement des airbags sur les S280 de série. Leur déclenchement « aléatoire » n'a pas pu être la cause de la perte de contrôle du véhicule accidenté, comme cela avait pu être évoqué.

bouclé sa ceinture et que le véhicule subit un choc entraînant le déclenchement des prétensionneurs (ou pré-tendeurs), l'anneau supérieur dans lequel coulisse la ceinture porte des traces caractéristiques et des traces de brûlure apparaissent sur la sangle. Dans le cadre de l'accident, cela permet de conclure *qu'aucun des passagers du véhicule ne les portait* ! Le garde du corps, passager avant droit, n'a donc bénéficié que de la protection de l'airbag et s'en est miraculeusement sorti.

« En accord avec les sapeurs-pompiers de Paris, continue Jacques Hébrard, nous avons recueilli les témoignages de tous les techniciens qui avaient porté secours. La voiture avait dû être découpée sur place pour porter secours aux victimes, mais tous étaient formels : *aucun, pas même le chauffeur, n'avait de ceinture de sécurité.* On peut d'ailleurs penser que le garde du corps n'est pas mort *parce qu'il n'avait pas sa ceinture de sécurité* ! Le choc, très violent, lui aurait certainement brisé la nuque ! »

« Quant aux airbags frontaux, conçus pour se déclencher *uniquement* en cas de collision frontale, poursuit Jacques Hébrard, on sait que le capteur du véhicule dispose de deux seuils de déclenchement pour s'actionner automatiquement. Là aussi tout a été vérifié pour être certain que ce déclenchement avait été normal. Cela a conduit les experts à conclure que ce déclenchement avait bien été occasionné par le choc du véhicule sur le pilier. »

Les causes du drame

L'une des causes du drame est incontestablement l'excès de vitesse. Mais l'alcoolémie élevée du conducteur, Henri Paul, a également joué un rôle non négligeable. Les expertises menées par la brigade criminelle de Paris ont établi que le chauffeur avait bu plus que de raison le soir de l'accident. Mais aussi que son sang présentait un taux anormalement élevé de monoxyde de carbone.

Le 24 octobre 1998, les enquêteurs remettent l'ensemble de leurs conclusions au juge d'instruction, après treize mois de travail intensif.

Mais, lorsqu'ils prennent connaissance de ce rapport, les avocats qui représentent les familles des victimes interrogent à nouveau les experts : les cartouches de déclenchement de l'airbag ne pouvaient-elles pas avoir dégagé une quantité de monoxyde de carbone dangereuse pour le conducteur ? Par ailleurs, Henri Paul aurait-il pu avoir été empoisonné à son insu, dans le dessein de provoquer cet accident ? La voiture roulait-elle avec les fenêtres ouvertes ou fermées ? Et si une ou des fenêtres de l'habitacle étaient ouvertes ou entrouvertes, était-il possible de vaporiser du monoxyde de carbone depuis l'extérieur du véhicule pour intoxiquer les passagers ? Quant aux airbags, auraient-ils pu être déclenchés par un téléphone portable ? La même question est posée, concernant l'explosion d'un ou de plusieurs pneumatiques de la voiture. Une minicharge explosive aurait-elle pu être déclenchée de l'extérieur ?

Les experts, ayant pris connaissance de ces interrogations par l'intermédiaire du juge Stephan, vont y répondre point par point dans un complément d'expertise qui sera rendu au magistrat.

Là encore, le général Hébrard est formel : « Daimler a utilisé un véhicule dont les experts ont percuté tous les airbags en même temps, comme ce fut le cas lors de l'accident. Puis il a été procédé à une mesure de monoxyde de carbone (CO) dans l'habitacle. Et il a été conclu que les quantités dégagées n'étaient pas nocives pour l'homme. » Et, en ce qui concerne les scénarios criminels, « nous avons apporté toutes les réponses à ces questions – elles étaient toutes négatives – et nous avons prouvé sans le moindre doute, analyses scientifiques à l'appui, qu'aucune de ces hypothèses n'était envisageable. Mais, encore une fois, chacune d'elles a été soigneusement vérifiée ».

Le scénario de l'accident

Pour Jacques Hébrard, les conclusions du collège d'experts sont claires et nettes, sans appel : « Pour moi, dit-il, il s'agit sans conteste d'un accident ! La voiture n'a pas été sabotée, on n'a pas attaqué ces gens avec du monoxyde de carbone…

Le scénario le plus proche de ce qui s'est passé en réalité devrait être le suivant : la voiture de Diana arrive très, très vite dans le tunnel, alors que la Fiat Uno vient de s'y engager par la bretelle d'accès située juste avant l'entrée. Lorsqu'on arrive à cet endroit à forte vitesse, on est écrasé, tassé dans son siège à cause de la déclivité de la route à l'entrée du tunnel. On manque de visibilité. Il faut imaginer qu'Henri Paul roule à une vitesse estimée d'au moins 130 km/h, peut-être un peu plus ! Il est poursuivi par les paparazzi, donc il n'est pas dans une situation normale. Puis, quand enfin il aperçoit la Fiat Uno, il est trop tard ! Cette voiture vient de sortir de la voie d'accès située sur le côté droit, et de s'engager sous le tunnel. Elle ne roule pas très vite [1]. Imaginons que la Mercedes arrive à ce moment précis. Henri Paul l'aperçoit au dernier moment. Il donne un léger coup de volant pour l'éviter et là, cette Mercedes équipée pour transporter des VIP du Ritz, qui est un véhicule assez lourd, tarde à se remettre en ligne sur sa

---

1. La vitesse sur cette voie est limitée à 50 km/h.

file. La correction est trop tardive ! Elle percute d'abord le muret de la partie centrale du souterrain[1]. Elle devient alors incontrôlable et elle va s'encastrer sur le 13e pilier où elle est stoppée net. Il faut imaginer que l'arrière du véhicule s'élève alors d'au moins un mètre au-dessus du sol. L'avant, enfoncé dans le pilier, recule de 90 cm sous le choc ! Ensuite, le véhicule se soulève du sol et fait une rotation de 180° sur lui-même pour se retrouver en sens inverse du sens de la circulation. Le corps de la princesse est d'ailleurs retrouvé dos au fauteuil ! Elle a tourné aussi de 180°. Le choc a été d'une violence terrible. Mais la Mercedes n'a fait qu'effleurer la Fiat Uno qui peut, elle, continuer sa route, comme si de rien n'était. »

L'accident de la route sera donc la seule cause retenue par la justice, mais une procédure judiciaire est engagée par la suite, en Grande-Bretagne, à la demande de Mohamed Al-Fayed, persuadé, comme on l'a dit, que son fils a été assassiné par les services secrets britanniques.

En 2005, la Mercedes est donc envoyée à Londres pour être examinée par les experts de Scotland Yard.

L'enquête anglaise

« On a tout envoyé à la police anglaise dans deux conteneurs, se souvient Jacques Hébrard. Ils ont commencé leur contre-enquête. Nous avons d'ailleurs été invités à nous rendre en Grande-Bretagne, pour présenter notre rapport et en expliquer les conclusions. Puis Scotland Yard a obtenu des autorités françaises qu'on ferme à nouveau le tunnel de l'Alma pour une ultime

---

1. Des microparticules métalliques provenant de la jante d'une des roues de la Mercedes ont été retrouvées par l'IRCGN grâce à une analyse du muret au microscope à balayage électronique.

reconstitution et de nouvelles expertises scientifiques. Pour nous, gendarmes et experts de l'IRCGN, cela a été passionnant de voir comment la police anglaise revisitait notre enquête avec des techniques encore plus sophistiquées que celles de 1997-1998. Je me souviens notamment d'un logiciel de crash de voiture particulièrement impressionnant… et surtout de l'emploi du scanner laser 3D, dont l'IRCGN se dotera dès l'année suivante !

Il semble que leurs conclusions, malgré une technologie bien plus avancée, n'aient en rien modifié nos propres résultats. »

7 avril 2008 : fin d'une saga judiciaire

Selon la procédure britannique, après les conclusions rendues par lord Stevens dans son rapport de 2006, une nouvelle enquête judiciaire est ouverte par la Haute Cour de Londres en octobre 2007, en vue d'un procès destiné à établir les responsabilités et les causes de l'accident qui a coûté la vie aux occupants de la Mercedes le 31 août 1997.

Après six mois d'investigations, les 11 jurés chargés par la Haute Cour de Londres d'établir les circonstances de la mort de la princesse Diana et de Dodi Al-Fayed, en 1997, ont tranché. Les six hommes et cinq femmes ont conclu, lundi 7 avril 2008, à un homicide dû à une conduite extrêmement négligente à la fois du chauffeur de la Mercedes du couple et des paparazzi qui étaient à leurs trousses.

Les jurés ont indiqué que le taux d'alcoolémie élevé du chauffeur Henri Paul, le fait que Diana et son compagnon ne portaient pas de ceinture de sécurité et le fait que le véhicule ait percuté un pilier du tunnel du pont de l'Alma, à Paris, étaient les facteurs ayant contribué au drame du 31 août 1997.

Rappelons que les enquêtes menées par la police française et par Scotland Yard avaient également conclu à un accident causé par une vitesse excessive et un abus d'alcool du chauffeur.

Dans ses conclusions d'avant-procès, le juge Scott Baker avait éliminé la possibilité d'un complot contre Diana. Il faisait ainsi référence aux accusations de Mohamed Al-Fayed, le père de l'amant de la princesse, qui persiste à affirmer que la famille royale, aidée des services secrets britanniques, avait comploté pour empêcher Diana d'épouser un homme de religion musulmane.

Mohamed Al-Fayed a déclaré pour sa part qu'il était déçu du verdict, mais il a tout de même salué le fait que le jury ait conclu à un homicide, et non à un simple accident.

De leur côté, les fils de la princesse Diana, les princes William et Harry, ont approuvé le verdict et salué la patience du jury. Pas moins de 250 témoins ont été entendus durant cette enquête judiciaire amorcée le 2 octobre 2007.

Cette très longue saga judiciaire a aussi coûté très cher. L'enquête de Scotland Yard, d'une durée de trois ans et ayant impliqué 300 témoins, avait coûté plus de 7 millions de dollars. Quant à l'enquête judiciaire qui a pris fin avec le verdict de la Haute Cour, elle aura coûté près de 6 millions de dollars.

(Sources : Radio-Canada, avec Agence France-Presse et Reuters.)

Un mois après ce verdict, Jacques Hébrard recevait au début du mois de mai 2008, une lettre personnelle que lui adressait lord Stevens chargé de l'enquête de Scotland Yard sur les allégations de complot. «Le jury, écrivait-il à son homologue français, ayant entendu toutes les preuves et les témoignages, a rendu son verdict concluant à un homicide par imprudence, blâmant la conduite négligente du chauffeur de la Mercedes et de ceux des véhicules ou des motos qui les traquaient comme étant pénalement responsables. Le jury a rejeté toutes les thèses de complot qui circulaient depuis presque onze ans. »

« La seule chose que l'on puisse reprocher à l'enquête est de n'avoir pas su retrouver la Fiat Uno, résume Jacques Hébrard. Il est certain que le témoignage du conducteur aurait été déterminant. Nous ne saurons jamais pourquoi celui ou celle qui était au volant ce soir-là n'a jamais voulu se faire connaître. » La Fiat Uno aurait-elle pu avoir une part « active » dans l'accident ? En d'autres termes, son conducteur aurait-il voulu attenter à la vie des occupants de la Mercedes ?

Aucun des proches de l'enquête parmi ceux, gendarmes, policiers ou magistrats qui ont accepté de témoigner en vue de l'élaboration de ce récit, ne croit à cette ultime hypothèse, mais on le sait, la théorie du complot continue son chemin sur l'Internet, parfois relayée par quelques journalistes en mal de mystères.

Il reste à souhaiter qu'un jour le conducteur de la Fiat Uno se décide à témoigner…

Rappel chronologique
1997

• 31 août : La princesse Diana, son ami Dodi Al-Fayed et leur chauffeur Henri Paul meurent dans un accident de voiture dans le tunnel du pont de l'Alma à Paris. Leur garde du corps Trevor Rees-Jones est le seul survivant. Six photographes qui pourchassaient le véhicule sont placés en garde à vue.

• 2 septembre : Ouverture d'une enquête dirigée par le juge d'instruction Hervé Stephan. Le père de

Dodi, le milliardaire Mohamed Al-Fayed, lance une procédure civile. Les parents du chauffeur également.

• 5 septembre : Dix photographes sont mis en examen pour « homicide et blessures involontaires ».

• 9 septembre : Les analyses montrent que Henri Paul avait un taux d'alcoolémie élevé et prenait des antidépresseurs.

1998

• mars : Le milliardaire Mohamed Al-Fayed, le père de Dodi, affirme aux enquêteurs que l'accident fait partie d'un complot.

1999

• 29 janvier : Fin de l'enquête de la justice française.

• 2 juillet : La cour d'appel de Paris rejette les demandes d'actes complémentaires formulées par les avocats de Mohamed Al-Fayed et de la famille de Henri Paul.

• 3 septembre : Le juge Stephan rend ses conclusions : Henri Paul est responsable. Les photographes bénéficient d'un non-lieu. Mohamed Al-Fayed fait appel.

• juillet : Une cour d'appel française rejette une requête de M. Al-Fayed qui voulait une enquête officielle plus poussée.

2000

• 31 octobre : Confirmation du non-lieu par la cour d'appel.

2001

– mai-juillet : Dans un dossier distinct, huit photographes sont mis en examen pour « atteinte à l'intimité de la vie privée », la justice leur reprochant d'avoir pris plusieurs clichés après l'accident.

• 7 novembre : Mohamed Al-Fayed, qui réclamait des dommages-intérêts à l'État français pour dysfonctionnement de la justice, est débouté.

2002
• 4 avril : La Cour de cassation referme le dossier, en rejetant les ultimes recours de M. Al-Fayed et de la famille du chauffeur.
• 2 août : Les parents de Henri Paul lancent une procédure judiciaire pour obtenir un examen d'ADN qui pourrait disculper leur fils.
• mi-octobre : Mohamed Al-Fayed saisit la Cour européenne des droits de l'homme (CEDH), à laquelle il demande de constater que la France n'a pas respecté son droit à un procès équitable.
• 20 novembre : Trois photographes ayant pris des clichés avant et après l'accident sont renvoyés devant le tribunal correctionnel pour atteinte à l'intimité de la vie privée.

2003
• 28 novembre : Le tribunal de Paris relaxe les trois photographes. Mohamed Al-Fayed fait appel.

2004
• 6 janvier : La justice britannique ouvre une enquête sur la mort de Diana et de Dodi Al-Fayed six ans après leur mort, et charge John Stevens d'enquêter sur les allégations de complot.

2005
• mai : Les enquêteurs interrogent, selon les médias britanniques, les deux principaux responsables des services secrets britanniques, John Scarlett, chef du MI6, et Eliza Manningham-Buller, directrice générale du MI5.

2006

• 14 décembre : Lord Stevens, chargé de l'enquête de la police britannique, rend publics les résultats de son enquête. Il écarte toute idée de complot et confirme qu'il s'agit d'un « tragique accident » provoqué par la vitesse de la voiture qui cherchait à fuir les paparazzi.

2008

Les conclusions de la justice britannique sur les circonstances de la mort de la princesse Diana sont le dernier développement en date d'un feuilleton judiciaire qui dure depuis près de dix ans.

(*Source : AFP-Londres.*)

La tuerie de Monfort

Où l'on découvre les coulisses d'une enquête emblématique, un procès qui a failli tourner au fiasco, alors que les gendarmes pensaient avoir réuni les preuves incontestables de la culpabilité de l'accusé... Et un « CoCrim » qui entre en scène pour rétablir in extremis la situation !

L'enquête était-elle trop parfaite ? Trop rondement menée ? Trop confiante dans l'infaillibilité des experts de police scientifique ? Elle laisse aujourd'hui encore un goût amer au sein de l'IRCGN. Car, si Kamel Ben Salah, l'auteur présumé de la fameuse tuerie de Monfort, a été condamné successivement par la cour d'assises d'Auch, en avril 2002, puis en appel, devant la cour d'assises de Gironde, en mars 2003[1], ce fut avant tout, lors du premier procès, sur l'intime conviction des jurés et non pas à cause de l'immense travail d'investigation des gendarmes. Si les jurés d'Auch, ne tenant pas compte des « preuves scientifiques », telles qu'elles leur avaient été présentées, avaient acquitté l'accusé, le parquet aurait certainement fait appel, mais personne ne peut dire sur quelle décision aurait débouché le deuxième procès.

---

1. Kamel Ben Salah a été condamné à la réclusion criminelle à perpétuité, assortie d'une période de sûreté de 22 ans. Peine confirmée définitivement par la Cour de cassation.

«Nous ne sommes pas passés bien loin du fiasco», confie aujourd'hui encore le général Hébrard. Les éléments de preuves scientifiques présentés par les experts de l'IRCGN au premier procès furent, certes, très nombreux, mais les propos des spécialistes, aussi complexes que touffus, ont fini par égarer l'auditoire et, paradoxalement, apporter de l'eau au moulin des défenseurs de l'accusé. C'est en charpie que la majorité des experts, trop sûrs de leur fait, ont pour la plupart quitté la cour d'assises d'Auch.

L'expert de criminalistique doit bien évidemment mettre d'abord son savoir au service de l'enquête. Mais il lui faut ensuite pouvoir expliquer et justifier la légitimité de ses conclusions. Si aujourd'hui il nous paraît familier d'entendre un expert s'exprimer clairement à la barre, il faut savoir que ça n'est pas toujours le cas et que certaines prestations donnent lieu à des moments de grande confusion, voire d'hilarité, dans les prétoires. Les spécialistes ne sont pas toujours habitués à s'exprimer clairement en public, ni à trouver les arguments pour convaincre le tribunal du bien-fondé de leurs conclusions. Des spécialités aussi «exotiques» que l'entomologie ou la mécanique des fluides restent obscures, voire inintelligibles, pour les juges et les jurés, autant que pour le grand public. Les avocats de la défense en ont bien souvent profité pour réduire à néant les certitudes scientifiques des experts. C'est ce qui est arrivé lors du premier procès de l'affaire Ben Salah.

«C'est une affaire emblématique, raconte François Daoust. Comment rendre intelligibles et surtout cohérents les indices que nous récoltons? Comment faire comprendre toute leur importance? C'est à la suite de cette affaire que l'on a décidé de désigner systématiquement ce qu'on appelle aujourd'hui un "coordinateur des opérations criminalistiques". Ce coordinateur, familièrement appelé "CoCrim", est devenu, depuis lors, un des personnages principaux de l'enquête criminelle, au même titre que le directeur d'enquête ou le juge d'instruction. »

Le décryptage de l'affaire Ben Salah montre que la scène de crime avait été bien gérée, que beaucoup d'indices probants avaient été collectés. Mais le directeur d'enquête et le magistrat instructeur n'ont pas su, à l'époque, mettre en perspective les éléments qui apportaient une cohérence aux faits et indices montrant que Ben Salah était l'auteur des faits.

L'affaire

Samedi 22 mai 1999. Nous sommes dans le village de Monfort, près d'Auch, dans le département du Gers. Il est 18 h 25. Henri Wagemans et Wilhelmina Peeters, un couple de Hollandais installés depuis plusieurs années dans la région, arrivent à la « Boupillère », une fermette en rénovation située au bout d'un chemin tranquille, dans ce lieu-dit un peu isolé du reste du village. Wilhelmina et son compagnon tentent de forcer la porte de la maison de leurs amis, Artie et Marianne Van Hulst, dont ils sont sans nouvelles depuis la veille.

Il y a quelques années, c'est Wilhelmina qui leur a fait découvrir la région. Les Van Hulst ont eu un tel coup de foudre qu'ils ont fini par y acquérir deux maisons, dont la Boupillère qu'ils ont commencé à rénover.

Depuis cette époque, lorsque le couple de quinquagénaires arrive de Hollande pour un week-end ou pour des vacances un peu plus longues, ils ne manquent jamais de leur passer un coup de fil et ils se retrouvent alors pour des balades en commun ou des barbecues.

Or, en cette fin mai 1999, Artie et Marianne sont arrivés depuis quelques jours déjà dans la région, en compagnie de la sœur de Marianne, Dorothea, qu'on appelle familièrement Dora, et de son mari Johan

Nieuwenhuis. Tous les six avaient convenu de dîner ensemble ce samedi soir. Mais depuis la veille, les portables des Van Hulst semblent coupés, le téléphone de la Boupillère sonne occupé en permanence et le dîner n'a pas été confirmé par Marianne, contrairement à son habitude. Si bien que Wilhelmina, inquiète de ce silence anormal, a décidé de se rendre sur place avec son mari.

Ils trouvent la maison fermée, les volets tirés et la chaîne de l'entrée tendue comme lorsque les propriétaires sont absents pour une longue période. « J'ai tout de suite su que c'était un assassinat », racontera Wilhelmina au procès. Sitôt passé le porche de la maison, en effet, elle distingue par la fenêtre qui donne sur la cuisine le corps de Johan Nieuwenhuis, face contre terre, bâillonné, pieds et poignets entravés par du ruban adhésif. Il a été poignardé… Choquée, anéantie, elle prévient immédiatement la gendarmerie de Mauvezin.

L'enquête

« Immédiatement, nous décidons de respecter le principe "du général au particulier", c'est-à-dire que nous démarrons sur le plus large spectre possible, avant de nous intéresser au moindre détail, étudier la moindre poussière de la scène de crime, raconte aujourd'hui François Daoust. Nous envoyons un hélicoptère sur place pour réaliser des photos aériennes des lieux. L'idée nous était venue quelques mois auparavant, car le survol d'une précédente scène de crime nous avait permis de repérer un sentier invisible à hauteur d'homme, qui menait de la maison de l'assassin jusqu'à celle des victimes. »

Au sol, la brigade investit méthodiquement la maison. Le premier cadavre est affalé près de l'entrée. C'est le seul visible depuis l'extérieur. Puis deux autres corps sont retrouvés, dans d'autres pièces de la maison. Sitôt la mort des victimes constatée – certitude qu'il n'y a plus rien à faire –, les TIC sont envoyés à l'intérieur de la Boupillère.

« La température des pièces est consignée par les TIC, continue François Daoust. À 19 h 30, nous sommes aux alentours de 15° dans la cuisine, idem dans les chambres. Cette indication sera précieuse ensuite pour le médecin légiste, qui va étudier les constantes pour déterminer depuis quand les corps sont là. Un corps qui est à 37° va se refroidir plus vite s'il fait 10° dans la pièce, plutôt que 25°. Cela joue sur la descente de température du corps, et sur sa dégradation, deux éléments qui vont nous aider à déterminer l'heure exacte de la mort. Nous devons aussi prendre en compte les plus petits détails. Par exemple, une orientation nord aura pour conséquence que le corps se décomposera moins vite que s'il est exposé au sud, où l'on a huit heures de soleil par jour, et où la température de la pièce peut atteindre 25°. Dans le hall d'entrée, près de la cuisine, les techniciens en identification criminelle (TIC) constatent la présence du corps d'un homme allongé sur le ventre, bâillonné, pieds et poings liés, avec une plaie apparente dans le dos. Coups de couteau ou de tournevis ? On ne le sait pas encore. Les enquêteurs relèvent la trace d'une douzaine de plaies. La victime s'appelle Johan Nieuwenhuis, beau-frère d'Artie Van Hulst. C'est le premier cadavre.

On note qu'il y a beaucoup de papiers en désordre, qui jonchent le sol un peu partout. L'agression s'est à l'évidence déroulée dans un véritable déchaînement de violence. Dans la chambre du bas se trouve le corps de Mme Nieuwenhuis. Le cou est profondément entaillé. Elle est allongée sur le dos, bâillonnée, pieds entravés. La chambre est elle aussi en désordre.

La sinistre visite continue. Parvenus aux chambres de l'étage supérieur, les premiers intervenants trouvent Mme Van Hulst allongée également sur le dos, la gorge tranchée, bâillonnée, pieds et poings liés elle aussi. Le grenier, enfin, est en travaux. La pièce est vide. Mais, dans un coin, une large ouverture, sans doute pratiquée pour installer à terme un escalier, permet de découvrir un atelier situé juste au-dessous, sans accès direct avec le reste de la maison. Le puits de lumière créé par l'ouverture au plafond nous permet de découvrir un quatrième cadavre : celui de Artie Van Hulst. »

Ce petit local, extension de la maison, sorte de remise où la famille Van Hulst entassait outils et vieilleries, donne sur l'arrière de la Boupillère. Il est fermé par deux portes battantes, que les enquêteurs, à l'extérieur, ne parviennent pas à forcer. « Quelqu'un avait délibérément bloqué les portes avec une vieille planche, calée au sol par deux grosses mallettes. La personne qui a effectué cela n'a pu remonter dans la maison que par le puits dans le grenier. » C'est le même chemin que vont prendre les enquêteurs pour y pénétrer, et réaliser les premières constatations sur le cadavre. « Artie Van Hulst gît lui aussi allongé sur le dos, bâillonné. Il est le seul à avoir les pieds et les mains libres. Une blessure ovoïde, au milieu du thorax, fait penser qu'il a été abattu par balle. L'odeur de décomposition est plus forte que dans les autres pièces, d'abord parce que nous nous trouvons dans un local non aéré et confiné ; certainement, comme les enquêteurs le pressentent, parce qu'il aurait été abattu avant les autres. Par ailleurs, l'absence de fenêtres avait pour conséquence de laisser les miasmes suspendus dans l'air. La température de la pièce fermée est conforme au reste de la maison, aux alentours de 15°.

Sitôt les relevés de températures et les premières photographies réalisées, et compte tenu du gel des lieux, opéré par les premiers intervenants dès le début des investigations, on contrôle drastiquement parmi nos troupes qui a accès à la maison. Et ceux qui sont autorisés à y pénétrer sont équipés en conséquence, avec les combinaisons idoines, pour ne pas polluer la scène ni effacer des indices. » L'image de ces hommes en blanc, gantés et casqués, est nouvelle à l'époque. C'est une véritable brigade, impliquant jusqu'à 15 personnes au plus fort des recherches, qui ratisse totalement la scène de crime.

« Les premiers à pénétrer dans la maison sont les spécialistes des empreintes digitales et de l'ADN, ceux qui semblent les plus pertinents pour la recherche des traces. Un balisticien est aussi présent, car le corps d'Artie Van Hulst présente, comme on l'a dit, une blessure au thorax qui ne semble pas correspondre à une arme blanche. On a besoin de savoir ce qui a pu se passer et comment, avant même de lancer les autopsies. » La bâtisse est immense. Toute la nuit, de nouvelles équipes de TIC sont appelées en renfort, jusqu'à l'arrivée des membres de l'IRCGN. « Nous avons établi un plan de la maison, et réparti les équipes par pièce. Chacune s'est vu attribuer une tâche particulière en fonction du croquis général. Nous commençons nos investigations dans les pièces où se trouve un cadavre, car les corps continuent à se décomposer, et il ne faut pas que l'on se prive d'éléments qui sont liés au corps lui-même, comme les empreintes digitales, qui se dégradent très vite. » Chaque minute compte, le moindre retard pourrait être préjudiciable à l'enquête. Et les corps sont attendus à l'institut médico-légal afin de procéder à l'autopsie. « Sur le lieu du crime, le cadavre ne sert qu'une seule fois, c'est un principe ! » souligne Yves Schuliar, le médecin en chef de l'IRCGN. « Le corps continue à se décomposer, et la présence des enquêteurs a pour effet d'augmenter la température, ce qui ne fait qu'accélérer le processus. Il faut alors se préoccuper des indices immédiats. » Les TIC se concentrent donc sur la prise d'empreintes digitales, les prélèvements pour l'ADN et le curetage des ongles. Mais ils sont libres d'effectuer d'autres prélèvements s'ils le jugent nécessaire, par exemple, la présence d'insectes morts près d'une plaie, ce qui pourrait par la suite s'avérer utile à l'entomologiste. Ils vont prélever également des échantillons du sang présent sur les corps en plusieurs endroits, ainsi que quelques fibres textiles. Enfin, la position des corps est fixée grâce à des enregistrements photographiques, et des mesures au laser. On est bien loin d'une marque à la craie blanche de la silhouette sur le sol ! Vers 23 h 30, les quatre corps peuvent enfin être transférés vers l'institut médico-légal le plus proche.

La séance de Crimescope

Cet appareil se présente sous la forme d'un petit caisson portable, une boîte à lumière, d'où sort un tuyau souple d'une trentaine de centimètres relié à une lentille. Le technicien qui manipule cette sorte de lampe de poche surpuissante, positionne son faisceau de lumière bleue à une dizaine de centimètres des surfaces qu'il veut explorer. On peut régler la longueur d'onde, et passer de l'ultraviolet à l'infrarouge, à la demande. Ce qui a pour conséquence de rendre fluorescents une quantité d'éléments, tels que fibres, cheveux, ou encore traces digitales. « On éclaire la même scène avec plusieurs longueurs d'onde qui vont exciter la trace, explique un technicien. C'est un principe de physique : les électrons réagissent quand ils sont excités, se retrouvent dans un état d'instabilité, et veulent revenir à leur état initial, ils deviennent donc luminescents. Si bien qu'un œil exercé repère toute trace, même très petite, comme une tache de sang, une goutte de sperme… Les éléments recueillis peuvent être très divers. » Le Crimescope révèle tout, et surtout la poussière ! Le travail de tri est harassant, d'autant que la surface à fouiller est énorme. La plupart du temps, les enquêteurs se concentrent sur certaines zones : les abords immédiats du cadavre, l'évier de la cuisine (car le meurtrier a pu s'y laver les mains), les portes et les fenêtres… Mais dans la maison de Monfort, les TIC vont bien être obligés… de tout passer systématiquement au peigne fin du Crimescope.

Chaque « trace » révélée par le Crimescope est ensuite recueillie selon des techniques différentes. D'abord il faut prendre une photo, indiquer sur le plan l'endroit précis du prélèvement, et enfin faire appel au procédé le plus idoine pour prélever : écouvillon pour l'ADN et le sang, pince à épiler pour les fibres et les poils, etc. Les empreintes digitales font l'objet d'un traitement particulier, puisqu'on saupoudre aujourd'hui encore une poudre révélatrice qui sera ensuite fixée sur un support plastique, qui sera scanné et analysé par ordinateur. Il est possible aujourd'hui de récupérer les empreintes sur presque tout type de surface, même sur le textile, le polystyrène, grâce à des techniques complexes d'évaporation sous vide !

Enfin, le relevé des traces de sang ! Ce procédé a été mis à la disposition des enquêtes criminelles à la fin des années 80, mais ne s'est généralisé que dix ans plus tard. On a découvert que le sang, saupoudré d'un alliage chimique ferreux, pouvait apparaître en luminescence, si l'endroit était placé dans le noir. Cette technique va jusqu'à révéler des traces nettoyées, invisibles à l'œil nu. En 1999, le produit utilisé s'appelle le Luminol[1] :

1. Le Luminol a été remplacé depuis par le Bluestar, une nouvelle formule chimique, à base de Luminol, permettant de pallier les nombreux inconvénients des anciennes formules. Par exemple, le Bluestar est encore

« C'est ce qui a été vaporisé dans toute la maison des Van Hulst », raconte François Daoust. Ce produit excite les ions métalliques qu'il y a dans le sang. Ceux-ci deviennent instables et créent une photoluminescence, qui n'est visible qu'aux ultraviolets. On remarque alors, grâce aux traces de sang qui apparaissent dans toute la maison, qu'un corps a été traîné. Et les spécialistes découvrent à certains endroits de petites traces de sang qui, d'une certaine façon, n'ont pas à se trouver là. L'espoir de tous est que l'agresseur ait pu se blesser et laisser son propre sang quelque part.

Pendant ce temps, le balisticien repère trois impacts de balles, l'un dans le hall d'entrée, un second dans le buffet de la cuisine, et un dernier dans l'atelier où le corps d'Artie Van Hulst a été retrouvé. Malheureusement, il n'y a pas de douille au sol, ce qui aurait immédiatement permis de savoir si l'arme utilisée était chargée de plombs ou de chevrotines. À l'extérieur, pendant ce temps, les spécialistes en foulage ont fini de relever, sous la lumière des projecteurs, toutes les traces de pas, et les empreintes de pneumatiques.

Des fibres sont également prélevées à partir de scotch tamponné sur toutes les surfaces possibles du jardin. Les buissons sont fouillés dans l'espoir que le ou les agresseurs se soient griffés, ou aient laissé du tissu. « Il faut alors conditionner chaque élément recueilli dans un pochon sous vide, pour que rien ne s'abîme. Puis mettre sous scellés, à disposition du juge. C'est un peu comme lorsque l'on va au rayon surgelés dans une grande surface et que l'on vous garantit que la chaîne du froid n'a jamais été cassée, précise François Daoust. Le scellé est

---

plus sensible. Il produit une réaction lumineuse plus forte et plus longue qui ne nécessite pas l'obscurité totale pour être vue. Surtout, il n'affecte pas l'ADN et permet le génotypage. Il permet aussi la détermination du groupe sanguin.

la garantie que personne ne l'a ouvert, ne l'a touché ou ne l'a pollué entre sa réalisation et sa remise à l'expert du laboratoire. »

Les recherches continuent à l'intérieur de la maison. Une trace de pas, ne correspondant pas aux chaussures des victimes, est retrouvée sur un chéquier ensanglanté sur le sol de la cuisine. Les enquêteurs suivent la piste. Ils en trouvent une autre, identique, sur une plaque de polystyrène trouvée sous l'escalier. Puis trois autres encore, et deux dernières sur une plaque de plexiglas qui mène au puits de lumière qui permet de descendre dans l'atelier [1].

En parallèle de l'enquête scientifique et technique, le directeur d'enquête poursuit, lui, l'enquête classique, en s'appuyant sur les premières constatations des TIC.

« Face à une scène de crime comme celle-ci, il y a un ensemble de possibilités. Il faut ouvrir le plus de portes possible pour ne pas se restreindre à une ou deux hypothèses, quitte à en refermer certaines rapidement », commente le général Hébrard.

« Les questions qui se posent face à ce massacre sont les suivantes : est-ce un crime "de l'intérieur" dont l'auteur serait aussi une des victimes ? Quelqu'un qui se serait suicidé, après avoir tué les autres, aurait-il pu ensuite maquiller son propre suicide en crime ?

Le massacre serait-il lié à la personnalité d'Artie Van Hulst, dont nous découvrons très vite qu'il est un chef

---

1. La découverte de ces traces de semelles ensanglantées constituera un élément à charge contre Kamel Ben Salah, ce que les gendarmes appellent une preuve « corroborative ». En effet, le relevé de cette empreinte permettra d'identifier le modèle et la pointure de cette chaussure, la même que celle de l'accusé. Les experts de l'IRCGN y relèveront aussi des traces d'usure caractéristiques, celle d'une chaussure usée par un pied proné (léger défaut dû au muscle de la pronation). 5 % de la population est affectée par cette légère anomalie… et justement Ben Salah fait partie de ces 5 %. Toutes les chaussures saisies à son domicile portent les mêmes marques d'usure, au même endroit !

d'entreprise prospère, mais aussi élu local dans son pays ?

Est-ce un crime de hasard, commis par un rôdeur ? Un cambriolage qui aurait mal tourné ?

A contrario, quels éléments pourraient nous laisser penser à une préparation minutieuse, à une préméditation ? Si le crime est "extérieur", combien y a-t-il eu d'agresseurs ?

Nous allons passer toute la nuit à tenter de voir si la scène de crime répond à certaines de ces questions. »

À ce stade de leurs réflexions, les enquêteurs n'excluent donc aucune hypothèse, hormis finalement, celle d'un triple meurtre suivi d'un suicide, car, pour eux, l'hypothèse ne tient pas la route.

Par ailleurs, ils ont relevé un certain nombre d'indices qui pourraient faire penser que le quadruple meurtre a été soigneusement préparé. En effet, le ou les meurtriers ont pris soin de dissimuler les trois véhicules des victimes dans le garage et de replacer la chaîne barrant l'accès à la propriété, sans doute pour laisser croire que la maison était inoccupée. À l'intérieur, aucune trace de lutte n'est visible mais le désordre général laisse à penser que les lieux ont été fouillés…

Quant à la thèse du cambriolage ayant mal tourné, cela cadre mal avec leurs constatations. En effet, dans l'un des véhicules, un coffre-fort portatif contenant un peu d'argent et des papiers n'a pas été emporté par l'agresseur…

« Quatre cadavres ! Ce n'est quand même pas facile de perpétrer un tel meurtre, renchérit François Daoust. Tout en continuant notre travail d'investigation, nous restons attentifs aux éléments recueillis par l'enquête classique, qui peuvent nous aider à orienter nos recherches vers tel ou tel élément à mettre au jour. »

La section de recherches de la gendarmerie d'Agen ne compte pas ses heures, et sollicite tout le village de

Monfort. Quelqu'un aurait-il vu dans la région des voitures venant de Hollande ? Depuis quand ont disparu les victimes ? Quel a été leur emploi du temps ? Quelles sont les dernières personnes à les avoir vues vivantes ?

Aux Pays-Bas, le drame fait la une des journaux. Les époux Van Hulst sont décrits comme des gens sans histoires. À la tête d'une entreprise florissante de distribution de matériel de sécurité basée à Oss (une ville du Brabant néerlandais), ils étaient également engagés politiquement au sein du parti libéral de droite VVD. Johan Nieuwenhuis était quant à lui salarié d'une firme d'informatique de Gouda alors que son épouse travaillait dans une société de vente de livres par correspondance. Rien dans la vie des quatre victimes ne laissait augurer pareille tragédie.

L'enquête de voisinage à Monfort et dans les environs ne donne rien de bien significatif. Voisins sans problèmes, les Van Hulst et les Nieuwenhuis font des allers-retours réguliers vers la Hollande.

La dernière fois qu'ils ont été aperçus, c'était deux jours avant la découverte du meurtre, le jeudi 20 mai, à quelques kilomètres de Monfort. Les enquêteurs découvrent que ce soir-là, les époux Nieuwenhuis et Marianne Van Hulst ont dîné à trois, dans un restaurant de Fleurance. Artie Van Hulst était resté seul dans la maison pour continuer à bricoler. D'après le témoignage de la restauratrice, ils ont quitté l'établissement vers 23 heures, en emportant une assiette garnie pour Artie.

Kamel Ben Salah, suspect nº 1

Le lendemain de la découverte de la tuerie de Monfort, le dimanche 23 mai, vers 18 heures, un certain Kamel Ben Salah téléphone à la gendarmerie. Cet ouvrier d'origine tunisienne s'occupe des espaces verts d'une commune voisine. Employé à mi-temps par la mairie de Sarrant, il gagne surtout sa vie grâce aux travaux de bricolage qu'il exécute, à la demande, dans le voisinage. On lui connaît aussi un penchant appuyé pour le cannabis, dont il ferait le commerce à l'occasion.

L'homme déclare aux gendarmes qu'il est certainement la dernière personne à avoir vu Artie Van Hulst, qu'il aidait à retaper sa maison et refaire les peintures depuis la mi-mai. C'est d'ailleurs Wilhelmina et Henri Wagemans qui, habitant le même village que lui, Estramiac, lui ont présenté M. Van Hulst qui cherchait quelqu'un pour l'aider. Entendu dès le lendemain à la brigade, il déclarera être bouleversé par l'annonce de la mort de son patron, qu'il jure avoir quitté le jeudi 20, trois jours plus tôt, entre 23 heures et 23 h 30.

Pendant l'audition de Kamel Ben Salah, les gendarmes sont avertis qu'on vient de retrouver une sacoche contenant une carte de crédit, jetée quelques heures plus tôt d'une voiture, une Fiat Punto, par un homme qu'un témoin a vaguement aperçu. La description que le témoin fait du conducteur frappe également les enquêteurs, car elle pourrait correspondre à celle de Kamel Ben Salah qu'ils sont précisément en train d'entendre dans leurs locaux.

La tension monte d'un cran, mais le responsable de l'enquête se refuse à pousser trop loin l'interrogatoire du jardinier. Il n'y aura donc pas de confrontation entre le témoin et Ben Salah. Il faut préciser que la France est encore divisée à cette époque par l'affaire du meurtre de Ghislaine Marchal, une riche héritière, retrouvée poignardée dans la cave de sa propriété de la Côte d'Azur. Agonisante, elle avait eu le temps d'inscrire la fameuse phrase « Omar m'a tuer », à l'aide de son propre sang. Omar Raddad, le jardinier marocain de Ghislaine Marchal, a été condamné, mais, même si les jurés s'appuyant sur les multiples enquêtes en vérifications ont tranché dans le sens de la culpabilité, un « doute médiatique », alimenté par ses défenseurs, continue de planer sur l'affaire et laisse entendre qu'Omar n'aurait pas bénéficié d'un procès équitable. Le parallèle pourrait être vite fait entre Omar Raddad et Kamel Ben Salah, d'origine tunisienne, lui. Les enquêteurs ne veulent pas être suspectés de racisme !

Kamel Ben Salah est pourtant le suspect n° 1 des gendarmes, mais ils décident de le rendre cependant à la liberté après son audition. En fait, il continue à être étroitement surveillé. Ben Salah ne se comporte d'ailleurs pas comme quelqu'un qui aurait quelque chose à se reprocher. Il vaque tranquillement à ses occupations, ne semble pas se préparer à fuir la région.

Ce qu'il ne sait pas, c'est que des éléments à charge continuent à s'accumuler contre lui… Les cartes bancaires de certaines des victimes ont été utilisées entre le 20 et le 23 mai, dans plusieurs distributeurs automatiques de billets de la région. Et les témoins de ces retraits, à l'exception d'un seul qui décrivait un homme blond, évoquent tous une forte ressemblance avec Kamel Ben Salah…

De son côté, l'enquête continue et les enquêteurs comparent également ses empreintes digitales et ses chaussures, aux traces retrouvées dans la maison. Elles correspondent, mais ne sont pas encore des preuves de culpabilité, dans la mesure où il avait accès à la maison régulièrement. Le résultat des autres investigations scientifiques va apporter aux enquêteurs de nouveaux éléments à charge et les conduire à la quasi-certitude qu'ils tiennent le coupable !

Les quatre corps sont autopsiés à l'institut médico-légal de Toulouse. Seul Artie Van Hulst a été tué par arme à feu. Sa mort est antérieure à celle des autres victimes, qui ont été tuées par arme blanche.

L'étude des liens et des bâillons va se révéler capitale. D'une part, elle permettra d'impliquer fortement Ben Salah dans la réalisation du scénario criminel, mais, d'autre part, elle va aussi donner lieu à un cafouillage incroyable qui déstabilise totalement l'enquête. Explications.

En vue des analyses de police scientifique, les TIC ont commencé par prélever le bâillon de Dorothea Nieuwenhuis, et comme il était impossible de retirer le ruban d'un seul tenant, ils ont dû procéder à sa découpe. Au total, le bâillon sera divisé en onze fragments. Certains de ces fragments comportent des traces de sang qui ne semblent pas forcément appartenir à la victime. Le résultat de l'analyse ADN conforte l'hypothèse : il révèle trois ADN différents, celui de la victime, celui de l'une des deux autres victimes et celui de... Kamel Ben Salah.

Les bâillons et les liens utilisés par le meurtrier proviennent de parties d'un large rouleau de scotch d'emballage marron, de marque hollandaise, donc déjà présent à l'intérieur de la maison. Le ou les tueurs se sont donc servis de ce qu'ils ont trouvé sur place, ce qui incite les enquêteurs à écarter, *a priori*, la préméditation.

« En fait, deux rouleaux de scotch distincts ont été utilisés pour ligoter et réduire au silence les victimes, continue François Daoust. Est donc répertorié sur chaque victime ce qui faisait partie du rouleau numéro 1 et ce qui faisait partie du rouleau numéro 2. Puis nous avons reconstitué morceaux par morceaux la bande de scotch pour voir d'abord quelle était sa longueur d'origine et répondre aux questions suivantes : combien de mètres de scotch ont servi pour faire les liens ? Où se situaient les empreintes digitales et les traces sanguines dans le déroulement de la bande ? On obtient au final 174 morceaux différents, pour une longueur totale de 24,30 mètres. » Mais, erreur fatale : aucun des morceaux ne sera référencé dans l'ordre de collage officiellement par écrit. Le document est introuvable ! S'agit-il d'un oubli ? d'un quiproquo, chacun des enquêteurs pensant qu'un autre s'était chargé de la besogne ? Placés sous scellés sans indiquer s'ils font partie du rouleau n° 1 ou du n° 2, les fragments de bâillons et de liens n'offrent plus aucune cohérence. Cela va coûter très cher aux gendarmes. Pourtant les résultats des révélations chimiques faites par Jacques Peuziat, expert en empreintes digitales, et qui était parmi l'équipe de l'IRCGN sur les lieux, révèlent bien les empreintes de Ben Salah !

Pour l'heure, l'ADN de Ben Salah se trouvant mélangé à celui de deux des victimes sur une partie de bâillon, le juge d'instruction l'inculpe et le place en détention.

À ce stade de l'enquête, les indices « forts et concordants », selon l'expression habituelle, le désignent comme présumé coupable : bijoux, vêtements et matériels divers payés en cash par Ben Salah, dans des magasins proches des DAB où les cartes de crédit des victimes ont été utilisées ; coïncidences horaires des retraits avec la présence de Kamel Ben Salah dans le même secteur géographique ; témoignages visuels pouvant correspondre à Ben Salah ; empreintes digitales relevées sur un des rouleaux adhésifs ayant servi à ligoter ou bâillonner les victimes ; traces de pas sanglantes correspondant à la pointure du suspect relevées dans la maison du crime ; absence d'alibi pour la nuit du 21 mai entre 23 heures et 2 h 30 du matin ; housses de voiture changées peu après cette date…

Le scénario de la tuerie et le mobile de l'assassin

Réunissant tous ces éléments apportés par leurs diverses investigations, les enquêteurs reconstituent alors un scénario possible du quadruple crime et un mobile : l'argent !

Kamel Ben Salah se rend chez son employeur Artie Van Hulst le 20 mai 1999, vers 18 heures, pour finir le ponçage dans l'arrière-cuisine et passer une deuxième couche de peinture au salon. Alors qu'ils ont réservé une table pour quatre personnes dans un restaurant de Fleurance, Marianne Van Hulst, sa sœur Dorothea et son beau-frère Johan Nieuwenhuis y vont finalement seuls. Artie Van Hulst reste avec Kamel Ben Salah, car il veut terminer l'électricité dans la cuisine et souhaite remettre des meubles en place. Que se passe-t-il ensuite entre les deux hommes ? Kamel, à court d'argent, demande-t-il à récupérer un reliquat d'heures de travail non encore payé ? M. Van Hulst en profite-t-il pour lui demander des explications sur la disparition de plusieurs cartes bancaires constatée dans la semaine précédente, alors qu'il était présent dans la maison ?

La conversation s'envenime et Kamel finit par abattre son employeur à l'aide d'une arme, un fusil ou une carabine, qui ne sera jamais retrouvée, puis il traîne le corps d'Artie Van Hulst jusqu'au débarras, en rend l'accès impossible en bloquant la porte qui donne sur l'extérieur à l'aide d'une planche, et retourne dans l'intérieur de la maison par l'ouverture qui communique avec le grenier.

Kamel Ben Salah considère qu'il n'a d'autre choix ensuite que d'attendre le retour des trois autres occupants de la maison, au courant de sa présence sur les lieux. À leur retour, les menaçant de son arme, il les contraint à se ligoter les uns les autres, puis les oblige à livrer les codes de leurs cartes de crédit, avant de les tuer à l'arme blanche...

C'est la thèse qui sera développée au procès par l'accusation. En attendant, Kamel Ben Salah continue, depuis sa cellule, à clamer son innocence.

Le procès s'ouvre le 21 mars 2002 devant la cour d'assises du Gers, réunie au tribunal de grande instance d'Auch. Les experts de l'IRCGN s'y présentent confiants. Le juge d'instruction, les enquêteurs de terrain et d'une manière générale, tous ceux qui ont connaissance du dossier considèrent que le procès sera une formalité, car l'enquête a été rondement menée et elle désigne implacablement Kamel Ben Salah. L'ordre de passage des témoins à la barre est un élément capital dans tout procès d'assises. Le président l'agence à sa guise en fonction de sa connaissance du dossier au nom de la recherche de la vérité. Ainsi peut-il faire défiler les témoins par ordre d'importance, par ordre chronologique d'apparition dans l'affaire, par «corps» de métier ou même parfois – cela s'est vu – tout simplement par ordre alphabétique ! À quel moment intégrer les experts ? Surtout lorsque l'accusation a décidé d'en faire venir un grand nombre ? C'est une nouveauté pour la Cour, qui décide de les regrouper et de les faire déposer les uns derrière les autres. Une logique qui en vaut bien une autre… Et de quoi satisfaire les parties civiles qui pensent que l'accumulation des «preuves scientifiques» va être fatale à Ben Salah. Or c'est le contraire qui se produit. La majeure partie des arguments scientifiques va être balayée par la défense.

Kamel Ben Salah est représenté par Me Édouard Martial, du barreau d'Agen, secondé par le très médiatique Gilbert Collard. Si le second compte sur sa faconde habituelle, le premier a bien travaillé son dossier. Il sait que la multitude des preuves scientifiques collectées par les experts semble accabler son client, mais il sait aussi que la preuve la plus confondante, c'est-à-dire l'étude des fragments de scotch qui a servi à ligoter et bâillonner les victimes, comporte une grave faille, qui va lui permettre d'avancer une explication logique selon laquelle la présence de l'ADN et des empreintes digitales de son client sur ces adhésifs peut parfaitement s'expliquer !

Pour bien comprendre ses arguments, il faut d'abord rappeler les conclusions des experts de l'IRCGN et du laboratoire de génétique qui ont travaillé sur les bâillons et sur les liens en ruban adhésif utilisés par l'assassin. Comme il a été dit, on y a relevé deux empreintes digitales de Ben Salah sur l'intérieur (côté collant) d'un fragment ayant servi à immobiliser l'une des victimes, et, sur l'extérieur d'un autre fragment (côté lisse), on a pu relever trois traces d'ADN mélangées : deux appartenaient à deux des victimes, le troisième ADN était celui de l'accusé ! *Mais il a aussi été constaté que les divers fragments de ruban adhésif provenaient de deux rouleaux d'origine hollandaise retrouvés par ailleurs dans l'atelier de la maison, ainsi que des bandes prédécoupées ayant servi à fixer une bâche pour les travaux en cours...*

Et ces fragments de liens qui entravaient les victimes n'ayant pas été référencés avant leur envoi au laboratoire, la chronologie des découpes effectuées par l'assassin n'apparaissait pas [1].

Les experts et les enquêteurs livrent leurs hypothèses au tribunal, d'autant plus tranquillement que l'origine des rouleaux n'a pas d'influence directe sur les traces et empreintes trouvées dessus. L'avocat, habile dans sa démonstration, ne va pas sur ce terrain et se cantonne à l'origine de leur provenance et il les arrête : « Nous attendons des certitudes de votre part, pas des hypothèses. » C'est le premier coup de semonce !

Mais il y a pire ! Et le traitement des rubans adhésifs va continuer de déstabiliser tout le travail de l'IRCGN. En théorie, les bâillons et liens fabriqués par l'assassin

---

1. Mais cette chronologie n'était pas vraiment définitivement perdue, heureusement ! Par le jeu des mises en concordance des découpes, il sera dans un deuxième temps possible de les reconstituer en vue du procès en appel. Voir les explications plus loin.

devraient causer sa perte, puisqu'on retrouve l'ADN de Kamel Ben Salah sur chacun des bouts découpés par les gendarmes à l'institut médico-légal. L'ordre des poses de scotch devient donc un élément capital du dossier. Mais ils ne sont plus référencés ! L'ADN de Kamel Ben Salah est-il présent à des endroits qui, nécessairement, font de lui l'homme qui les a posés sur les victimes ? Ou bien cet ADN pouvait-il avoir été déposé plus tôt dans la journée au cours des travaux ? C'est la défense du prévenu, qui jure avoir préparé des prédécoupes à la demande de son patron. D'autant qu'après la première démonstration de l'expert bordelais pour présenter ses résultats d'analyse, Mᵉ Collard va renvoyer le spécialiste à ses cours en remarquant habilement que rien ne démontrait que l'ADN présent avait été déposé par une action criminelle et qu'il avait toute pertinence à l'avoir été bien avant. Ce que l'expert n'a pu que confirmer, faisant tomber un pan entier des certitudes de chacun, et surtout donnant un ascendant psychologique sur tous les autres experts appelés à témoigner[1]. C'est le coup fatal.

Dès lors les empreintes digitales sont amalgamées avec l'ADN et les traces de pas remisées au rang d'une simple illustration.

Pour le ministère public, les enquêteurs et l'IRCGN, le procès est perdu, à ce moment précis. « D'abord du fait de la défense de M. Ben Salah, commente François Daoust, mais aussi du fait que l'enquête a apporté un tel nombre d'expertises que l'on ne savait plus lesquelles mettre en exergue. »

Malgré tout, Kamel Ben Salah est condamné à la prison à perpétuité, assortie d'une peine incompressible de 22 ans, le 7 avril 2002.

---

1. C'est bien le passage de cet expert avant tous les autres, qui va fragiliser, pour ne pas dire déstabiliser, toutes les démonstrations des autres experts dont ceux de l'IRCGN.

« Ce qui a emporté la conviction du jury, estime le général Hébrard, c'est quand même l'utilisation des cartes bancaires volées aux victimes. L'enquête classique avait des images de vidéosurveillance des distributeurs de billets, certes de mauvaise qualité, où l'on pouvait quand même deviner la silhouette générale de Kamel Ben Salah. Mais, paradoxalement, ce ne sont pas les preuves matérielles, qui n'étaient pratiquement pas discutables, qui ont fait pencher la balance. Les traces de pas ensanglantées sur la scène de crime par exemple, confondent Ben Salah, mais après la mise sur la touche des experts, le premier jury semble s'en moquer. »

Les avocats de Kamel Ben Salah font appel, sûrs et certains de prouver son innocence lors du deuxième procès. Ils considèrent que les preuves scientifiques ont été définitivement écartées et qu'ils pourront convaincre un autre jury de l'acquitter, au moins au bénéfice du doute.

Le procès en appel aura lieu à Bordeaux, le 24 février 2003. Entre-temps, l'équipe dirigeante de l'IRCGN, consciente des failles de son dossier et de la mauvaise présentation lors du premier procès, décide de revoir sa copie de A à Z, et nomme un coordinateur des opérations criminalistiques pour reprendre tout le dossier. Il s'agit du chef d'escadron Jérôme Servettaz.

Fin 2002, le CoCrim, chargé d'éclairer le contexte du dossier devant la cour d'appel, reprend toutes les photographies de l'autopsie des quatre corps retrouvés dans la maison de Monfort, et relie chaque scellé de ruban adhésif à la victime qui le portait. Un travail de fourmi, long et fastidieux, *mais qui va enfin permettre d'établir que l'ADN trouvé mélangé au sang des victimes n'a pu être déposé que par l'assassin.* Puis il va redonner de la cohérence à l'ensemble de la scène de crime, donner du « sens » aux indices récoltés qui pèsent tous en faveur d'une culpabilité de l'accusé.

« Ensemble, enquêteurs, TIC, CoCrim écrivent un scénario du crime qui nous paraît le plus proche de ce qui a pu se passer en réalité, sur la base des résultats de l'enquête et des éléments matériels », raconte le général Hébrard. Il en ressort d'abord, que Kamel Ben Salah se sert du fusil pour menacer Artie Van Hulst, et il le blesse dans l'entrée (impact retrouvé). Puis, ils attendent tous deux le retour des trois autres. L'otage est utilisé pour ligoter les deux femmes, ainsi que Johan Nieuwenhuis ; puis Kamel Ben Salah les sépare les uns des autres pour les tuer plus tard, pour être plus tranquille. Une fois le premier attaché, il pose l'arme et il continue. On va le plus loin possible dans la reconstitution des événements.

Le CoCrim et les experts finalisent les explications techniques des résultats et travaillent sur les questions pouvant être évoquées par les parties au procès. Les preuves matérielles pertinentes sont aussi reprises dans leur présentation.

À l'issue de ce « brainstorming », le CoCrim et les experts sont motivés et attendent le procès en appel en toute sérénité…

Dès l'ouverture du procès de Bordeaux, l'avocat de Kamel Ben Salah surprend de nouveau tout le monde au moment de la désignation des jurés[1]. « Le choix d'un jury est un pari, souligne François Daoust. Certains cabinets d'avocats ont un psychologue avec eux pour mieux cerner la personnalité des jurés. Ils étudient la profession, la situation familiale. Par exemple, quelqu'un qui a des enfants sera plus sensible à tel argument.

1. L'article 298 du code de procédure pénale précise que : « Lorsque la cour d'assises statue en premier ressort, l'accusé ne peut récuser plus de cinq jurés et le ministère public plus de quatre. Lorsqu'elle statue en appel, l'accusé ne peut récuser plus de six jurés, le ministère public plus de cinq. » On notera qu'à la cour d'assises, le droit de récusation des jurés n'est pas offert à la partie civile.

D'autres seront plus rationnels ou plus émotifs. Mais il y a des choix stratégiques ou tactiques qui peuvent se retourner contre ceux qui les opèrent. Cela a été le cas pour ce deuxième procès. »

Sachant que la première condamnation a été principalement prononcée sur l'intime conviction des jurés et pas sur la base du dossier des preuves scientifiques, l'avocat va porter ses choix de rétractation sur les types de personnalités qui avaient condamné en première instance ! C'est donc un jury « dur » qui va être choisi. Un jury « rationnel », moins sujet à l'émotion que le précédent. Peu importe que les jurés soient plus « cartésiens » puisque les preuves scientifiques ont été démontées, balayées, au cours du premier procès, se dit-il ! C'était sans compter sur la préparation remarquable du CoCrim désigné par l'IRCGN[1].

François Daoust insiste : « Lors du deuxième procès, Kamel Ben Salah est à nouveau condamné à perpétuité. Mais il est condamné cette fois sur des éléments de preuves rationnelles, scientifiques, et non pas sur l'intime conviction des jurés.

L'enquête était enfin étayée et complète. On a mis en exergue les empreintes digitales de l'accusé et ses traces de pas. Elles ont été (enfin !) exploitées à leur juste mesure. La défense – et c'est son rôle – a essayé de contrecarrer nos arguments, en disant que Ben Salah avait prédécoupé les bandes d'adhésif et qu'il était normal d'y trouver ses empreintes digitales et son ADN. *Mais là où nous trouvons ses empreintes digitales et son ADN, c'est dans le cours d'un déroulé de bandes, loin des extrémités !*

---

1. Le CoCrim n'est pas intervenu à la barre, mais il avait revu en amont tous les éléments de l'enquête et préparé leur présentation, avec les enquêteurs et les experts.

Pour une découpe, on peut trouver des traces de doigts au début et à la fin de la bande, mais pas en plein milieu !

Les traces de pas ensanglantées qui avaient été quasiment passées sous silence lors du premier procès, démontrent bien que nous sommes sur des traces de pas de M. Ben Salah. On en est sûr, et on les retrouve à cinq endroits différents de la maison ! Nous avons des éléments d'identification qui sont clairement et logiquement expliqués devant la Cour. »

Kamel Ben Salah est cette fois confondu par l'enquête, il est condamné à perpétuité le 7 mars 2003. Mais il n'a jamais avoué ! On ne saura jamais pourquoi il a fait ce qu'il a fait !

« Pour nous, conclut François Daoust, le mobile est financier. C'est le mobile le plus vieux du monde, l'argent facile et rapide. Les cartes bancaires sont limitées mais c'est un bénéfice immédiat. Il a tué quatre personnes pour des sommes dérisoires. C'est malheureusement une constante de la nature humaine. »

La piste des cartes bancaires

Les premières tentatives de retrait d'argent avec l'une des cartes bancaires volées à la Boupillère sont enregistrées dans la nuit même du quadruple meurtre, à 2 h 42, au Crédit Agricole de Mauvezin, une bourgade distante d'une douzaine de kilomètres, ce qui conduit les enquêteurs à situer l'heure de la mort des victimes dans un créneau horaire situé entre 23 heures, heure supposée d'arrivée dans la maison du couple Nieuwenhuis et de Marianne Van Hulst, et 2 h 30 du matin, heure compatible avec le déplacement du meurtrier arrivant à Mauvezin à 2 h 42.

Kamel Ben Salah ne dispose d'aucun alibi pour la nuit des meurtres, sa compagne ne l'ayant pas entendu rentrer car elle avait pris des calmants. Kamel persiste à dire qu'il a regagné son domicile vers 23 h 30. Or les relevés d'appel de son téléphone portable précisent qu'il a tenté d'appeler chez lui à deux reprises dans la nuit du 20 au 21 mai, à 2 h 29 et à 2 h 31. Il expliquera aux enquêteurs que, n'arrivant pas à dormir, il était sorti de chez lui pour fumer un joint, puis qu'il a voulu appeler une amie, mais qu'il s'était trompé en manipulant son portable et qu'il avait donc appelé à deux reprises son propre numéro de domicile par erreur…

Ses déplacements, dans les jours suivant le crime, intriguent également les enquêteurs, car ils notent sa présence à proximité de distributeurs de billets dans lesquels des retraits d'argent ont été effectués avec les cartes des victimes. À savoir : le 21 mai à Auch et le 22 mai à Roques-sur-Garonne. Cependant, aucun témoin ne l'a vu directement retirer de l'argent à ces distributeurs et les bandes vidéo des appareils se sont révélées inexploitables (images de mauvaise qualité). Le 21 mai, à Auch, une tentative infructueuse de retrait est signalée par le Crédit Agricole. L'opération s'est produite peu après 13 heures, et la carte a été avalée par la machine lors de la troisième tentative. Kamel Ben Salah se trouvait dans les rues de la ville à cette heure-là. Mais à un autre endroit, dira-t-il.

En ce qui concerne la journée du 22 mai, les faits sont pour le moins troublants : ce jour-là, des retraits sont effectués avec l'une des cartes de crédit volées aux Néerlandais, à l'agence du Crédit Agricole, située dans le centre commercial de Roques-sur-Garonne, près de Toulouse, à 11 h 51 et à 15 h 08.

Dans le même créneau horaire, Kamel Ben Salah achète des bijoux qu'il paye en espèces, dans la boutique Le Donjon, du même centre commercial, pour les offrir à sa femme, dépressive depuis la mort de sa mère. Il achète également, toujours en espèces, des chaussures et des vêtements… Une dépense globale, selon le calcul des enquêteurs, de 1 353 euros !

Kamel, dont le salaire à la mairie de Sarrant est de 421 euros mensuels, justifie cette dépense par de l'argent gagné « au noir » (les petits boulots qu'il effectue dans la région), et il avoue aussi aux gendarmes qu'il lui arrive de dealer du shit, donc de gagner des sommes plus importantes que ce qu'il déclare officiellement au fisc. Quant à sa présence sur place au moment des retraits, ça ne peut être, selon lui, qu'une malheureuse coïncidence…

Le dimanche 23 mai, plusieurs autres tentatives de retrait sont réalisées : vers 16 heures à la Caisse d'épargne de Beaumont-de-Lomagne, à 16 h 44 à la Société Générale de Montauban, à 18 h 38 à Léguevin, enfin à 19 h 02 à L'Isle-Jourdain. Cet après-midi-là, Kamel dit être allé à la feria de Vic-Fezensac. Mais sans y avoir retrouvé les amis avec lesquels il avait rendez-vous…

Ce même 23 mai, au soir, alors que la nouvelle du meurtre de Monfort commence à être diffusée à la radio, une habitante de L'Isle-Jourdain aperçoit l'occupant d'une voiture jeter une carte de crédit par la vitre, sous ses yeux. Ce témoin évoque une Fiat Punto immatriculée en Haute-Garonne. Kamel Ben Salah roulait, à l'époque, en 405 ou en VW Polo immatriculées dans le Gers… Ce détail va relancer un temps l'hypothèse d'une éventuelle complicité. Mais, interrogé à nouveau, le témoin ne semble plus aussi affirmatif sur l'identification du véhicule. La piste sera abandonnée. Une recherche de trace digitale n'aboutira pas, comme pour la carte avalée par le distributeur du Crédit Agricole d'Auch sur laquelle on n'a pu relever aucune empreinte non plus.

La somme totale débitée au cours des différents retraits avec les cartes de crédit des victimes s'élève, selon les enquêteurs, à 11 400 francs : un peu moins de deux mille euros[1]. Le prix de quatre vies…

Kamel Ben Salah : questions et zones d'ombre…

Depuis le début de l'affaire Kamel Ben Salah a toujours clamé son innocence, comme il le fait encore aujourd'hui du fond de sa cellule de condamné à perpétuité.

L'accusation, les parties civiles et les gendarmes qui ont mené l'enquête sont persuadés que Ben Salah est bien l'unique auteur de la tuerie. Les zones d'ombre dans cette affaire sont peu nombreuses, mais elles existent. En voici les principales :

• Quelques jours après la découverte du drame, une première piste qui semble sérieuse oriente les enquêteurs vers un détenu allemand en cavale, suspecté d'avoir assassiné quelques mois auparavant deux couples d'amis près de Coblence dans des circonstances similaires à celles de Monfort. Il s'agit de Dieter Zurwehme, 56 ans, évadé le 2 décembre 1998 d'une prison allemande où il était incarcéré pour le meurtre d'une femme à Aix-la-Chapelle. Finalement, l'homme est interpellé le 19 août 1999 à Greifswald, une petite ville de la côte baltique, mais aucun élément ne permet de le mettre en cause dans cette affaire.

• Un cafouillage d'experts en balistique qui n'arrivaient pas à se mettre d'accord, a alimenté un

---

1. 11 400 francs représentent 1 737,92 euros.

temps la thèse de deux tueurs, peut-être trois. Alors qu'un premier expert considérait que les coups de feu provenaient d'un unique fusil de calibre 16 mm, un de ses confrères se montrait persuadé qu'il y avait eu usage de deux armes différentes, une carabine et un fusil de chasse. Il a fini par reconnaître son erreur au cours du premier procès…

• Une seconde empreinte digitale inconnue a été relevée par les experts sur un des fragments de bandes adhésives qui ont servi à ligoter et bâillonner les victimes. Elle n'a jamais pu être identifiée.

Cependant la piste d'un éventuel complice a été relancée par une lettre, envoyée au parquet d'Auch en 2006.

Son auteur, qui donnait son nom et son adresse, évoquait le nom d'un complice de Ben Salah. Il a donné beaucoup d'éléments. Pas tous exacts semble-t-il. Mais le parquet, pour pouvoir fermer cette porte, a ouvert une information judiciaire. La décision de confier les investigations à la section recherches de Toulouse a été prise après discussion au plus haut niveau de la direction de la gendarmerie, pas forcément très satisfaite de rouvrir un dossier dans lequel son travail a souvent été très critiqué.

L'enquête les a menés vers un homme de 43 ans, vraisemblablement d'origine espagnole, qui serait une connaissance toulousaine de Kamel Ben Salah. Un marginal sans racines, sans emploi, qui vivait dans le Gers en 1999 et qui fumait des joints avec Ben Salah. Cet homme a bougé sans cesse depuis, sans jamais avoir de domicile fixe ni de téléphone portable à son nom – ce qui n'a pas aidé sa localisation. Il a finalement été repéré dans sa famille en Catalogne. En novembre 2009, les gendarmes de la section de recherches de Toulouse se sont rendus à

Barcelone où l'homme a été interpellé par la police espagnole…

« Le "suspect-témoin" a été entendu, en présence des gendarmes venus de Toulouse, par un juge espagnol, qui l'a remis en liberté, ses empreintes digitales ne correspondant pas à l'empreinte non identifiée trouvée sur un morceau de ruban adhésif ayant servi à bâillonner les victimes », a confirmé à l'époque le procureur d'Auch, Chantal Firmigier-Michel.

Le suspect était « susceptible d'avoir été là au moment des faits », lorsque les quatre touristes néerlandais ont été assassinés dans leur résidence secondaire isolée de Monfort (Gers), mais, selon le procureur, « la comparaison d'empreintes s'est révélée négative. L'empreinte relevée sur le scotch n'est pas imputable à cette personne, interpellée à son domicile », a-t-elle précisé. « On est allé jusqu'au bout de cette piste, mais cette piste se referme », a-t-elle ajouté.

La personnalité de Kamel Ben Salah

Kamel Ben Salah, 34 ans, n'était pas un total inconnu pour les gendarmes à l'époque des faits. Il avait en effet été inquiété, dans le passé, pour une histoire de chéquier, puis condamné à huit mois de prison avec sursis pour une altercation au cours de laquelle il avait tiré au fusil, sans l'atteindre, sur un de ses voisins de la ZUP du Garros, à Auch. Déjà, à l'époque, c'est lui qui s'était présenté spontanément à la gendarmerie… Il s'était récemment installé dans le Gers à Estramiac avec sa compagne et l'enfant de cette dernière. Bénéficiant depuis le mois de mars d'un contrat emploi-solidarité à la mairie de Sarrant, où il effectue divers travaux d'entretien, il arrondit ses fins de mois avec des petits boulots au noir. Justement, à la mi-mai, il a commencé à refaire les peintures chez les Van Hulst. Le soir du crime, il dit être parti au moment où Marianne Van Hulst, Dorothea et son mari revenaient du restaurant, vers 23 heures. Mais sa compagne prenait à cette époque des somnifères pour dormir et elle ne pourra pas confirmer son alibi[1].

En garde à vue, Ben Salah ne fait aucun aveu et persiste dans ses dénégations. Il est malgré tout mis en examen pour « assassinats, escroquerie et tentative d'escroquerie » le 24 juin 1999, puis condamné, comme on sait, à deux reprises à la réclusion criminelle à perpétuité…

Lors de l'analyse de la personnalité de l'accusé, au cours du premier procès, devant la cour d'assises d'Auch, on apprend qu'il a vécu une enfance particulièrement instable, ballotté entre sa mère en France et son père en Tunisie. Plongeant très jeune dans les petites combines et le trafic de stupéfiants, il a également été poursuivi pour des actes de violence sur sa sœur alors qu'elle l'hébergeait. Mais jusque-là rien ne permettait d'envisager un acte aussi abominable, surtout dans le dessein de subtiliser quelques milliers de francs.

À l'issue de son procès, après le verdict qui le condamnait à la prison à perpétuité, Kamel Ben Salah s'exprime : « Je compatis à la douleur des enfants des victimes. Quand je les ai entendus à la barre, j'ai été très ému. Les Van Hulst étaient des gens très accueillants, toujours souriants et je présente mes condoléances aux enfants. J'ai tué personne, je suis innocent. »

---

1. Voir « La piste des cartes bancaires ».

Les avocats de Kamel continuent à dire qu'un tel massacre n'a pas pu être accompli par un homme seul… Ils considèrent que cette condamnation est une erreur judiciaire.

Pour Me Martial, « l'enquête des gendarmes a été approximative, Kamel Ben Salah était le suspect idéal. Il travaillait à la Boupillère et a d'abord été entendu comme simple témoin le lendemain de la découverte des corps, puis relâché. Il a été placé en garde à vue, un mois plus tard…

L'hypothèse d'un règlement de comptes, celle d'un dangereux criminel allemand ou encore de délinquants itinérants ont été rapidement écartées pour se focaliser sur un familier des lieux. Comme les vérifications entreprises auprès des amis proches des Van Hulst ont été négatives, il ne restait plus que Kamel Ben Salah. On a fabriqué un coupable et on y a cru. »

À ce jour, aucun élément nouveau n'est venu relancer l'affaire.

L'affaire Flactif

*Où l'on va découvrir un assassin qui s'exprime
à la télé, une victime qui n'a pas toujours le beau rôle,
et des gendarmes en blouse blanche qui découvrent
le pot aux roses...*

Vendredi 30 juin 2006, cour d'assises d'Annecy,
Haute-Savoie. Après trois semaines d'un procès-fleuve,
les dernières plaidoiries viennent de s'achever. À
14 heures, le président François Bessy se retire, suivi de
ses deux assesseurs et des jurés, pour délibérer. Dans le
box des accusés : Stéphane et Isabelle Haremza, Alexandra Lefèvre, Mickaël Hotyat, et son frère David, le compagnon d'Alexandra.

C'est l'épilogue judiciaire d'une affaire sordide qui a
fait la une de l'actualité trois ans plus tôt : une tragédie
qui a durablement marqué la région de Haute-Savoie,
celle d'une famille de cinq personnes, sauvagement
assassinées par un voisin qui voulait s'approprier leur
chalet de montagne ! Dans la presse on avait très vite
trouvé le titre qui allait tenir l'opinion en haleine pendant plusieurs mois : « L'affaire Flactif », puis, « Le
mystère du Grand-Bornand », et enfin « La tuerie du
Grand-Bornand ».

Comme le veut la procédure, c'est David Hotyat, le
principal accusé du massacre, qui a prononcé les derniers mots de l'ultime audience : « Je n'ai pas tué la

famille Flactif. » Une dernière fois, il a défendu sa version des faits, un rien alambiquée. Il reconnaît s'être rendu au chalet des Flactif, le soir du crime, avec une arme. Mais, parvenu au seuil de la maison, il jure avoir été assommé par deux inconnus, deux hommes qui auraient abattu les cinq membres de la famille Flactif à l'aide de son arme, puis l'auraient ensuite obligé à brûler les corps et à enfouir leurs restes dans la forêt. Il sait qu'il risque la prison à perpétuité.

Dans un coin de la salle, François Daoust attend lui aussi le verdict, attentif à la décision du jury.

Il est 19 h 15 quand la Cour sort enfin de la salle des délibérés pour reprendre place dans le prétoire. C'est l'heure du verdict : les cinq accusés sont déclarés coupables, condamnés à des peines de prison allant de la perpétuité pour le principal instigateur David Hotyat, à un an avec sursis pour son frère.

François Daoust est fier du travail accompli. L'« affaire Flactif » est en effet la démonstration des capacités scientifiques de haut niveau de l'IRCGN et constitue un véritable exemple de coordination des savoir-faire scientifiques et du travail d'enquête proprement dit, et cela de la scène de crime jusqu'au procès [1].

Tout avait commencé le samedi 12 avril 2003. Ce jour-là, un garçon de 14 ans, Mario, arrive au Grand-Bornand, en Savoie. Il vient du nord de la France, où il vit habituellement avec son père, pour rejoindre sa mère, Graziella, le nouveau compagnon de celle-ci, Xavier Flactif, un promoteur immobilier d'origine antillaise, et ses trois demi-frère et sœurs, Grégory, 7 ans, Laetitia,

---

1. Dans cette affaire, l'IRCGN a œuvré auprès et avec les enquêteurs et les magistrats du début jusqu'à la fin, accompagnant leurs interventions et les analyses au laboratoire, de conseils techniques et scientifiques permanents avec le CoCrim qui était le Chef d'escadron Servettaz.

9 ans et Sarah, 10 ans. La famille recomposée habite un magnifique chalet de montagne dans le petit village tranquille du Chinaillon, face aux pistes de ski. Il vient les rejoindre pour quelques jours de vacances.

Arrivé vers 10 heures du matin devant le chalet, Mario est étonné. La maison est fermée, les voitures de la famille Flactif sont invisibles. Il frappe à la porte, il appelle. Personne ne répond. Pourtant il sait qu'il est attendu. Son beau-père qui ne pouvait pas aller le chercher à l'aéroport de Lyon, a commandé un taxi la veille pour qu'il aille le chercher et l'amener ensuite sur place. Il a eu sa mère au téléphone deux ou trois jours avant. Graziella voulait vérifier qu'il avait bien reçu le billet d'avion qu'elle lui avait fait parvenir. Mario appelle tous les téléphones portables de la famille. Les lignes sont sur répondeur. Il appelle sa grand-mère, ses tantes, la sœur de sa mère qui, tous, habitent à 800 kilomètres de là, dans le Pas-de-Calais. Personne n'a eu la moindre nouvelle des Flactif depuis plusieurs jours… Que s'est-il passé ? Ont-ils été victimes d'un accident de la route ?

Il est impossible que sa mère ou son beau-père dont il est très proche, aient pu oublier son arrivée ! Insidieusement, l'inquiétude laisse place à la panique. Mario interroge Christine, la secrétaire de l'école de ski, une amie de Graziella, qui l'héberge aussitôt et interroge un à un tous les amis des Flactif pour tenter de comprendre ce qui a bien pu se passer…

Le soir de ce samedi 12 avril, vers 22 h 30, les gendarmes sont prévenus et Hélène, une barmaid du village, qui garde souvent les enfants de la famille Flactif, se rend sur place avec un autre ami du couple, Patrick. Ils constatent que la porte d'entrée n'est pas verrouillée. Ils pénètrent dans le chalet qui est vide et silencieux. Tout est impeccablement rangé. Ils font le tour des différentes pièces… Pas de traces de la famille.

Le lendemain, ils retournent au chalet en compagnie de Mario et ils remarquent que certaines couettes semblent avoir disparu des chambres des enfants. Un peu plus tard, ce dimanche, Mario retourne une nouvelle fois au chalet, accompagné par d'autres amis de sa mère. L'adolescent remarque tout de suite que quelqu'un a dû pénétrer dans la maison depuis la veille, car deux ordinateurs portables du bureau de Xavier Flactif sont maintenant allumés. Et un gros dossier est posé, en évidence, sur la cheminée du salon… On rappelle les gendarmes qui temporisent. Selon eux, les Flactif ont dû partir en week-end… ils seront certainement de retour dès le lendemain…

Mais le lundi 14 avril, la situation est inchangée et les gendarmes locaux arrivent sur les lieux dans l'après-midi pour commencer leur enquête. La disparition d'une famille entière est un fait très rare. Les enquêteurs le savent et ils entament immédiatement des investigations tous azimuts. Voisins, amis, témoins éventuels sont interrogés. La maison est perquisitionnée à fond. On découvre sur la cuisinière deux casseroles contenant la nourriture d'un repas familial qui n'a pas été consommé. Le réfrigérateur est plein, comme si les courses avaient été faites en prévision du week-end. D'autres objets de la maison semblent avoir encore disparu. Ce qui indique aux gendarmes que des « visiteurs » se sont introduits dans le chalet. Ils décident alors de « geler » les lieux et d'apposer des scellés sur toutes les issues… Un périmètre de sécurité est établi autour de la maison. Plus personne ne peut s'approcher du chalet.

Dans les heures qui suivent, le procureur de la République d'Annecy décide d'une procédure pour disparition inquiétante. L'enquête préliminaire est confiée, dans un premier temps, au groupement de gendarmerie départementale d'Annecy, aidé dans les recherches par l'escadron de gendarmerie mobile de Grenoble et renforcé par les experts de l'IRCGN qui arriveront sur place deux jours plus tard.

Pendant que les techniciens en investigations criminelles du département investissent le chalet abandonné du Grand-Bornand, des plongeurs explorent les berges du lac d'Annecy, un hélicoptère effectue des reconnaissances aériennes pour tenter de repérer les véhicules disparus. Une équipe cynophile arrive également sur les lieux, avec des chiens spécialisés dans la recherche de personnes disparues… Les listes de passagers des aéroports de Genève et de Lyon sont consultées. Sans succès. La présence de la famille n'a été signalée dans aucun hôpital, les cartes bancaires restent muettes, tout comme les téléphones portables.

Pas de trace des Flactif qui semblent s'être volatilisés ! Des appels à témoins sont alors lancés dans la presse régionale…

Face à une enquête qui s'avère déjà longue et complexe, le parquet d'Annecy décide de saisir la section de recherches de Chambéry, qui mènera une enquête exemplaire avec le renfort des militaires de la compagnie d'Annecy. Ils ne savent pas encore qu'il faudra attendre près de cinq mois pour commencer à comprendre ce qui s'est passé et surtout pour retrouver les restes des cadavres des cinq membres de la famille, dont les corps ont été brûlés dans la forêt du Roi-du-Mont située sur les hauteurs de Villards-sur-Thônes…

Pendant cinq mois en effet, l'enquête semble piétiner. Les rumeurs les plus folles courent la région et la presse, à propos du « chalet du mystère ». On pense à l'affaire du Dr Godard, disparu sans laisser de trace avec sa femme et ses enfants à bord d'un voilier. On s'intéresse à la personnalité de Xavier Flactif, présenté comme un homme d'affaires véreux, poursuivi pour diverses malversations par la justice. Un couple de voisins de la famille qui louent un chalet au promoteur se déchaîne dans la presse, et en particulier sur TF1, dans l'émission « 7 à 8 ». Il s'agit de David Hotyat et de sa compagne, Alexandra Lefèvre, qui disent pis que pendre sur Xavier Flactif et laissent entendre qu'il a certainement pris la fuite avec sa femme et ses trois enfants, pour échapper à des clients mécontents à la suite de différentes malversations dans lesquelles ils sont impliqués.

Un événement renforce d'ailleurs cette hypothèse de la fuite. Le 13 mai, on retrouve le 4 × 4 de Xavier, garé sur un parking proche de l'aéroport de Genève. Le véhicule est passé au peigne fin. À l'intérieur, des traces de sang, mais l'information n'est pas donnée à la presse…

Cinq mois plus tard, alors que l'intérêt du public commence à s'émousser, l'affaire revient à la une de l'actualité à la suite d'un spectaculaire coup de théâtre. Le 16 septembre 2003, on apprend l'arrestation et la mise en garde à vue de David Hotyat, de sa compagne, Alexandra Lefèvre et d'un couple de leurs amis, Stéphane et Isabelle Haremza, accusés de complicité et de dissimulation de preuves.

La raison de ce coup de théâtre, ce sont les résultats d'une enquête particulièrement habile dirigée par le lieutenant Thierry Dupin de la section de recherches de Chambéry, et des investigations scientifiques dans le chalet, menées par les experts de l'IRCGN, dont les constatations avaient été gardées secrètes par les gendarmes et par le juge d'instruction chargé de l'affaire.

Flash-back

Les premiers à pénétrer dans la maison du Chinaillon sont les TIC du groupement d'Annecy, menés par l'adjudant Kara-Agop, qui, tout de suite, mesurent l'ampleur de la tâche. L'immense maison s'étend sur trois étages. « Ils prennent les précautions nécessaires et sont frappés par la propreté, se souvient le général Hébrard. Ils trouvent que c'est trop propre pour être honnête. » En poursuivant leurs investigations, les TIC repèrent des taches brunâtres. « Ce ne sont pas les instruments dont ils disposent qui leur permettent à ce moment-là de suspecter quelque chose, continue le général Hébrard, mais leur propre regard, leur intuition, nourrie par l'expérience. Ils remarquent aussi que, par endroits, la tapisserie est arrachée ainsi que la moquette. Comme il y a trois étages et que la situation semble un peu bizarre, la compagnie d'Annecy et la SR de Chambéry demandent à l'IRCGN de venir compléter le dispositif. On envoie alors une équipe de sept personnes sous les ordres du chef d'escadron Jérôme Servettaz qui sera également le coordonnateur des opérations criminalistiques lors des constatations. »

C'est ainsi que, le 16 avril 2003, l'équipe de l'IRCGN investit le chalet. La propreté des lieux, une fois encore, les surprend : « Surtout pour une famille qui a des enfants jeunes, souligne François Daoust. Les lieux ont été laissés en l'état, sans la moindre "pollution" extérieure qui complique si souvent le travail des enquêtes, quand, par exemple, les premiers intervenants (secours, médecin, famille, témoins, etc.) abandonnent malgré eux cheveux ou empreintes digitales… »

Durant trois jours, les sept « experts » de l'IRCGN vont soigneusement passer les lieux au peigne fin. « Dans l'équipe qui arrive sur place, nous avons des biologistes, un balisticien car il y a des traces qui laissent penser qu'une arme à feu a été utilisée, ainsi qu'un spécialiste des empreintes digitales et, pour les traces brunâtres, un spécialiste de l'analyse des traces de sang, raconte le général Hébrard. Pendant ces trois jours, l'équipe va traiter toute la maison. Plus de trois cents scellés seront réalisés ! Ensuite, il faut sélectionner ce qui va être envoyé en urgence à Rosny-sous-Bois ou dans d'autres établissements pour être analysé[1]. »

Ces premiers actes d'investigation scientifique constituent la première difficulté de toute enquête : savoir déterminer à quel endroit effectuer un prélèvement. Aujourd'hui encore, il ne faut pas imaginer les enquêteurs capables de « geler » intégralement une scène de crime. Murs, sols, meubles, tissus, parfois plafonds, tout est susceptible de receler des informations pour la suite de l'enquête. Il faut savoir faire preuve de discernement, faire des choix. L'escouade des experts de la gendarmerie est pour la première fois sous la direction du chef d'escadron Jérôme Servettaz, qui fait office, comme on l'a dit, d'« ingénieur de scène de crime ». Il est, de fait, le premier coordinateur d'opérations criminalistiques à entrer en scène dans le cadre d'une enquête. C'est à lui d'organiser les constatations, de faire le lien avec les enquêteurs et d'indiquer à l'équipe quels prélèvements effectuer : les traces de pas, les ADN, les microfibres… chaque opération est photographiée sous plusieurs angles. « Grâce aux brosses à dents par exemple, précise Jacques Hébrard, on a pu récupérer des éléments d'ADN de toute la famille, que l'on a ensuite comparés, pour établir le profil génétique de chacun des parents et des enfants. Dans la chambre des enfants, on retrouve aussi des objets personnels, des jouets, des vêtements, qui serviront de référence. »

Lorsque ces premiers prélèvements ont été effectués, les lieux sont confiés au dernier des experts de l'équipe, l'adjudant Philippe Esperança. Il est à l'époque l'unique spécialiste français d'une discipline nouvelle, qui va

1. C'est là toute la pertinence du travail du coordinateur criminalistique : proposer un choix prioritaire d'analyse plutôt que d'engorger tous les départements du laboratoire en recherchant tout systématiquement. En l'occurrence, cette décision a été redoutablement efficace.

s'avérer déterminante à l'occasion de cette enquête : la récolte et la morpho-analyse des traces de sang. Les amateurs de fictions américaines auront reconnu le métier du célèbre Dexter, de la série éponyme. Philippe Esperança est à l'époque le premier morpho-analyste de traces de sang [1]. Orienté dans ce domaine par le médecin légiste de l'IRCGN, le docteur Yves Schuliar, cela va devenir une véritable passion pour cet ancien naturaliste du Jardin des Plantes qui, intégré au sein de l'IRCGN en 1999, est envoyé en stage aux États-Unis afin de parfaire ses connaissances. Là-bas, il apprend à reconnaître la spécificité de chaque trace sanguine [2]. Aidés de balisticiens, les experts font des tests sur des mannequins emplis d'un liquide rougeâtre pour savoir quelle arme produit quel type de trace. La forme de chaque gouttelette recueillie est caractéristique, et sa répartition dans l'espace permet de dire quel type d'arme a été utilisé par l'agresseur. Suivant « l'attaque de convergence », on arrive même à repositionner la place du corps par rapport aux éclaboussures, et donc l'angle de frappe et la position du meurtrier. « Il s'agit ici de mécanique des fluides, de physique newtonienne, de science dure, explique le Dr Schuliar. Un fluide est incompressible par nature. Il a une dynamique, en fonction de son volume, de sa vitesse. La cinétique de projection laissera des traces au sol, ou sur un mur, en fonction des coups portés, de leur force et, selon le type d'arme utilisée, marteau, hache, couteau, arme à feu, les taches seront de différentes natures. » Seul problème à l'époque : le produit révélateur de sang nécessite une obscurité complète, parfois bien difficile à obtenir selon les lieux, mais surtout, il n'est pas possible de faire une analyse ADN

---

1. Philippe Esperança travaille maintenant à l'Institut génétique Nantes Atlantique (IGNA), le leader français de l'expertise génétique.
2. Voir le dossier photos en annexes.

après son utilisation. Mais l'IRCGN a passé une convention avec l'industriel et de nombreux essais se feront en parallèle, aboutissant au développement d'un nouveau produit, le Bluestar, qui, non seulement permet de travailler dans la simple pénombre mais autorise l'analyse ADN des traces révélées qui deviennent fluorescentes après vaporisation du produit dans la pièce. Et des traces de sang, on en trouve partout dans le chalet ! « À partir de ce moment-là, les enquêteurs ont cessé de chercher la famille Flactif ailleurs qu'au Grand-Bornand[1]. »

Le général Hébrard confirme : « Tout de suite, on acquiert la certitude que les différents membres de la famille ont bien été tués dans la maison. On retrouve les traces des corps traînés d'une pièce à l'autre. Une empreinte sanglante de main d'un des enfants est retrouvée sur un bas de lit. On déduit également que les corps ont dû être enveloppés dans les couettes qui ont disparu. » Les experts de la gendarmerie vont réussir ainsi à localiser les endroits précis où chacun a été tué et même, à établir la chronologie des meurtres !

Quelques jours plus tard, le résultat des analyses ADN conforte les premières hypothèses des enquêteurs : Xavier, Graziella, Sarah, Laetitia et Grégory ont tous perdu beaucoup de sang à l'intérieur même de la maison. Tous les cinq ont bien été exécutés sur place. *Mais les analyses révèlent également l'existence d'un sixième ADN, peut-être celui de l'assassin !* Cet ADN inconnu a été prélevé en vingt-deux endroits de la maison[2]. Bientôt, il s'avérera que ce « sixième ADN » correspond au profil génétique du suspect n° 1, David Hotyat.

David Hotyat s'était déjà fait remarquer par les enquêteurs, comme nous l'évoquions plus haut, à la suite de l'interview qu'il avait accordée, avec sa com-

---

1. Déclaration au journal *Ouest-France*, décembre 2007.
2. Et en particulier au sol, entre deux lattes de bois.

pagne, au magazine « 7 à 8 », de TF1. Les gendarmes s'étaient intéressés à ce mécanicien au chômage, âgé de 30 ans, un des plus proches voisins de Xavier Flactif, avec qui il avait très vite sympathisé. Élevé dans le nord de la France, Hotyat s'était installé en 2001 au Grand-Bornand, avec sa compagne Alexandra. Les gendarmes ont découvert qu'il vivait alors de rapines, principalement de trafic de pièces détachées. Très vite, Xavier Flactif fascine David Hotyat, car il est riche. Entrepreneur indélicat, déjà poursuivi pour des opérations immobilières aux limites de la légalité, il gagne en effet beaucoup d'argent grâce à la location des chalets qu'il a construits dans la région. Hotyat s'imagine « monter des affaires » avec son voisin, qui finit par le repousser. Alors l'attirance va se transformer en haine. Une haine qui va le pousser au meurtre !

« Dès le début de nos investigations, raconte le général Hébrard, tous les gendarmes (experts et enquêteurs) remarquent qu'il est très présent au niveau des médias. Il connaît par cœur la maison, c'est même lui qui la détaille aux journalistes. » Sans le savoir, David Hotyat est déjà dans l'œil du cyclone. Mais les enquêteurs « lâchent du lest », décident de ne pas l'interpeller tout de suite, afin de « fermer les portes » de toutes les autres hypothèses envisagées. Celle de la fuite à l'étranger des Flactif n'est corroborée par aucun fait tangible : les nombreuses traces de sang retrouvées dans la maison éliminent cette théorie. Quant aux personnes lésées par le promoteur, elles sont très vite mises hors de cause. Reste l'hypothèse David Hotyat. Mais, selon le vieil adage judiciaire, « pas de corps, pas de crime » !

Et si la clé de l'affaire était le mystérieux ADN inconnu, l'ADN n° 6 qui pourrait selon les enquêteurs être celui de l'auteur de la tuerie ? Pour savoir à qui il appartient, les gendarmes procèdent à des prélèvements d'ADN sur l'ensemble des proches et des connaissances de la famille Flactif : en tout, 130 personnes, allant du plus proche ami aux voisins et aux commerçants du village ! Tous se prêtent volontiers à la demande des enquêteurs, y compris David Hotyat, qui ne peut refuser au risque de se désigner lui-même comme suspect !

L'ADN n° 6 « matche », comme disent les enquêteurs, avec le sien. Cette constatation confirme leur intime conviction.

C'est ainsi que le 16 septembre 2003, David Hotyat est placé en garde à vue. Il nie d'abord farouchement être mêlé d'une quelconque façon à cette affaire. Mais, parallèlement, une perquisition est menée à son domicile. Les gendarmes saisissent de nombreux objets dérobés dans la maison des Flactif. La chaîne stéréo de la petite Sarah trône au milieu du salon, les skis des enfants sont à peine dissimulés dans son garage, et Alexandra Lefèvre, sa compagne, utilise le téléphone portable de Graziella, l'épouse de Xavier Flactif !

Devant ces évidences, David Hotyat craque et avoue être l'auteur de la tuerie. Il tente de justifier son crime par un véritable torrent de haine mélangée à une vive jalousie face au train de vie luxueux de son voisin. À la suite de ses révélations, il propose aux enquêteurs de les emmener dans la forêt du Roi-du-Mont située sur les hauteurs de Villards-sur-Thônes, sur les lieux où il a fait, dit-il, disparaître les corps.

Le chef d'escadron Jérôme Servettaz et le commandant de la SR se rendent sur les lieux en même temps que David Hotyat. Autre originalité dans cette enquête, une équipe de l'IRCGN est en effet déjà présente depuis la veille, afin de pouvoir effectuer toutes les constatations durant les perquisitions et surtout sur les corps, que le directeur d'enquête espérait à juste titre découvrir au cours de la garde à vue. De nombreux moyens ont ainsi été prédisposés (hélicoptère, plongeurs, chiens capables de recherche des cadavres…) afin de faire face à toutes les éventualités. Mais la surprise sera de nouveau au rendez-vous pour les enquêteurs : à l'endroit désigné par David Hotyat, il ne reste aucune trace de la sinistre besogne à laquelle il se serait livré en brûlant, avec de l'essence et du gasoil, les cadavres sur un bûcher improvisé. « Il fallait agir très vite, se souvient le général Jacques Hébrard. Car nous voulions faire remonter le maximum d'indices et de preuves pendant le temps de la garde à vue. » L'équipe est alors renforcée par des anthropologues et des entomologistes qui examinent minutieusement la zone indiquée par le gardé à vue.

« Entre le moment où Hotyat avoue et le moment où il a brûlé les corps, il s'est passé plusieurs mois. Tout a repoussé et a été nettoyé, on ne voit plus rien, se rappelle François Daoust. À l'époque des faits, il y avait encore de la neige. On retrouve à proximité du bois coupé pour l'hiver dont il s'est certainement servi, et qu'il a arrosé de carburant. » Mais de rares traces de cendres sont repérées, permettant de penser qu'il a pu y avoir un foyer à cet endroit.

« Il faut alors quadriller minutieusement le terrain, continue François Daoust, commencer les recherches à partir du point où David Hotyat dit avoir brûlé les corps, puis remonter en amont et descendre en aval, dans les deux sens. Il y a des parties de corps qui sont remontées en hauteur, déplacées par les animaux ; et d'autres qui sont descendues avec le ruissellement des pluies et la fonte des neiges. C'est le recyclage naturel. Sur une petite plate-forme située en contrebas, on parvient à retrouver des petits os, des traces de combustion, si minuscules que cela se confond dans la nature. C'est une technique de recherche équivalente à celle qui est employée par les archéologues. On regarde d'abord tout ce que l'on peut voir visuellement, on prend des photographies des lieux. On enlève la première couche de terre et on la passe au tamis. La distinction entre un petit caillou et un petit os est parfois très difficile à faire ! C'est l'affaire des spécialistes de l'IRCGN de déterminer la nature de chaque prélèvement. On n'a pas retrouvé tous les corps en entier, simplement des petits morceaux d'os qui appartenaient à certains des cinq corps. » Parmi cet ensemble macabre, une balle de pistolet (ou d'arme de poing) est également retrouvée et soigneusement mise sous scellé.

Tous les moyens de la gendarmerie seront mis à disposition de l'IRCGN et de la CIC (Cellule d'investigation criminelle) d'Annecy pour effectuer les recherches. C'est ainsi que le peloton de gendarmerie de haute montagne d'Annecy effectuera des recherches dans les zones en amont et en aval de la crémation, que les moyens de levage de l'EGM (escadron de gendarmerie mobile) d'Annecy et les chiens du Centre national des équipes cynophiles de la gendarmerie seront employés.

Pendant ce temps, les proches de David Hotyat ont également été placés en garde à vue. La compagne d'Hotyat, Alexandra, avoue très vite avoir recueilli ses confessions ; tout comme leur couple d'amis, Isabelle et Stéphane Haremza. Tous trois sont mis en examen pour non-dénonciation de crime. Pire ! Stéphane Haremza avouera avoir accompagné son ami, lui muni de cordelettes, David Hotyat d'un Browning, jusqu'au perron du chalet des Flactif, ce funeste 11 avril 2003. Avant de se « dégonfler », se faisant traiter de « flipette » par son complice…

Dans le nord de la France, le frère de David Hotyat, Mickaël, se rend vite à l'évidence : les jeux sont faits. Rien ne sert de mentir. Devant les gendarmes, il raconte alors comment il a reçu le pistolet par la poste, quelques jours après la disparition des Flactif, accompagné d'un mot de David lui demandant de le faire disparaître. Il l'a, dit-il, simplement jeté dans un cours d'eau, où une équipe de plongeurs ne tarde pas à le repêcher. La balle retrouvée près du lieu où les corps ont été incinérés correspond, évidemment, parfaitement. « Une comparaison en balistique va être effectuée, raconte François Daoust. Elle nous permettra d'affirmer avec certitude que la balle retrouvée avec les ossements a bien été tirée avec cette arme. On a donc une preuve matérielle caractéristique, qui fait le lien avec les meurtres. Autant l'ADN dans cette affaire pouvait prêter à interprétations[1], autant la balistique est incontestable. Le fait de multiplier les preuves matérielles permet de visser le dossier pour que l'on ne puisse pas tout remettre en question au moment du procès. »

Des aveux multiples et circonstanciés, les restes des cinq corps retrouvés ainsi que la seule arme à feu utilisée, la présence à différents endroits du chalet de plusieurs empreintes ADN du suspect... Tout cela permet aux enquêteurs de considérer l'affaire comme résolue. C'est aussi le fruit d'une collaboration parfaite entre les techniques d'investigations classiques alliées aux nouvelles armes de la police scientifique et technique.

Pourtant, quelques jours plus tard, David Hotyat se rétracte. Selon lui, ses aveux ont été extorqués sous la pression de la garde à vue. Son avocat, particulièrement virulent, va tenter sans succès de remettre en cause l'enquête des gendarmes et la façon dont ces aveux ont été recueillis. Les temps de repos obligatoires n'auraient pas été respectés. Hotyat aurait fini par avouer à bout de fatigue et de manque de sommeil, en absence de son avocat...

---

1. L'interprétation qui aurait pu en être faite est que Hotyat effectuait de menus travaux pour Flactif, qu'il se soit blessé à cette occasion et que l'on retrouve ainsi son ADN n'aurait pas été significatif. Mais il n'a pas choisi cette ligne de défense, ni ses avocats.

David Hotyat livre alors une nouvelle version du drame : parvenu devant la maison des Flactif avec son arme, ce qu'il admet, il aurait découvert les corps de Xavier et Graziella, assassinés par deux hommes cagoulés qui l'auraient assommé. Il aurait abondamment saigné des suites de cette blessure à la tête, ce qui expliquerait la présence de son ADN sur les lieux, car les deux inconnus l'auraient traîné dans la maison, tout en continuant à assassiner les enfants. Puis ils l'auraient ensuite contraint à aller se débarrasser des corps dans la forêt !

« Avec cette version fantaisiste des faits, on est bien évidemment dans le fantasme, dans le déni, remarque aujourd'hui François Daoust. Mais nous étudions attentivement ce nouvel axe de défense, car il préfigure la stratégie de l'accusé au cours du futur procès en cour d'assises[1]. »

En effet, le succès de l'enquête, relayée par la presse qui consacre de longs articles aux progrès de la police scientifique et technique, a été salué par l'opinion publique, mais les avocats de la défense ont rapidement compris les faiblesses de l'argumentation. Selon eux, les preuves et indices accumulés par les gendarmes en blouse blanche sont par définition « neutres », c'est-à-dire qu'ils dépendent de l'interprétation que l'on en fait. Une trace ADN relevée sur une scène de crime n'indique, après tout, rien d'autre que la « présence » d'une personne à un moment ou à un autre. Si celle-ci est étrangère au lieu où son ADN a été recueilli, la présomption de culpabilité peut augmenter. Mais David Hotyat était un habitué de la maison des Flactif, rap-

1. Depuis l'affaire Ben Salah, l'IRCGN est attentif aux stratégies de la défense afin de préparer l'argumentaire mettant en corrélation les éléments matériels avec les faits. Voir, à ce sujet, le chapitre consacré à « la tuerie de Monfort ».

pellent ses avocats. Et la présence de son sang n'est pas une preuve de sa culpabilité. « L'ADN de David Hotyat, recueilli dans la maison, prouve seulement sa présence sur les lieux à un moment », confirme le général Hébrard.

C'est donc, quand même, avec une certaine appréhension que l'IRCGN attend le procès, qui doit s'ouvrir en juin 2006 à la cour d'assises d'Annecy.

« Imaginons que l'affaire Flactif se passe en 1984, suppose François Daoust. Est-ce que le mystère aurait duré plus longtemps ? C'est fort possible, compte tenu de l'absence de toute technique de révélation de l'ADN, à l'époque, comme des procédures de révélation des microtraces de sang ! Mais David Hotyat avait quand même chez lui des objets provenant du chalet ! On peut penser qu'une enquête approfondie aurait finalement conduit les gendarmes à perquisitionner sa maison. Bien sûr, il aurait pu s'en sortir en racontant qu'il avait profité de l'absence de la famille pour la voler. On se serait retrouvé dans un schéma quasi similaire à l'affaire Grégory, où l'on a des suspects, mais pas d'éléments de criminalistique comme aujourd'hui. Il aurait été plus difficile de prouver quoi que ce soit[1]. »

Le 12 juin 2006 s'ouvre enfin le procès. Tous les protagonistes campent sur leurs positions. Isabelle et Stéphane Haremza maintiennent leur participation à l'élaboration du crime, tout comme Alexandra Lefèvre. Mickaël Hotyat confirme avoir tenté de faire disparaître l'arme. Quant à son frère David, plein de morgue, il se dit toujours innocent. Le combat sera violent durant les

1. Plus difficile certes, mais pas impossible. En effet les enquêteurs auraient eu, comme élément matériel, la balle du 6.35, ce qui en l'espèce est déterminant, Par contre, ils auraient mis plus de temps pour arriver à « coincer » Hotyat.

trois semaines d'audience. Notamment à l'encontre de l'IRCGN.

« Le procès se déroule dans une salle des fêtes, restructurée pour l'occasion, car le palais de justice avait fait l'objet d'un attentat qui avait fragilisé toute la structure, se souvient François Daoust. Pour résumer ce procès, qui fut long, plein d'émotion, il faut y remettre au centre Mario, le premier fils de Graziella, qui a perdu sa mère, ses demi-frère et sœurs. » C'est un beau jeune homme de 17 ans qui se présente à la barre, dont le témoignage posé fait pourtant pleurer l'assistance. Même David Hotyat doit détourner son regard. La puissance de ce témoignage, associée à la violence du crime, qui compte parmi ses victimes trois jeunes enfants, semble d'emblée condamner David Hotyat. Son avocat Luc Brossollet va tout faire cependant pour dépassionner les débats, et s'attaquer de front aux travaux de l'IRCGN.

« Durant le procès, chaque expertise sera systématiquement remise en cause, explique François Daoust, non pas sur le fond du travail effectué, mais en tentant de discréditer l'expert. » Le colonel Daoust a suivi l'intégralité des débats parce qu'il voulait observer comment ses spécialistes en balistique, en médecine légale et en morpho-analyse, allaient défendre leurs expertises devant une défense acharnée. « Chacun a été mis en cause de manière différente. Certains s'en sont bien sortis et d'autres moins bien. »

Le premier enquêteur à subir un feu nourri de critiques est celui qui a recueilli les aveux de David Hotyat.

« Au cours d'une garde à vue, la personne doit pouvoir bénéficier de temps de repos, qui ont été bien entendu respectés, mais David Hotyat fait état de conversations qui se sont poursuivies entre lui et l'enquêteur, pendant ces pauses, et qui ne sont pas actées dans les procès-verbaux. Ces conversations, il faut le préciser, n'ont pas servi à incriminer l'accusé. Mais l'avocat attaque le fait qu'il n'est pas normal que l'on continue à parler à l'accusé alors qu'il est censé se reposer. »

Pour Me Luc Brossollet, l'objectif est de faire annuler les aveux en démontrant qu'ils ont été obtenus par des procédés déloyaux, et que son client n'avait pas pu se reposer correctement. « L'enquêteur a gardé son calme et son sang-froid, continue François Daoust. Le président de la cour d'assises, François Bessy, fut remarquable, il demande à ce qu'on laisse s'exprimer l'enquêteur, qui a gardé la maîtrise de lui-même et a même repris l'ascendant. Ce qu'il y a d'extraordinaire, c'est que tout ce que l'enquête a montré d'évident pour les médias est remis en cause et redevient très fragile : c'est la stratégie adoptée par la défense. »

Durant le procès, l'angoisse va bientôt poindre chez les enquêteurs. Car une grande partie de l'accusation repose sur les traces de sang mises en évidence par le morpho-analyste Philippe Esperança. « Le président décide de le faire passer en premier. Esperança, qui a bien travaillé son intervention, va pourtant commettre une erreur : *il est venu avec un film qu'il s'est permis de réaliser, mais qui n'avait pas été versé au dossier*. Son objectif est louable : aider la Cour à mieux comprendre le déroulement et la chronologie du crime ! Ainsi, au lieu de se contenter des photographies jointes au dossier, pourtant largement éloquentes, il veut appuyer sa démonstration sur une cinétique, une reconstitution dynamique, pièce par pièce, qui modélise les traces de sang et leurs projections. » Comme les avocats des parties civiles ne s'y opposent pas, Esperança est d'abord autorisé par le président de la Cour à le diffuser. Mais à peine lancé, l'avocat de David Hotyat, frappé par la terrible réalité du crime qui transparaît dès les premières images, s'insurge et demande de faire cesser immédiatement la diffusion de cette pièce dont il n'a pas pu prendre connaissance avant l'ouverture des débats.

« Visuellement, le film était très marquant, très efficace, se souvient Jacques Hébrard. Les projections de sang montraient bien le mouvement et l'ampleur du drame. On naviguait dans la maison comme dans un jeu vidéo… très proche d'une situation réelle. Depuis, nous n'avons plus jamais réitéré la même erreur, et tous les documents sont maintenant systématiquement versés au dossier du juge d'instruction. »

Pour revenir au procès, Philippe Esperança, qui avait appuyé toute sa démonstration sur la diffusion de ce film, est totalement déstabilisé par l'avocat de David Hotyat qui s'engouffre dans la brèche et demande à l'expert en morpho-analyse d'expliquer au tribunal la théorie des projections de sang. Tombant dans le panneau, celui-ci se lance alors dans un grand exposé théorique, détaille son expérience américaine, explique ses différents stages à l'étranger, mais il oublie de décrire les fondements scientifiques de sa spécialité[1], et finit par perdre l'auditoire sans avoir pu s'attaquer concrètement à l'affaire Flactif elle-même. Tranchant, l'avocat lui lance : « C'est une science de clown que vous nous présentez[2]. »

Mais le président du tribunal reprend la main, et invite alors les jurés à consulter l'ensemble des photographies jointes au dossier, afin de comprendre enfin les conclusions de l'expert. « Alors l'émotion est revenue dans leurs yeux, se souvient François Daoust. La plupart se sont littéralement décomposés au fil des

1. La morpho-analyse des gouttes de sang est basée sur la physique newtonienne et sur la mécanique des fluides. Ce n'est pas une pseudo-science, ni une « parascience » ! Elle repose sur une réalité scientifique.
2. Il présentera ses excuses le lendemain, à la demande du président de la cour d'assises. Mais, dans une ultime et ironique pirouette, il dira qu'il regrettait d'avoir été inconvenant… et qu'il s'excusait surtout auprès des clowns !

explications de l'expert commentant les photographies des éclaboussures et des traces de sang relevées. » Son analyse démontrait que le crime avait été commis dans un déchaînement de violence extrême. Loin d'une exécution « propre » où le tueur aurait anéanti la famille à coups de pistolet, comme l'avait suggéré l'accusé dans ses aveux, les travaux de l'expert dévoilent l'horreur : l'agresseur entre par la porte, et frappe d'abord Xavier Flactif, qui se trouve dans la cuisine en compagnie de deux de ses enfants. Le père à terre, c'est au tour des enfants de subir des violences. La mère, affolée par les cris, tente de rejoindre le premier étage, mais l'assassin la rattrape et la frappe à l'aide d'un instrument contondant. Enfin il se rend à l'étage, à la recherche du dernier survivant, Grégory, 7 ans. Pour conclure son exposé, Esperança déclare : « Le pistolet a servi à achever les victimes, mais toutes n'ont pas été agressées ainsi. » Le public tressaille à cet instant. Le dernier à mourir, d'après l'expert, sera Xavier Flactif. Quant au sang de l'accusé, retrouvé en vingt-deux endroits de la maison, l'expert, implacable, lance : « Il s'est blessé lui-même au cours de ses multiples agressions. »

Me Luc Brossollet, fin bretteur, exploitera chaque détail, même infime, dans les rapports des différents experts pour tenter de faire douter le jury de ce qu'il appelle « la sacro-sainte infaillibilité scientifique ». Tout au long des trois semaines d'audience, chaque expert sera allègrement malmené par l'avocat. *« C'est là que nous avons compris véritablement l'importance d'aider nos experts, non seulement à faire leur travail, mais aussi à l'expliquer clairement à des non-spécialistes.* La défense travaille à démonter les preuves, à les séparer les unes des autres pour les minimiser, à mettre en évidence des incohérences là où il n'y en a pas, dans l'unique but de créer le doute qui est toujours censé bénéficier à l'accusé.

Voilà pourquoi certains experts ont pu s'en sortir et d'autres moins bien. Mais ce procès a montré également qu'un président de cour d'assises qui connaît bien son travail et son dossier arrive à rattraper le tout. » Depuis lors, les experts de l'IRCGN reçoivent une formation spécifique à la présentation d'un dossier devant une cour d'assises. On leur apprend à ne pas se laisser déstabiliser en étudiant ensemble des cas concrets de mise en cause d'experts, et en travaillant avec eux à la meilleure manière de présenter leurs conclusions.

Retour au procès de 2006

Arrive l'expert en balistique, qui rappelle incidemment, au début de son propos, que David Hotyat a effectué son service militaire dans les chars. Mot d'esprit de Luc Brossollet, notant une certaine différence entre « les canons des chars et ceux des pistolets ». Réponse tout à trac de l'expert : « Le pistolet est précisément l'équipement des unités de chars. » Ambiance.

Le manège finit par être rodé. Comme une découverte chaque fois renouvelée, les avocats font maintenant réciter l'ensemble de leurs CV à chaque scientifique, ce qui a tôt fait de les agacer. Jusqu'à l'audition de M. Cognigliaro. Ce prothésiste dentaire spécialisé en odontologie s'acquitte de la tâche sans broncher, puis se lance à la demande du président dans une lumineuse analyse des restes de dents. De très petits morceaux de dents ont en effet été découverts dans les vestiges du bûcher, ainsi qu'au premier étage de la maison des Flactif. Posément, il expose ce que racontent ces minuscules fragments collectés : « Pour arracher et briser des dents de lait, il faut des coups d'une violence extrême », apprend-il à la Cour, qui s'interrogeait sur la présence d'un petit bout de dent au premier étage de la maison. « Cette dent a donc été pulvérisée par un objet contondant, et avec une force d'une violence terrible. » Cette fois, aucun avocat n'osera l'interroger. Quant aux jurés, ils ne pourront s'empêcher de penser aux trois enfants assassinés et de visualiser, au-delà de cette dent éclatée, le visage d'un enfant massacré par une brute.

Le 30 juin 2006, David Hotyat est condamné à la peine maximum : perpétuité assortie d'une période incompressible de 22 ans. Stéphane Haremza est condamné pour complicité à 15 ans. Alexandra Lefèvre, la compagne de David Hotyat, écope de 10 ans pour « association de malfaiteurs ». Isabelle Haremza est condamnée à 7 ans pour « complicité et non-dénonciation de crime ». Le frère de David Hotyat, Mickaël, aura un an de prison avec sursis pour avoir jeté l'arme du crime, un pistolet 6.35, dans un canal du Pas-de-Calais. Il sera le seul à sortir libre du tribunal.

David Hotyat fera appel [1]. Mais le 10 décembre 2007, au premier jour de son nouveau procès, il déclarera : « Je me désiste de ce procès. J'accepte la peine de première instance. »

L'Unité nationale d'investigation criminelle

Témoignage du général Jacques Hébrard

« Du côté de la gendarmerie, cette enquête scientifique est un sans-faute absolu, un cas d'école. L'IRCGN n'est pas simplement un laboratoire d'analyse qui se trouve en région parisienne, c'est aussi un laboratoire mobile constitué de spécialistes et d'experts qui se rendent sur les lieux. Les personnes

---

1. Malgré les fortes peines auxquelles ils ont été condamnés, les coaccusés de David Hotyat n'avaient pas fait appel.

qui travaillent en institut ne sont pas seulement des hommes de paillasse ou de laboratoire.

Il y a effectivement une entité qui s'appelle l'Unité nationale d'investigation criminelle, qui permet de fédérer des spécialistes du laboratoire et de les projeter sur le terrain. Généralement en complément du travail des techniciens de l'identification criminelle, mais aussi parce qu'on a toute une série de matériels de haut niveau et de techniques spécifiques qui permettent d'aider les enquêteurs. Par exemple, un géoradar pour retrouver des corps enfouis, des lasers scanners 3D pour faire de l'imagerie en trois dimensions d'une scène d'infraction : on peut ainsi reconstituer tous les éléments visuels géographiques et obtenir une imagerie très précise avec une définition à quelques millimètres près, ce qui aide les enquêteurs ou le magistrat.

On peut imaginer une affaire qui s'est déroulée dans un lieu appelé à la destruction. Même si l'affaire est ancienne, cette technique permet de figer les éléments tels qu'ils étaient avant la disparition des lieux. Ce procédé a été utilisé dans une affaire en cours, celle de l'enlèvement et du meurtre du petit Jonathan, un petit garçon de 11 ans enlevé et assassiné en 2004 en Loire-Atlantique dans des conditions non élucidées[1].

L'affaire Flactif est pour nous un cas d'école. On en a tiré des enseignements importants. Depuis 2009 nous nous sommes dotés d'un laboratoire mobile, un

1. La gendarmerie nationale a ouvert un site Internet www.dossierjonathan.fr, pour « réveiller les mémoires » de témoins éventuels, dans le but d'obtenir des témoignages anonymes d'internautes pouvant faire évoluer l'enquête. C'est en tout cas ce que souhaite le lieutenant-colonel Pierre Poty, commandant de la section de recherches de Rennes dont dépendent les 15 gendarmes de la « cellule Jonathan » toujours mobilisés sur cette affaire. Sur ce site, les internautes ont notamment accès aux images des lieux où l'enfant a disparu, des endroits qu'il a visités une semaine avant sa disparition et du lieu où son corps a été retrouvé.

bus équipé de paillasses et d'un certain nombre d'équipements de laboratoire, qui nous permet d'aller au plus près d'une scène de crime complexe. Et éventuellement de faire des prélèvements et d'avoir une base arrière très équipée, puisqu'on a du matériel de laboratoire sur place ! Ce n'est pas forcément pour faire des examens très pointus mais pour dégager des orientations sur certains éléments et pouvoir ainsi adresser au laboratoire les bonnes réquisitions et les bonnes missions à réaliser. Et ainsi, mener l'enquête scientifique en temps réel[1]. »

Témoignage de la journaliste Christine Kelly, ancienne présentatrice de la chaîne LCI, sur les dérives médiatiques de l'affaire Flactif et sur la personnalité de l'assassin[2]

« Xavier Flactif se disait d'origine antillaise, alors qu'il ne l'était pas. Sa mère est du nord de la France et son vrai père est un médecin originaire du Tchad qu'il n'a jamais connu… Il n'a jamais connu son vrai père… Ses origines supposées ont certainement joué un rôle, appelons cela un "délit de sale gueule", dans les premières rumeurs qui ont couru sur son compte après sa disparition et celle de toute sa famille. Et qui ont fait de la victime… un coupable avant l'heure ! On a dit qu'il était parti avec la caisse alors qu'on ne savait pas ce qui s'était réellement passé.

---

1. Il est ainsi possible d'observer dans de bonnes conditions les prélèvements réalisés, et les placer sous scellés dans les meilleures conditions possible. De plus, le bus dispose aussi d'une salle de commandement équipée de tous les moyens de communication et offrant la possibilité, par des systèmes de caméras positionnées sur une scène d'infraction, de montrer au directeur d'enquête ou au magistrat la réalité de la scène.
2. Christine Kelly est l'auteur du livre *L'affaire Flactif – Enquête sur la tuerie du Grand-Bornand*, éditions Calmann-Lévy.

Tout le monde disait que c'était un enfant de la DDASS mais il a été élevé par sa propre mère et personne n'en parlait justement. Il y a beaucoup d'informations qui ont été distillées dans la presse, pour aller dans le sens du délit de sale gueule. C'est-à-dire l'Antillais, le gros Noir, l'homme d'affaires véreux, l'enfant de la DDASS, alors que tout cela était faux. Il est vrai qu'il avait été en délicatesse avec la justice, mais cela a été un peu amplifié. Cet homme de grande corpulence arrive au Grand-Bornand, un petit village où, même quand on vient de La Clusaz à 5 kilomètres du village, on est un étranger. Il arrive, achète tous les terrains et a de super projets immobiliers, il a de grosses voitures, un super chalet, et il construit partout. Évidemment qu'il dérange et suscite des jalousies ! Le délit de sale gueule prend naissance dans la personnalité même de Xavier Flactif.

Ce que révèle aussi mon enquête publiée dans ce livre, c'est le rôle de la presse et l'existence de ces rumeurs dans la région. Pendant ce temps-là, les gendarmes travaillaient. Cela n'a donc pas retardé l'enquête de gendarmerie, exemplaire. Les enquêteurs ont distillé quelques informations partielles aux médias, ils ont laissé les journalistes développer la thèse de la fuite. Et pendant ce temps, ils ont pu travailler tranquillement et sereinement sur la piste criminelle…

Le 17 septembre 2003, lorsqu'on apprend l'arrestation et les aveux de David Hotyat, c'est un choc incroyable ! On se rend compte brutalement que pendant cinq mois tous les médias étaient dans le faux. Les enquêteurs, eux, étaient dans le vrai. Les journalistes présentaient Xavier Flactif comme un coupable alors que cela faisait cinq mois qu'il avait été tué, peut-être découpé en morceaux, lui, sa femme et ses trois enfants. Cela faisait cinq mois qu'il était la victime, alors que tout le monde pensait qu'il était le coupable. Personne n'a cherché à savoir la vérité ou même laissé une petite fenêtre, une possibilité de doute !

David Hotyat, lui, avait grandi dans le Nord comme Xavier Flactif. Son parcours est d'abord celui d'un petit jeune sans histoires, qui a des activités plutôt solitaires, la pêche, la course à pied. À l'époque, c'est un vrai sportif, il gagne des coupes. Ensuite il s'engage dans l'armée. Il s'ennuie dans son milieu professionnel ouvrier. Il a des problèmes avec ses patrons, il ne respecte pas l'autorité, il se fait licencier trois fois. Dans sa vie privée, il rencontre Alexandra Lefèvre. Très vite elle attend un bébé, il se fait virer de chez ses parents, et aussi de chez la mère de sa compagne. Il va habiter dans un appartement de la famille, mais il ne paie pas le loyer, il doit 6 000 euros et s'engueule avec la voisine, une vieille femme qu'il jette par terre et qu'il menace d'incendier sa maison.

Finalement, il va habiter ailleurs, à Cholet, où il a aussi des problèmes avec son propriétaire. Ce n'est qu'après qu'il arrive à la même époque que Xavier Flactif dans la région du Grand-Bornand. Mais toute sa vie d'avant raconte sa personnalité. Personne ne sait qu'il vole des voitures, personne ne sait que pour aménager l'appartement de son copain, il va dévaliser tous les chalets voisins, à l'abri des regards. Ce n'est qu'après l'affaire Flactif que les gendarmes vont tout découvrir. Il a été un criminel en toute impunité pendant des années mais personne n'en a jamais parlé. C'est après que l'on se rend compte que, sous les airs d'un homme bien intégré dans la société, il était complètement en marge !

Lors du procès, il revient sur ses aveux et change de version. Pourtant, ces aveux, il les avait faits dès les premières minutes de sa garde à vue. Les gendarmes le diront à la presse après coup, bien entendu. Lorsque Alexandra finit par dire ce qu'elle savait, il avait déjà tout avoué.

Est-ce qu'il dit la vérité ? C'est une autre question ! Il dit aux enquêteurs avoir assassiné les cinq membres de la famille à coups de pistolet, alors que les constatations de l'IRCGN montrent un crime d'une sauvagerie terrible ! Ce n'est pas un assassinat aussi "propre" qu'il veut bien le dire. Puis il explique qu'il les a tous brûlés et propose d'amener les enquêteurs sur place. À ce même moment, l'ADN inconnu a déjà "parlé". Les enquêteurs savent que c'est le sien. À ce moment-là, tout indique qu'il est bien le coupable. Et puis, après sa condamnation à perpétuité, il est le seul à faire appel, mais au premier jour de son second procès, il se désiste. Il accepte finalement le verdict du premier procès. Pourquoi ? Certains croient toujours à cette histoire de mafia et pensent qu'il préfère rester en prison pour échapper à une vengeance des "vrais" commanditaires. D'autres, beaucoup plus nombreux, pensent qu'il est incapable d'assumer ce qu'il a réellement fait. Avec un deuxième procès, il aurait été réinterrogé.

Selon moi, il est peut-être victime d'un dédoublement de personnalité. Parce que ce qu'il a fait est "inavouable", il prend de la distance par rapport à la réalité. Il s'est persuadé qu'il n'a pas commis ces crimes. Que c'est un "autre" qui les a commis… Il reste effectivement quelques zones d'ombre… Certains journalistes pensent qu'Alexandra Lefèvre a eu rôle déterminant, ils pensent que c'est elle qui l'a aidé à tuer toute la famille, ou qui l'aurait au moins aidé à transporter les corps et à nettoyer le plus soigneusement possible la maison pour tenter de faire disparaître les traces du quintuple meurtre… D'autres pensent qu'elle a même peut-être été le cerveau de l'affaire…

Ce n'est pas la vérité judiciaire, Alexandra Lefèvre n'a été condamnée que pour complicité de meurtre… »

Les zones d'ombre…

Bruits et rumeurs… David Hotyat a-t-il agi seul ?

La thèse d'une implication mafieuse tient-elle la route ?

À qui profite le crime ? Certainement pas à David Hotyat ni à sa compagne Alexandra, ni au couple Haremza, avancent ceux qui demeurent persuadés que toute la lumière n'a pas été faite sur l'affaire…

Le bruit a couru de la présence d'un éventuel « ADN numéro 7 » dans le chalet de la famille Flactif, retrouvé mêlé au sang d'une des fillettes. Cette découverte laisserait planer le doute quant à une éventuelle complicité masculine. Mais les enquêteurs ont toujours nié l'existence de ce deuxième ADN inconnu sur la scène de crime. Ils l'attribuent à une rumeur sans aucun fondement…

La thèse de la mafia suggérée par Hotyat lui-même, après la rétractation de ses premiers aveux, permettrait d'expliquer la crémation des cinq corps. Effectivement, le fait de brûler des corps serait pour certains une marque mafieuse… Cette thèse permettrait également d'expliquer le fait que les 200 mètres carrés habitables que possédaient les Flactif n'ont pas pu être nettoyés en une seule nuit à la lampe torche et avec une éponge par un homme seul, qu'un homme de 100 kilogrammes comme M. Flactif ne pouvait être transporté par un homme seul et qu'un bûcher de 880 kilogrammes de bois – nécessaire selon certaines sources pour la crémation de cinq cadavres – ne peut être amoncelé dans un endroit peu facile d'accès au bout d'un chemin plein de cailloux par un seul homme en une seule nuit.

Selon l'auteur anonyme d'un blog sur Internet, David Hotyat n'aurait donc été qu'un simple pantin manipulé par les intérêts supérieurs de la mafia immobilière de la région qui n'hésite pas à se débarrasser des personnes qui l'empêchent de poursuivre ses buts. David Hotyat, ayant accumulé une haine féroce à l'égard de Xavier Flactif, faisait donc un allié de choix pour faire la sale besogne. Ne dit-on pas que « l'union fait la force » ?

Quoi qu'il en soit, ces propos ne sont fondés sur aucune preuve du dossier judiciaire ! Il convient donc de prendre ces informations avec une très grande prudence. Mais ces révélations sèment le trouble sur le mystère du Grand-Bornand. Certes, un coupable a été arrêté, mais n'y a-t-il eu vraiment qu'un seul coupable ?

Le film du réalisateur Éric Guirado, *Possessions*, sur les écrans fin 2011, avec Alexandra Lamy, Jérémie Rénier, Lucien Jean-Baptiste et Julie Depardieu dans les rôles principaux, s'inspire de ce fait divers. Il apportera peut-être d'autres réponses à ces questions.

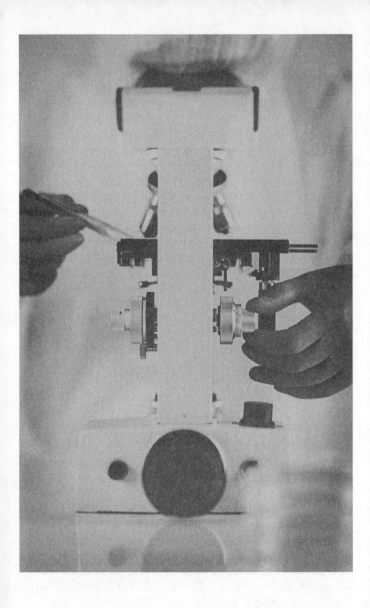

LE LABO MOBILE

Avec son laboratoire mobile, l'Institut de recherche criminelle de la gendarmerie nationale dispose d'un outil d'analyse projetable sur l'ensemble du territoire.

De conception unique en France, le Lab'Unic peut être engagé au plus près des scènes de crimes graves ou complexes, des accidents nucléaires, radiologiques, bactériologiques ou chimiques, mais aussi dans le cadre de la recherche de personnes disparues ou de l'identification des victimes de catastrophes.

Entièrement réaménagé et équipé de matériels analytiques et de moyens de communication modernes, ce car-fourgon se compose d'un poste de commandement (1/3 de l'espace) et d'un laboratoire (2/3).

Le poste de commandement est équipé de différents moyens de liaisons radios et satellites garantissant le contact avec les unités et les magistrats, mais aussi l'interrogation à distance des bases de données techniques.

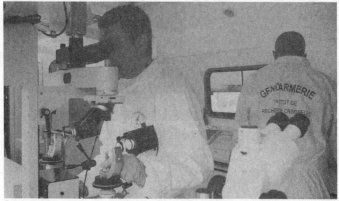

Dans la partie laboratoire, une grande surface de paillasses permet de traiter de nombreux indices à l'aide d'une multitude de matériels d'analyse adaptés à la situation : armoire de fumigation pour la révélation d'empreintes ; spectromètres destinés à mettre en évidence les composés organiques et à identifier les polymères ; ionscan afin de révéler la présence de produits stupéfiants, de produits explosifs ou d'hydrocarbures…

Fonctionnant en totale autonomie énergétique, le **Lab'Unic** constitue ainsi un outil modulable et polyvalent.

Le laboratoire a été engagé à plusieurs reprises sur des affaires criminelles sensibles.

Le labo mobile de la gendarmerie.

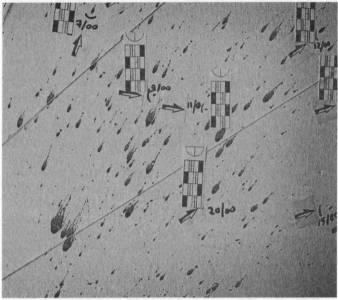

Projections dues à des chocs par objet contondant.

MORPHO-ANALYSE
des traces de sang

MORPHO-ANALYSE :

Lors d'évènements sanglants, des traces de sang peuvent
se déposer sur des supports variés (mobilier, personnes…).
La morpho-analyse est la discipline fondée sur l'examen
de la taille, la forme et la distribution de ces traces
de sang.

L'étude des critères morphologiques de chacune de ces traces
permet de déterminer l'événement sanglant et le mécanisme
qui en est à l'origine. On va ainsi pouvoir distinguer des
évènements passifs, actifs ou d'altération.

L'ensemble des phénomènes passifs, actifs et altérants apportent des indications quant au déroulement des faits et quant à la position des différents protagonistes. Ils permettent également de déterminer, dans certaines conditions, le type d'arme ayant pu être utilisée lors des faits : objet tranchant, contondant ou arme à feu.

Traces de sang déposées sur différents supports lors des faits.

Traces de sang observées après les faits. Détermination de la position de la source sanglante lors de l'impact.

DÉTECTION DE TRACES DE SANG LATENTES :

Les traces de sang ne sont cependant pas toujours visibles à l'œil nu. Parfois certaines sont partiellement dégradées voire nettoyées (érosion due au temps, nettoyage de scène etc.). On parle alors de traces de sang latentes. Il existe des produits chimiques capables de rehausser ces traces latentes et de les rendre visibles. En effet, au contact de faibles quantités de sang, ces produits chimiques vont dégager de l'énergie sous forme de **luminescence bleuâtre**. Cette luminescence pourra alors être observée à l'œil nu, dans la pénombre.

Les produits chimiques utilisés au cours de détections de traces latentes peuvent être employés sur différents supports. Ci-dessus : traces latentes de nettoyage de sol.

DIANA,
le mystère de la Fiat UNO

Le lundi 29 septembre 1997 à 21 heures, les experts
procèdent à une reconstitution de l'accident sous le
pont de l'Alma, avec remise en situation du véhicule.
Le mardi 30 septembre à 3 heures du matin, le véhicule
est transporté dans les locaux du département véhicules
de l'IRCGN.

Il y restera jusqu'au 30 octobre 1998, date à laquelle
les experts remettront leurs conclusions après plus de
13 mois de travail.

Les experts procèdent aux premières mesures sur le véhicule accidenté dans les locaux du département véhicules de l'IRCGN.

Un méticuleux travail de ratissage est réalisé sur toute la zone.

L'AFFAIRE FLACTIF

Les gendarmes de Haute-Savoie, appuyés par des **techniciens en identification criminelle** (TIC), inspectent le luxueux chalet en quête d'indices. L'habitation est étrangement en ordre. Aucune trace de lutte ou d'effraction, mais tous les éléments laissent à penser qu'il y a eu un départ précipité et non planifié.

Les enquêteurs font alors appel à l'**Unité Nationale d'Investigation Criminelle** (UNIC) de l'**Institut de Recherche Criminelle de la Gendarmerie Nationale** (IRCGN), qui pendant 3 jours va à leurs côtés procéder à une exploration minutieuse de la scène d'infraction. Agissant sous la direction d'un **Coordinateur des opérations criminalistiques** (COCRIM), de nombreux prélèvements sont effectués et les techniques les plus récentes sont mises en œuvre tant sur place qu'au laboratoire. Leur action permet de révéler entre autre des traces de sang sur les trois niveaux de vie du domicile de la famille Flactif.

Le 16 septembre 2003, David Hotyat et ses trois complices, sa compagne et un couple d'amis, sont interpellés par les gendarmes de la section de recherches de Chambéry (Savoie), au terme de cinq mois d'enquête. Celui-ci avoue le meurtre de la famille dès les premières heures de sa garde à vue.

Le chalet de la famille Flactif au Grand Bornand.

Les techniciens en identification criminelle de Haute-Savoie et les spécialistes de l'IRCGN s'équipent avant de pénétrer dans le chalet. Leurs investigations techniques dureront 72 heures.

Les gendarmes chargés de l'enquête découvrent des ossements calcinés dans une forêt suivant les indications de David Hotyat qui les amènent sur les lieux où il aurait tenté de

Marquage et signalement des indices repérés dans un des carroyages de la zone.

faire disparaître les corps en les brûlant. Les spécialistes de l'IRCGN pré-positionnés interviennent une nouvelle fois sur les lieux d'incinération des victimes pour recueillir les éléments nécessaires à l'identification.

Les techniciens en identification criminelle appliquent un protocole de prélèvement bien précis, afin de répondre à une particularité de cette discipline : une partie des échantillons doit parvenir vivante au laboratoire. Ces larves, ou pupes seront placés en élevage jusqu'au stade adulte.

L'ENTOMOLOGIE LÉGALE
les insectes au service de la justice

Un cadavre est généralement associé à la présence d'insectes. Un corps en décomposition constitue un lieu d'abri, de reproduction mais surtout une source de nourriture substantielle pour une grande variété d'insectes aériens. Ce phénomène naturel de recyclage de matière organique en décomposition est utilisé en criminalistique pour estimer la date de la mort d'une victime. D'une manière générale, l'entomologie légale débute lorsque l'étude d'un spécimen fournit des informations qui seront utiles à la justice.

Identification des spécimens.

Le fait de pouvoir déterminer précisément la période des premières pontes d'insectes nécrophages sur un corps permet d'avoir une estimation de ce que l'on appelle le délai post mortem.

Deux raisons principales expliquent le délai rapide d'intervention de ces insectes : leurs antennes sont dotées de récepteurs chimiques pouvant percevoir des odeurs de décomposition sur une grande distance. Par ailleurs, ces organismes sont très communs dans la nature et peuvent par conséquent localiser en peu de temps un corps sans vie.

Il faut ensuite identifier les différentes espèces, pour pouvoir étudier leur vitesse de développement. D'un adulte obtenu suite à un élevage, la période de ponte de l'œuf dont il est issu est ainsi estimée.

Si les diptères, ou « mouches », sont plus couramment étudiés. Des scientifiques au xixᵉ siècle ont mis en évidence une succession chronologique d'insectes au cours de la décomposition, dont des coléoptères (scarabées) ou lépidoptères (papillons). D'autres études ont montré l'importance des conditions climatiques sur la biologie de ces organismes, au niveau comportemental ou celui de la physiologie (reproduction, cycle de développement).

Prélèvements entomologiques.

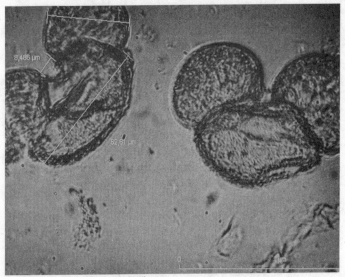
Grain de pollen photographié en microscopie optique.

PALYNOLOGIE

La palynologie légale consiste en l'étude des grains de pollen et des spores afin d'établir une relation entre un objet, ou une personne et un milieu floristique. **Le département Entomologie de l'IRCGN**, qui s'intéresse à tous les indices d'origine naturelle, apporte aux enquêteurs et aux magistrats son expertise en matière d'étude des pollens. Le principe de cette discipline repose sur le fait qu'un grain de pollen ou une spore est spécifique de l'espèce végétale qui l'a produit. L'association des différents pollens et spores permet alors la détermination d'une empreinte pollinique, caractéristique d'une formation végétale.

Une autre particularité des pollens, qui à son importance en criminalistique, est leur extrême résistance aux agressions chimiques. Cette caractéristique est essentiellement due à la composition de sa surface extérieure, (exine) qui est très résistante aux attaques enzymatiques et chimiques.

La méthode palynologique s'appuie sur la comparaison entre des pollens issus d'échantillons de question (vêtements, objets non lisses...) et de pollens issus de fleurs ou de fragments de plantes.

En matière de stupéfiant (cannabis), elle permet d'évaluer l'appartenance de plusieurs échantillons de résine ou de pains d'herbe à un même lot ; de définir le type de culture (à l'intérieur ou à l'extérieur), de lier une personne à la manipulation de plants de cannabis et de mettre en évidence un lieu de culture après récolte (en intérieur).

Ainsi, l'analyse pollinique va permettre d'établir un lien entre un milieu floristique spécifique (culture, massif floral, formation végétale dominante, ou bouquets) avec une personne et de lier par extension plusieurs personnes ou objets entre eux.

Le grain de pollen, constitue un allié de choix pour les enquêteurs, lorsqu'il s'agit de réduire une liste de suspects ou de réfuter un alibi. La palynologie légale applique parfaitement le principe d'échange de Locard (tout objet ou personne est susceptible d'apporter ou d'emporter des éléments du milieu qu'il fréquente).

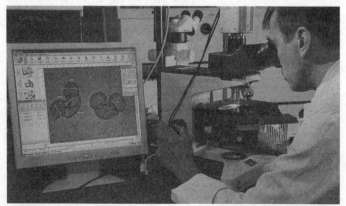

Observation des échantillons en microscopie.

Projection des spécialistes en identification de la gendarmerie et de la police par les moyens aériens de l'armée américaine, après le tsunami en Thaïlande en décembre 2004.

MÉDECINE DE CATASTROPHE

Lors d'une catastrophe de grande envergure, l'identification des victimes, en raison notamment de leur nombre important, est une opération délicate, qui ne peut être effectuée avec des chances de succès que si elle a été organisée et réalisée avec soin et méthode.

Pour répondre à ce type de situation, la France dispose d'une Unité Nationale (UNIVC) formée de l'**Unité Gendarmerie d'Identification des Victimes de Catastrophe** (UGIVC), mise sur pied par l'IRCGN, qui est en mesure d'envoyer rapidement un détachement de circonstance comprenant des médecins et chirurgiens-dentistes légistes, associée

Dès le 20 janvier, les premiers équipements arrivent à Phuket. De nombreux containers réfrigérés sont acheminés sur site, tandis qu'il est procédé au montage des chaînes et des locaux techniques. Six équipes médico-légales pourront travailler simultanément.

à l'**Unité Police d'Identification des Victimes de Catastrophe** (UPIVC), composée de spécialistes en identité judiciaire.

Installation de l'un des premiers centres médico-légaux de campagne, pour identifier les victimes du tsunami.

C'est l'ensemble de ces personnels, soit plus de cent gendarmes-praticiens du Service de santé des Armées et policiers, qui a été regroupé puis envoyé en Thaïlande à la suite du tsunami de décembre 2004.

Dans ce centre, le corps est pris en charge par un médecin légiste qui, après un examen général, vérifie le fond de dossier.

Grâce à une solidarité sans précédent, à partir de ses moyens propres, l'Unité française a ainsi implanté et armé l'une des trois chaînes médico-légales présentes sur place.

À partir du mois d'avril, les chaînes médico-légales ont pu être standardisées grâce à l'intervention de nombreux pays occidentaux.

Photos D.R.

L'entomologie légale :
les insectes au service de la justice

*Où l'on découvre que les insectes qui sont les maîtres
du temps et qui ont traversé les plus grandes
catastrophes géologiques depuis près de 250 millions
d'années sont également les meilleurs alliés
des experts pour dater la mort d'une victime…*

Lors d'une découverte de cadavre, dater la mort, ce que les spécialistes appellent « l'estimation du délai post mortem », peut s'avérer essentiel dans une enquête judiciaire. C'est la raison pour laquelle les corps des victimes sont systématiquement confiés à la médecine légale qui peut tout à la fois rechercher les causes de la mort et surtout tenter d'en fixer le plus précisément la date, ce qui permet d'orienter l'enquête dans la bonne direction. Mais il arrive que l'autopsie ne puisse pas apporter ces informations capitales. Il reste heureusement une autre solution pour résoudre le mystère : faire appel à l'entomologie légale et à ses précieux auxiliaires, les insectes, véritables « horloges biologiques » !

Le capitaine Emmanuel Gaudry [1] est un des rares spécialistes français de cette discipline criminalistique

1. Titulaire d'une maîtrise de biologie, il est recruté à l'IRCGN par Serge Caillet, son fondateur, il y a une douzaine d'années. Il intègre ainsi ce qui est encore un petit département (selon la terminologie de l'Institution) entièrement consacré à l'entomologie légale. Il en est aujourd'hui le responsable.

assez confidentielle, encore mal connue du grand public, mais redoutable d'efficacité. « C'est un champ d'étude assez restreint, raconte le capitaine Gaudry. Ce n'est pas forcément très enthousiasmant à première vue, puisque nous ne travaillons que sur des insectes attirés par la matière organique en décomposition, carcasses animales ou dépouilles humaines. Au-delà de 72 heures, en effet, le médecin légiste n'est plus précis. C'est aux entomologistes, et à leurs alliés, les insectes, d'entrer en scène ! Ces experts donneront la réponse, avec une marge d'erreur égale à un ou deux jours par mois (15 jours sur un an), grâce aux insectes retrouvés dans, sur et autour du cadavre. Dès que la mort survient, le corps dégage en effet d'imperceptibles effluves qui attirent, dans un rayon pouvant aller jusqu'à plusieurs kilomètres, et selon un scénario toujours identique, certains types d'insectes, toujours les mêmes », explique le capitaine Emmanuel Gaudry.

Yves Schuliar, le médecin légiste de l'IRCGN, considère que l'on ne peut plus se passer aujourd'hui de l'entomologie lors d'une découverte de cadavre : « Nous sommes très loin de pouvoir dater les décès avec autant d'exactitude que dans les séries télévisées, précise Emmanuel Gaudry. Au mieux, nous déterminerons une plage de quelques heures, ce qui n'est tout de même pas mal. »

Les limites de l'autopsie

« Pour dater la mort d'une victime en médecine légale, nous nous appuyons sur les modifications du corps. Il y a trois points importants : la température, la rigidité cadavérique et les lividités. Dans un premier temps, les lividités apparaissent parce que le cœur s'arrête, et le sang s'accumule dans les capillaires et les parties les plus basses du corps. Lorsqu'un cadavre repose sur le dos, le sang va descendre ce qui produit des plaques rouges violacées au niveau de la nuque, de la colonne vertébrale, etc. Sauf sur les zones où le corps est en contact avec le sol. Par gravité, le sang se concentre en périphérie. On considère que ces lividités apparaissent *entre trois et cinq heures après la mort*, au maximum une douzaine d'heures, avant d'être quasi définitives. Par exemple, si l'on retourne le corps, à ce moment, les lividités vont rester en place, en l'occurrence dans le dos. Nous avons donc déjà une première chronologie.

Mais lividité et rigidité dépendent de la température extérieure. Le froid freinera le processus, la chaleur au contraire précipitera la formation. Nous disposons bien sûr de ce que l'on appelle des "abaques"[1], des calculs, des règles, mais celles-ci sont malgré tout dépendantes de la personne, de sa constitution.

---

1. Exemple d'un système d'abaques permettant de déterminer, en fonction de la température du corps, de la température ambiante et de la masse de l'individu, le temps probable de la mort : c'est le nomogramme de Henssge, élaboré par le Dr Claus Henssge, professeur de médecine légale de l'université d'Essen. Mais ce calcul ne peut être qu'une estimation. Le nomogramme de Henssge ne propose pas une durée fixe mais une fourchette de temps. À la valeur trouvée, il faudra appliquer des facteurs correctifs en tenant compte du fait que l'évolution de la température dépend de nombreux paramètres, tels que les *caractéristiques propres au corps* : température initiale, âge, éventuellement présence de vêtements… et les *conditions dépendant du milieu extérieur* : présence de vent ou de courants d'air, présence d'humidité, variabilité de la température extérieure.

Par exemple, on retrouve un corps dans une mare. Celui-ci pèse 80 kg et sa température rectale est de 20 °C. À l'aide de données météorologiques, on détermine la température moyenne des quinze derniers jours : on obtient, pour la température de l'eau, $T_{moy} = 10$. Sur le nomogramme, on lit 20 heures pour l'estimation du décès, puis on applique le facteur correctif. Étant donné que le corps a été retrouvé dans de l'eau stagnante, il faut multiplier le délai estimé par 0,5. On obtient donc 10 heures ! La fourchette de fiabilité à 95 % est, dans ce cas précis, de + ou – 4,5 heures ce qui place la date de la mort dans une fourchette de temps située entre cinq heures trente et quatorze heures trente avant la découverte du corps.

Puis nous déterminons *l'état de putréfaction*. Cela commence avec une tache verte au niveau de l'abdomen. Ce sont des bactéries qui prolifèrent dans l'intestin, qui vont produire des gaz et gonfler le corps. Cette fois, cette indication est indépendante de la température, mais elle dépend d'autres facteurs complexes[1]. D'une manière générale, il faut savoir que plus on s'éloigne du moment du décès, moins tout cela est précis. C'est pourquoi il faut alors passer le relais aux spécialistes en entomologie légale ou en "diptères de tout poil"[2]. »

Histoire et légende

La légende veut que l'entomologie utilisée à des fins d'enquête soit née en Chine. Un précis de médecine légale datant du XIIIe siècle relate l'histoire de l'assassinat d'un paysan, retrouvé éventré par arme blanche dans une rizière. Mais pas de témoin, pas de mobile apparent, aucun indice matériel sur les lieux du crime ! À l'époque, c'est un juge-enquêteur local qui mène les investigations afin de résoudre le mystère et retrouver le coupable. Ce fonctionnaire de l'Empereur soupçonne un des paysans du village d'être l'auteur de ce crime, et il convoque tous ceux qui travaillent à la rizière le lendemain, avec obligation d'apporter leurs ustensiles les plus tranchants. Au matin suivant, les paysans sont là, réunis sur la

1. Il y a une vingtaine d'années est apparue une méthode assez peu précise, qui utilisait la mesure de la teneur en potassium de l'humeur vitrée, en ponctionnant l'œil du cadavre. En effet, la teneur en ions potassium tend à augmenter au cours du temps après le décès. Mais les résultats varient en fonction de paramètres comme la température, ce qui n'en faisait pas une méthode très fiable.
2. Diptère signifie qui a deux ailes. « Élément d'un ordre d'insectes ayant deux ailes et un organe de succion ou de piquage, comme les mouches ou les moustiques. »

place du village, les uns avec une faux ou une faucille, d'autres avec des serpes, certains avec des coutelas, d'autres encore avec leur machette. L'enquêteur passe lentement en revue la petite troupe. Il s'arrête longuement devant chacun, examine chaque arme potentielle. Elles sont toutes plus rutilantes les unes que les autres. Il faudra une mouche, une simple mouche, pour confondre l'assassin. Celle-ci se met à tourner avec insistance autour d'une faucille, puis elle s'y pose, sans doute attirée par les micro-gouttes de sang qui devaient encore y subsister. Le meurtrier, démasqué, avoue son crime. Il sera exécuté quelques heures plus tard devant tout le village ! « L'histoire est belle, commente le capitaine Gaudry. Mais assez éloignée de nos pratiques actuelles. L'insecte nous est moins utile pour retrouver une arme du crime que pour dater un décès. »

Des photos de cadavres grouillant d'asticots, des gros plans de plaies habitées par des larves, un bestiaire de mouches et de coléoptères montés sur épingles dans une vitrine… Si l'on ajoute à ce tableau, une odeur âcre légèrement ammoniaquée et le bourdonnement de mouches nées des œufs et des larves prélevées sur des victimes de morts violentes, on aura compris que nous venons de pénétrer dans le laboratoire du département « Entomologie légale »[1] de l'IRCGN à Rosny-sous-Bois.

1. Cette unité est composée de cinq spécialistes (gendarmes ou civils) constituant ainsi la plus importante structure en Europe entièrement dédiée à cette discipline. Après plus de quinze années d'expérience, elle a produit de nombreuses expertises et interventions sur le terrain ou témoignages à des procès d'assises. Le département « Entomologie » participe à la formation des techniciens en identification criminelle chargés des prélèvements

Explications

« Dès les premiers instants de la mort, les insectes nécrophages vont approcher le cadavre car ils sont attirés par l'odeur de décomposition qui commence à se disperser, mais que l'homme ne perçoit pas encore.

Les insectes vont pondre leurs œufs, par paquets, sur la matière en décomposition. C'est un phénomène naturel de recyclage de la matière organique. On parle souvent d'altération cadavérique, et l'activité entomologique est une partie importante de l'altération cadavérique puisqu'elle participe à l'élimination de tout ce qui est tissu mou, pour ne laisser que la partie minérale du corps, c'est-à-dire le squelette, ainsi que les phanères, comme les dents, les ongles et les cheveux. Certains insectes s'attaquent d'ailleurs aussi à ces éléments, mais sur des corps très anciens. Mon métier, précise Emmanuel Gaudry, est de tenter de reconstituer la succession, immuable et logique, d'insectes sur le corps, pour pouvoir dater la mort. » Un ballet d'insectes qui commence avec les deux stars des entomologistes : *Calliphora vicina* et *Calliphora vomitoria*[1], qu'on appelle commu-

---

et à la sensibilisation des enquêteurs et des magistrats aux possibilités de cette technique.

Très impliqué dans la démarche qualité et alimentant des contacts réguliers avec les différents spécialistes internationaux, ce laboratoire accrédité en 2007 participe efficacement à la promotion de cette discipline et à l'homogénéisation des protocoles de récolte et d'analyse.

1. L'attribution du nom des insectes doit répondre aux strictes exigences du Code international de nomenclature zoologique. Rappelons que l'unité de base de la classification est l'espèce. On la doit au célèbre entomologiste suédois Carl Linnaeus qui a établi que chaque espèce animale ou végétale est désignée par un binôme (dérivé du latin ou du grec) combinant le nom de genre suivi du nom de l'espèce. Ce « grand livre » de la connaissance des insectes s'enrichit chaque jour de quelques centaines de pages et plus de 3 200 000 travaux ont été publiés sur ces arthropodes depuis le début du XVIIIe siècle. Il convient donc, pour désigner les espèces, d'avoir un langage universel aussi précis que possible.

nément « mouches bleues » ou « mouches à viande ».
Ces insectes aiment voler en groupe afin de détecter les
proies plus efficacement. Si l'une d'entre elles détecte
de la nourriture, elle disperse une phéromone qui alerte
les autres pour le repas.

« Nous connaissons parfaitement leur cycle de développement. Elles sont les premières à s'attaquer aux cadavres.

Ces mouches vont effectuer une première salve de
ponte, dont les dizaines d'œufs vont incuber. Les larves
qui vont éclore se développeront en fonction de la température, sauf en dessous d'un certain seuil dit thermique (de deux à trois degrés Celsius), où le cycle de
développement est stoppé. C'est alors comme une sorte
d'hibernation. Ce n'est pas en temps mais en quantité de
température par jour que la vitesse de développement
d'une *Calliphora* est estimée. Ainsi, il faut un cumul de
près de 400 degrés pour obtenir d'un œuf, une mouche
adulte, soit une vingtaine de jours à une température
constante de 20 °C.

Sur le terrain, scène de crime ou autre, les insectes
(majoritairement des larves) doivent absolument être collectés, puis conservés vivants jusqu'à leur arrivée au laboratoire. Pour achever leur développement, ils seront placés
ici sur un milieu nutritif (de la viande de bœuf en l'occurrence !) dans des "enceintes climatiques", sorte d'incubateurs, où températures et humidité sont contrôlées. Nous
avons donc dans ces locaux une véritable nursery ! »

Les insectes comme « indics » [1]

« L'éclosion des adultes va constituer le signal de
départ de l'analyse, car à partir de cet adulte, *il va falloir*

---

1. On distingue plusieurs « groupes fonctionnels » d'insectes : les *nécrophages* qui se nourrissent du cadavre, leurs prédateurs, les *nécrophiles*, les

remonter le temps pour estimer la période au cours de laquelle l'œuf dont il est issu a été pondu. Mais encore faut-il savoir à quel adulte on a affaire ! De quelle espèce s'agit-il ? On aborde ici un autre volet de notre discipline, qui consiste à observer sous des loupes binoculaires très puissantes – qui ressemblent plutôt à des gros microscopes qu'à l'antique loupe de ce cher Sherlock – des caractères morphologiques, dont la combinaison déterminera l'espèce.

Nos "indics" sont des organismes à sang froid, dont la physiologie (activité de vol et de ponte des adultes, développement pour les immatures) dépend étroitement des paramètres environnementaux, plus particulièrement de la température. C'est même un peu plus compliqué. En effet, chaque espèce a ses propres "exigences" comportementales, c'est-à-dire qu'elle *va réagir différemment, aux mêmes conditions de températures*. Divers travaux sur les temps de développement de certaines espèces intéressantes pour la datation, à des régimes de température différents, ont été publiés dans la littérature scientifique et constituent une base de données dans laquelle nos "entomologistes du crime" vont puiser leurs précieuses informations.

Ensuite, l'entomologiste n'a "plus qu'à" se procurer auprès de Météo-France les températures constatées sur le site de découverte du corps ce qui lui permettra de définir une "fenêtre" de ponte pour chacune des espèces identifiées. »

D'autres insectes viennent faciliter le travail de l'entomologiste : « Un cadavre va attirer directement ou indirectement toute une faune d'insectes et d'autres organismes tantôt nécrophages, prédateurs, parasites, opportunistes, voire omnivores, ce qui engendre cette

---

omnivores qui dévorent le tout et les *opportunistes* qui s'installent dans ou sous le corps.

grande variété de population. Certains insectes viennent s'y nourrir, s'y reproduire, ou s'y abriter. Les escouades des fossoyeurs ou des "travailleurs de la mort", comme les avait nommés en 1894 le vétérinaire militaire Pierre Mégnin, se succèdent de manière logique, en laissant généralement des *vestiges* de leur passage. Grâce aux réactions biochimiques qui dégagent des gaz et donc des odeurs différentes à chaque étape de la décomposition, il existe une attraction sélective de différents groupes d'insectes.

En résumé, il y a des espèces qui vont intervenir à un moment précoce de la décomposition, d'autres pendant des phases intermédiaires et d'autres enfin durant des phases ultimes.

Mais il faut faire preuve de prudence dans la notion de prédiction de ces successions car s'agissant de sciences naturelles, on ne doit pas oublier qu'il y a énormément de facteurs pouvant générer des variations comme la constitution du corps, sa taille, le milieu de découverte (humide ou aride, altitude, couvert végétal…), les conditions de découverte (exposé, enfoui…), sans oublier les causes de la mort qui vont influer sur la décomposition et, par conséquent, sur la colonisation. »

Exemple concret : ce cas de datation qui a changé le cours de l'enquête criminelle et qui a beaucoup contribué aussi à populariser l'entomologie légale auprès des tribunaux. C'était au milieu des années 90. Récit.

« Nous sommes dans une zone de moyenne montagne, le 5 décembre, donc à des températures proches de zéro, quand un cadavre est retrouvé en bordure de route, dans un ravin. Il s'agit du corps d'une femme partiellement emballé dans une bâche agricole. Partiellement emballé, la précision est capitale puisque cela signifie que l'on s'éloigne de conditions "normales" de découverte d'un corps. La peau est assez rose, l'état de décomposition du corps est en apparence peu avancé, hormis une zone d'oxydation au niveau de l'aisselle, où une blessure est visible. Un cliché accompagne le procès-verbal versé au dossier. Il montre les jeunes larves situées autour de la plaie. Le corps est présenté au médecin légiste. L'autopsie révèle que la mort est consécutive à un coup porté par une arme blanche. Le praticien estime *avec réserve* que la mort remonte à moins de dix jours. Il propose dans son rapport une fourchette entre sept et dix jours… Les enquêteurs se lancent donc à la recherche d'une femme qu'ils pensent disparue depuis très peu de temps. Sans succès.

Pendant ce temps, les précieux indices vivants ont été envoyés à l'IRCGN[1]. Nous sommes face à plusieurs espèces d'insectes, dont certaines ne sont pas pertinentes, car non nécrophages, mais nous retrouvons nos amies, les inséparables *Calliphora* : *vicina* et *vomitoria*. Ces espèces ne souffrent pas trop des températures basses, et ce sera la clé de l'affaire !

Nous étudions les valeurs relevées par la météo, et calculons les premières pontes pour chaque espèce, en fonction du stade de maturité des larves à leur réception. *L'une des mouches ne pouvait avoir pondu qu'entre le 5 et le 8 novembre précédent ; la seconde un jour plus tard.* Des résultats bien différents – près de trois semaines d'intervalle – de ceux du légiste. Vérification faite par les enquêteurs : une femme avait effectivement disparu le 4 novembre ! »

Le capitaine Gaudry insiste : « L'apparence d'un corps est parfois trompeuse. *Un jour, nous avons reçu des échantillons provenant d'une affaire qui paraissait remonter à plusieurs semaines de prime abord, alors que*

---

1. Après avoir été recueillie par les enquêteurs, une partie des insectes est conservée dans de l'éthanol, une autre vivante. L'ensemble est envoyé au laboratoire pour identification après éclosion des œufs et développement des larves.

la faune entomologique ne datait que de quatre jours ! Il y avait bien une explication à ces éléments apparemment contradictoires : la tête était décharnée, au sens propre du terme. L'activité entomologique avait été très intense et avait entièrement mis à nu les os du crâne… »

Les insectes sur la scène du crime

Le 9 octobre 1999, vers 16 heures, le corps d'un homme victime d'un meurtre est découvert au bord d'un torrent, dans les Préalpes suisses du canton de Fribourg. Le cadavre est en état de décomposition avancée. Grâce à l'examen du matériel entomologique récolté sur les lieux, Claude Wyss, inspecteur de la police vaudoise, passionné d'entomologie criminelle, détermine que la victime est morte 59 jours avant sa découverte ! D'autres éléments de l'enquête confirmeront par la suite l'exactitude de sa datation. Ce véritable record est dû au hasard… et à la chance !

Du fait de l'altitude (1 230 mètres) et en raison de températures exceptionnellement basses dans la région entre les mois d'août et octobre, les œufs pondus par différents insectes se sont développés très lentement. « Dans ce cas, nous avons eu de la chance », a-t-il raconté à Léo Bolliger du journal *Nature et Environnement*. « On était encore sur le premier cycle de développement des insectes venus coloniser le cadavre. S'il y en avait eu un autre, il aurait été impossible de faire parler les mouches ! » Il est persuadé que, si la découverte du cadavre était intervenue deux ou trois jours plus tard, l'affaire n'aurait pas pu être résolue.

Claude Wyss a été inspecteur de police pendant plus de trente ans et sa passion l'a conduit à participer, comme entomologiste « forensique », à toutes les grandes enquêtes de sa région. Il raconte ses souvenirs et sa passion pour les insectes dans un livre paru en 2006 : *Traité d'entomologie forensique. Les insectes sur la scène du crime* (coauteur Daniel Cherix, Lausanne, Presses polytechniques et universitaires romandes).

Emmanuel Gaudry est aussi un passionné d'histoire. « Ce qui est passionnant, fait-il remarquer, c'est que l'entomologie légale est aussi une invention française, qui remonte à la fin du XIXe siècle, grâce aux travaux notamment de Pierre Mégnin[1] et de quelques autres. Mais nous l'avons totalement délaissée pendant de très nombreuses années ! ». La première fois que cette pratique est acceptée par un tribunal remonte à… 1855 ! Voici l'histoire :

Nous sommes près d'Arbois, dans le Jura, en mars 1850. Les nouveaux propriétaires d'un petit manoir font procéder à des travaux, au cours desquels un ouvrier découvre stupéfait, derrière le manteau d'une cheminée, le cadavre momifié d'un petit corps, autour duquel volent des insectes. La justice fait appel à un médecin local, Louis Bergeret, par ailleurs ami de Pasteur, qui va déterminer qu'il s'agit d'un nouveau-né, dont le corps a été glissé dans cette cachette en descellant quelques briques. On lui demande s'il peut dater la mort du nourrisson. L'enjeu de l'expertise est important car chacun des propriétaires successifs du manoir est susceptible d'être accusé d'infanticide !

1. Pierre Mégnin, vétérinaire militaire avec rang de colonel et professeur à l'école vétérinaire d'Alfort, était également un entomologiste passionné. En 1894, il publie *La faune des cadavres*, considéré comme l'ouvrage fondateur de l'entomologie légale.

La maison avait connu, au cours des deux années précédentes, plusieurs propriétaires. Bergeret a l'idée d'étudier les insectes présents puis il détermine leurs dates de pontes, et conclut que le corps était caché depuis… l'été 1848 ! Ce qui mettait donc hors de cause les derniers acquéreurs. Or, en 1848, un jeune couple occupait le manoir… Les enquêteurs découvrent que des rumeurs de fausse-couche – ou d'avortement clandestin – avaient couru à l'époque dans le canton. Ils seront retrouvés et condamnés par la cour d'assises. « Rien n'indique pourtant que Louis Bergeret ait vu juste, en réalité, souligne Emmanuel Gaudry. Les travaux de Bergeret ont par ailleurs été critiqués par des contemporains, mais cette démarche, inédite en France, a paru suffisamment sérieuse à la cour d'assises de l'époque pour que le témoignage de cet expert apparaisse recevable. Il est proprement inconcevable que cette science soit ensuite quasiment tombée dans l'oubli ! »

Les scientifiques et la génération spontanée

La génération spontanée a été une des idées reçues les plus tenaces depuis l'Antiquité. Pendant des siècles, et en France jusqu'à l'époque de Pasteur, la croyance populaire voulait que les matières en fermentation ou en putréfaction puissent « spontanément » donner naissance à de nouveaux êtres vivants, moucherons, mouches et asticots, par exemple. De nombreux savants, comme Lamarck, y croyaient encore au XIXe siècle. Ce fut l'objet d'une importante polémique[1]. Pourtant cette théorie avait déjà été

1. Depuis 1857, Pasteur était convaincu qu'aucun micro-organisme ne pouvait être présent dans un milieu de culture, tel que ses ballons, sans y avoir été apporté. Les microbes sont partout, disait-il, notamment dans

réfutée au XVIIᵉ siècle par Francesco Redi, un scientifique italien, spécialiste des insectes et parasites, qui s'est livré à l'une des premières expériences en entomologie. L'expérience était relativement simple mais particulièrement pertinente. Pour prouver que les vers naissaient d'œufs pondus par les mouches (comme le pensait d'ailleurs déjà Homère à son époque), il avait pris deux jarres dans lesquelles il avait placé de la viande. L'une était « à l'air libre ». L'autre était recouverte d'une pièce d'étoffe de tissu de type mousseline. Il lui fut facile de démontrer que seule la jarre « non protégée » était colonisée par des vers dont la naissance s'expliquait par l'éclosion des d'œufs d'insectes attirés par la viande en décomposition… Francesco Redi a raconté cette expérience dans son livre *Esperienze Intorno alla Generazione degl'Insetti,* publié en 1668, pour réfuter l'hypothèse de la génération spontanée.

D'autres études expérimentales suivirent dans la première moitié du XXᵉ siècle, utilisant divers modèles animaux (cochons, chiens, chats ou oiseaux). Après la Seconde Guerre mondiale, les cas relatés par les docteurs Pekka Nuorteva en Finlande et Marcel Leclercq en Belgique, puis les travaux de Bernard Greenberg aux

---

l'air. En 1862, l'Académie des sciences offre un prix à celui qui éluciderait ce problème, vieux de plusieurs siècles. Il n'en fallait pas moins pour que Pasteur cherche à défendre sa théorie sur les origines de la vie. En effet, depuis ses études sur la fermentation, il était convaincu que rien ne naissait spontanément, pas même les êtres microscopiques qui sont des êtres vivants. Pendant quatre ans, il multiplie les expériences avec des ballons emplis de bouillon de culture. Ses travaux réduisirent à néant la doctrine de la génération spontanée. En fondant le principe même de la microbiologie, il ouvre ainsi la voie à la pratique de l'asepsie, pour éviter les contaminations microbiennes que ce soit dans le domaine médical, chirurgical ou agroalimentaire. (Source : le musée Pasteur à Dole.)

États-Unis et d'autres donnèrent à cette discipline un second souffle.

Dès le début des années 1980, le Federal Bureau of Investigation (FBI) mit en place une cellule Forensic Entomology. En 1988, au Canada, l'université Simon Fraser en Colombie-Britannique initia une coopération dans ce domaine avec la police montée. Ce type d'association s'est développé ensuite au fil des années dans d'autres pays comme le Royaume-Uni, l'Italie, l'Autriche, l'Allemagne, la Suisse… et la France.

Il faudra attendre 1992 et la création officielle du département « Entomologie » au sein de l'IRCGN pour que la France revienne dans la course. La légende veut que la naissance de cette unité soit liée à la lecture d'un article de presse par un officier de gendarmerie au cours d'un trajet en train. Cette chronique dressait le portrait d'un expert criminel quelque peu singulier, un médecin belge, un certain Marcel Leclercq, se livrant à des enquêtes « entomologiques ». Cet officier aurait décidé de s'intéresser de plus près à cette technique, et en aurait ensuite parlé à sa hiérarchie… Emmanuel Gaudry a, comme tout le monde, entendu parler de l'anecdote, mais ne peut la confirmer. Ce qu'il sait, en revanche, c'est le travail accompli par les deux premiers « affectés » au département « Entomologie » : un officier et un sous-officier qui, dès 1992, contactent le responsable du département « Entomologie » du Muséum national d'histoire naturelle de Paris, très étonné de voir arriver ces gendarmes avides de connaissances sur les insectes. Commenceront alors les premières études bibliographiques, les séances d'observation à la binoculaire et la consultation des collections. Les élèves font des progrès rapides, et les premières « affaires » arrivent. En 1993, un nouveau personnel est affecté, suivi de deux autres en 1994. Le département « Entomologie » est né.

Emmanuel Gaudry est recruté en 1999. Comme on l'a dit, il est à l'époque diplômé en biologie, mais il retrouve assez vite les bancs de l'Université pour suivre un module de maîtrise sur les insectes et obtenir un Diplôme d'études approfondies sur la *biologie intégrée des invertébrés* à Paris Jussieu [1] !

Quelques articles sont publiés et en 2002 la candidature de l'IRCGN à l'organisation d'un colloque en entomologie légale, dans le cadre d'un projet européen, est retenue.

Bien évidemment, les observations et les analyses des entomologistes de l'IRCGN ne seraient pas possibles sans la contribution des enquêteurs de terrain. Depuis près de vingt ans, le prélèvement entomologique est devenu une constante, une règle chez les TIC, chargés de prélever les indices sur les scènes de crime. Les prélèvements doivent être soigneusement réalisés. Il a donc fallu les former et leur fournir un matériel spécifique. « Ce qui n'a pas été simple, se souvient le capitaine Gaudry. Dès 2003, nous avons fabriqué des kits de prélèvements entomologiques que nous avons fait distribuer à l'époque à toutes les unités de recherche de gendarmerie. Cela a représenté 400 kits "faits main" la première année ! Mais au-delà du matériel, il fallait aussi établir les bases d'une approche systématique de collecte. Or, dans la succession des prélèvements, l'entomologie intervient généralement à la fin du processus, avec tout ce que cela engendre de fatigue pour le technicien. La primauté reste aux empreintes digitales, aux traces biologiques, à la micro-analyse, en résumé à

1. Emmanuel Gaudry est par ailleurs membre fondateur et ancien président de l'association européenne des entomologistes légaux. La European Association for Forensic Entomology a été créée à Rosny-sous-Bois en 2002. Cet organisme réunit aujourd'hui plus d'une centaine de spécialistes de la discipline à travers l'Europe.

toutes les traces qui risquent de disparaître rapidement. Puis enfin le travail nous concernant peut commencer. En entomologie, les traces peuvent tenir jusqu'à l'autopsie ! À un détail près : le prélèvement doit s'opérer en deux temps, sur la scène de découverte et pendant l'autopsie. »

La faune, principalement des larves et des nymphes, doit être collectée avec précaution sur le corps en différents endroits. « L'expérience montre que les insectes ne sont pas partageurs, et que les zones de forte concentration sont souvent occupées par la même espèce. » Ensuite, après la levée de corps, si la scène se trouve à l'extérieur, des échantillons de sol de quelques centimètres de profondeur seront également demandés. Cette terre sera triée avec minutie au laboratoire dans le but de rechercher des insectes plus anciens que ceux trouvés sur le corps, qui permettront en pratique de remonter plus loin dans la datation.

Ensuite, d'autres spécimens seront recueillis lors de l'autopsie.

L'entomologie n'est pas utile qu'à la datation de la mort.

Le département « Entomologie » de l'IRCGN a été sollicité pour des cas de contamination de denrées alimentaires, ou à la suite d'un accident aérien. « L'un de mes assistants s'est retrouvé face à un cas tout à fait intéressant, raconte Emmanuel Gaudry. Celui d'un accident d'avion de tourisme. Un expert aéronautique avait observé, à la suite du crash, qu'une tubulure était obstruée par quelque chose, probablement des insectes. Pouvait-il y avoir eu un mauvais entretien de l'avion ayant permis leur installation, négligence qui aurait favorisé voire causé le crash ? Malheureusement les conditions de stockage de l'appareil après l'accident étaient plus que délicates. Il n'avait pas été bâché, ni protégé dans un hangar. On ne pouvait pas être affirmatif au niveau de l'apparition de ces insectes. »

Il y eut aussi cette affaire de lettre de menace anonyme, destinée à un élu. Dans chaque courrier, on trouvait des insectes écrasés. Les lettres étaient postées dans le nord de la France, mais les insectes étaient caractéristiques d'un milieu méditerranéen. Le corbeau, qui vivait bien dans le sud de la France, avait envoyé ses lettres du nord du pays pour induire les enquêteurs en erreur. C'était sans compter sur les « indices » laissés par les insectes… ni sur la perspicacité des enquêteurs.

Le capitaine Gaudry et ses collègues se tiennent par ailleurs sans cesse au courant des dernières publications en matière d'entomologie et ils assurent une sorte de « veille technologique », en prenant connaissance de toutes les communications scientifiques échangées dans les divers colloques à travers le monde.

C'est ainsi qu'ils ont pu constater depuis quelques années, que des insectes nécrophages réputés préférer le climat méditerranéen ont été observés jusque dans le nord de l'Europe. Le réchauffement climatique a donc aussi un impact sur leurs enquêtes.

L'environnement dans lequel est retrouvé le cadavre est lui aussi essentiel : « Si le corps a été trouvé dans l'eau, c'est beaucoup plus complexe. Il y a déjà différents types de milieu aqueux : l'eau douce, de mer, stagnante et courante. Le corps évolue dans l'eau horizontalement s'il y a du courant et verticalement en fonction de la décomposition. Il va flotter un certain moment, où il va être accessible à la faune aérienne. Ensuite il va couler et se retrouver peut-être au fond, où il va collecter involontairement ou être colonisé, par des poissons, des petits crustacés, des insectes aquatiques, des escargots, d'autres mollusques, des végétaux, des algues, des mousses… Ensuite il va naviguer entre deux eaux et remonter finalement vers la surface, sous l'action des gaz d'altération, ce qui le rendra de nouveau accessible aux insectes aériens. S'il n'y a pas de lessivage ou de courants trop forts, il peut en effet y avoir une activité entomologique. Il y a toute une dynamique de population qui est bien plus diversifiée que pour les corps exposés. Un de nos collègues a consacré sa thèse de doctorat à cette thématique, et il travaille toujours aujourd'hui sur cette activité qui est très complexe. Une de nos homologues canadiennes s'est intéressée aux populations d'insectes en milieu marin. Mais ce type d'études en est encore à un stade préliminaire, car pour l'heure aucun organisme indicateur d'un temps de présence n'a pu être réellement mis en évidence dans ce genre de cas. »

Chaque affaire criminelle est différente de celles qui l'ont précédée et il est impossible de réussir à coup sûr une mission. Exemple : l'affaire Giraud qui laisse au capitaine Gaudry, encore aujourd'hui, une réelle frustration. Pour comprendre l'enjeu de la mission confiée à cet expert du département « Entomologie » de l'IRCGN, il faut d'abord rappeler les circonstances du drame et les grandes étapes de l'enquête…

Le lundi 1er novembre 2004, fin du week-end de la Toussaint. Il est un peu plus de 20 heures. Deux jeunes femmes d'une trentaine d'années, Géraldine Giraud et Katia Lherbier, quittent à bord d'une Peugeot 206 la grande demeure familiale du célèbre comédien Roland Giraud, située à une centaine de kilomètres au sud-est de Paris, La Postolle. On saura plus tard qu'à 20 h 08, Géraldine reçoit un appel de Frédérique, une de ses amies intimes. Elle entame la conversation tout en commençant à rouler sur les petites routes de campagne. Mais la liaison passe mal. Elle est interrompue à 20 h 10. À partir de ce moment-là, Géraldine Giraud et Katia Lherbier disparaissent. Plus personne n'aura de nouvelles des jeunes femmes… Dès le lendemain, les deux familles et nombre de leurs amis tentent de les joindre, en vain. Les portables sont sur répondeur. Les boîtes vocales saturées. Elles ne rappellent pas… On pense d'abord à un accident de la route. Roland Giraud appelle les gendarmeries de la région et les hôpitaux. Sans succès. Alors, un enlèvement ? La fille d'un comédien célèbre serait une bonne monnaie d'échange pour des ravisseurs. Mais aucune demande de rançon n'est réclamée aux parents… Le 3 novembre, Roland Giraud, fou d'inquiétude, prévient la police. Sur place, la gendarmerie mène plusieurs battues dans la région autour de La Postolle, de Sens et de Villeneuve-sur-Yonne, des plongeurs sondent les étangs et les rivières et un hélicoptère survole les bois et les forêts. Sans résultat.

Pourtant, un fait intrigue les enquêteurs : les cartes bancaires des deux jeunes femmes sont utilisées quasi quotidiennement pour de petites sommes et cela, toujours dans la région de l'Yonne ou de la Seine-et-Marne. Il y aura en tout, une douzaine de retraits d'espèces et de règlements variés pour un peu moins de 2 000 . C'est l'exploitation de cette piste ténue qui va permettre à Michel Cunault, le policier en charge de l'affaire, d'identifier Jean-Pierre Treiber, puis de procéder à son interpellation et enfin de découvrir les corps des deux jeunes femmes disparues dans un puisard situé sur le terrain d'une maison de Villeneuve-sur Yonne qui appartient à Jean-Pierre Treiber…

Ce garde-chasse de 41 ans, placé en garde à vue, assure que les deux disparues lui ont donné leurs cartes bancaires, en échange d'un service qu'il leur aurait rendu, le 1er novembre précédent. Il jure qu'elles souhaitaient disparaître, qu'elles étaient à la recherche de faux papiers, et qu'elles disposaient d'argent liquide. Ce « roman » ne satisfait personne, et encore moins les enquêteurs, qui vont continuer leurs investigations pour finalement retrouver les corps des deux disparues le 9 décembre 2004. Les dépouilles ont été jetées au fond d'un puits et recouvertes ensuite par des centaines de kilos de pierres. Ce puisard se trouve sur la propriété de Jean-Pierre Treiber.

Quel a été le mobile de ce double crime ? Comment Jean-Pierre Treiber a-t-il rencontré les deux victimes ? Et depuis quand sont-elles mortes ? Cette dernière question va s'avérer cruciale au fur et à mesure des avancées de l'enquête. Pour le juge d'instruction, les deux jeunes femmes ont été attaquées par Jean-Pierre Treiber, le soir même du 1er novembre. À la recherche d'argent facile, il aurait braqué Géraldine Giraud et Katia Lherbier, par hasard, sans connaître leur identité. Puis il les aurait supprimées en leur faisant respirer de la chloropicrine, un gaz mortel utilisé par les chasseurs pour tuer les renards.

Jean-Pierre Treiber s'enferre dans sa version, qui s'effrite à chaque découverte judiciaire. Son alibi est mis en pièces à l'exception d'un témoignage, recueilli par la police. *Une caissière de supermarché affirme aux enquêteurs avoir aperçu Géraldine Giraud dans un supermarché le 8 novembre.* La jeune femme pouvait-elle être encore en vie à cette date ? C'est un élément capital qui pourrait changer la face de l'enquête. La défense du garde-chasse va s'employer à crédibiliser ce témoignage, afin de « faire tomber » le scénario du juge. La date précise de la mort des victimes sera un enjeu déterminant pour le procès qui devait s'ouvrir au printemps 2009.

Mais les médecins légistes, les docteurs Lecomte et Vorhauer, qui ont autopsié les jeunes femmes, ne peuvent qu'indiquer la date de leur décès. Ils proposent une fourchette située entre quatre et six semaines avant la découverte des corps, soit entre le samedi 30 octobre et le dimanche 14 novembre.

Il est alors décidé de faire appel à l'IRCGN et à son département « Entomologie ».

Malgré tous leurs efforts et toutes leurs recherches d'insectes susceptibles de les aider à affiner la date de la mort de Géraldine et de Katia, le résultat est décevant. Le capitaine Gaudry ne peut pas proposer mieux que la fourchette indiquée par les médecins légistes. Le fait que les corps se soient trouvés au fond de ce puits, dans un milieu confiné, est certainement la cause principale de cet échec. « À quel moment les mouches ont-elles pu déceler une odeur cadavérique, repérer les corps et s'y installer ? Nul ne peut savoir », se désole encore Emmanuel Gaudry. Selon nos informations, les entomologistes auraient vraiment tout tenté pour « faire parler » les insectes. Il se contente de regretter que dans cette affaire la chance, qui est souvent au rendez-vous, comme l'admettent tous les enquêteurs, n'ait pas permis d'aller plus loin.

Quelles méthodes pour le futur ?

Emmanuel Gaudry reste très prudent sur ce sujet. Il pense qu'on assistera plutôt, dans les années qui viennent, à des évolutions qu'à une révolution : « L'avenir reste un mystère. Il y a régulièrement des progrès améliorant les connaissances qui devront être testés. Il y a aussi l'évolution, la sophistication de techniques déjà anciennes comme l'extraction de l'ADN des insectes pour aider à l'identification d'une espèce au stade larvaire. À partir de larves ou de cocons vides qu'on appelle des puparia, on peut identifier, par la méthode classique d'observation, certains spécimens, jusqu'à l'espèce. L'ADN peut être une aide, lorsque l'on a des insectes qui sont très nécrosés et parfois difficiles à identifier. On travaille parfois, il est vrai, avec des insectes morts, des parties infimes de pièces anatomiques. Pour l'instant la méthode a encore des limites au-delà desquelles on ne peut pas attendre de miracle. »

« Une autre technique existe, malgré des résultats pour l'instant encore trop imparfaits, explique Emmanuel Gaudry. Elle consiste à mesurer la taille de larves qui ont été préalablement placées dans l'alcool. Avec un système d'abaques, et des moyennes de température ambiante pour corriger le résultat, on essaie d'en déterminer l'âge, c'est-à-dire le nombre de jours après l'éclosion. Mais il y a pour l'instant un risque d'erreur très important, dû au développement partiel des larves. Cette technique ne paraît pas encore assez performante pour être présentée devant un tribunal.

Parmi les autres progrès techniques apparus ces dernières années, il existe un autre champ de l'entomologie : l'entomo-toxicologie, qui consiste en l'analyse chimique de certains organes d'insecte, pour rechercher la présence de certains toxiques, comme des stupéfiants, ou des poisons accumulés au cours du développement sur un corps ayant "abrité" ces substances… Tout ceci constitue une évolution remarquable mais pas une révolution, car les cas de ce type sont plutôt rares.

En revanche, conclut le capitaine Gaudry, deux de mes collègues travaillent actuellement sur la "palynologie légale", c'est-à-dire l'exploitation des pollens en criminalistique. C'est une activité que l'on développe depuis cinq ans, et dont on peaufine à l'IRCGN les méthodes, les protocoles et surtout l'interprétation.

L'interprétation est un problème majeur pour toute technique mise en œuvre. Il ne suffit pas d'établir la présence ou l'absence d'une trace, il faut que cela ait un intérêt pour l'enquête qui ne doit pas être "polluée" en rajoutant une information qui ne présenterait aucun intérêt, ou pire, qui soit source de confusion.

L'étude des pollens de fleurs n'est pas, dans l'esprit, si éloignée de notre pratique habituelle puisqu'il s'agit également d'identification. »

Les fleurs remplaceront-elles les insectes ? Serait-il un jour possible de dater le décès d'un être humain en fonction des pollens prélevés ? Cela paraît très improbable, voire impossible, un grain de pollen ancien ou récent n'étant pas différents l'un de l'autre. Après les insectes, les pollens et les algues, d'autres traces « biologiques » vont-elles concourir à la manifestation de la vérité ? L'avenir, une fois encore, le dira.

L'exploitation des pollens en criminalistique : la palynologie légale

« Les débris microscopiques, qui recouvrent nos habits et notre corps, sont les témoins muets, assurés et fidèles de chacun de nos gestes et de chacune de nos rencontres. »

Edmond Locard (fondateur du premier laboratoire de police scientifique à Lyon en 1910)

Cette discipline de police scientifique développée depuis cinq ans au sein de l'IRCGN, consiste à étudier des grains de pollens et des spores dans une recherche systématique et ciblée dans le but d'apporter aux enquêteurs des éléments de progression dans leurs investigations. Chaque grain de pollen peut mener à l'identification d'une espèce végétale particulière. Les spécialistes emploient l'expression « empreinte pollinique » qui correspond bien à ces microtraces souvent invisibles à l'œil nu, qui peuvent être constituées par l'association de différents grains de pollens et de spores. Certains pollens ou certaines associations peuvent être caractéristiques d'une zone géographique plus ou moins étendue.

En criminalistique, la palynologie a été utilisée en Italie, dès 1978, à l'occasion de l'enlèvement par les Brigades rouges de l'ancien président du Conseil Aldo Moro, retrouvé mort dans une voiture au centre de Rome, le 8 mai 1978, après 55 jours de séquestration. Des prélèvements effectués sur le garde-boue de la voiture ont permis d'identifier différents pollens émis au début du printemps (donc au moment du kidnapping le 16 mars) et ayant pour origine une région volcanique, mais l'enquête n'a pas permis de retrouver le lieu exact de la séquestration…

Le mode d'emploi de cette technique est clair, mais limité : établir un lien entre une personne et un objet et/ou entre une personne et une formation végétale. Exemple concret : un cas de tentative de viol dans un champ de colza. Le médecin légiste et les enquêteurs doutent de l'authenticité du récit de la victime. Le pantalon de l'agresseur présumé est saisi, ainsi que le sous-vêtement de la victime. Du pollen de colza est retrouvé à divers endroits sur les deux pièces. Sur la face antérieure du pantalon, on en a trouvé aux genoux et sur le haut des cuisses. Sur la face antérieure du slip de la victime présumée une quantité importante, excluant un simple transfert « naturel ». Conclusion du rapport d'expertise : le suspect a bien fréquenté un champ de colza, son pantalon a été baissé dans un champ de colza. Le slip de la victime ne peut pas avoir fixé autant de pollen par simple transfert… Comme pour les analyses ADN, en l'absence d'autres preuves corroboratives, la méthode peut permettre de vérifier un alibi. La personne était-elle présente ou non à tel endroit ? Elle peut également permettre de réduire une liste de suspects. Le pollen est donc un marqueur d'un milieu, mais on ne peut pas faire la distinction entre plusieurs sites qui ont la même empreinte pollinique. De plus, la persistance du pollen est limitée. L'intervention doit avoir lieu dans des délais très rapides après les faits.

À notre connaissance, à part une affaire judiciaire qui s'est déroulée en Suède en 1959, et une autre en Autriche[1], il semble que la Belgique soit le seul pays où le pollen retrouvé dans ses poches et sur son jean, a contribué à l'intime conviction des jurés qui ont condamné l'accusé à perpétuité deux ans plus tard.

1. Suède : une femme est retrouvée assassinée au mois de mai 1959 alors qu'elle voyage dans le centre du pays. Lors d'une audience au tribunal, un certain nombre d'experts, parmi lesquels un palynologiste, sont désignés pour analyser des fragments de sol présents sur les vêtements de la victime. L'objectif de ces études est de déterminer si la victime a été tuée sur son lieu de découverte ou s'il y a eu un déplacement post mortem. Les premiers résultats de l'analyse pollinique émettent l'hypothèse d'une victime tuée dans un lieu différent de celui de sa découverte, notamment en raison du fait que les prélèvements réalisés sur ses vêtements ne comprennent pas de pollen de plantes communes dans la zone de découverte. Par ailleurs, une analyse complémentaire des prélèvements de pollens fait apparaître que le meurtre a pu se produire avant la période de pollinisation des graminées et certaines herbacées de la région. Ces deux résultats ont été enregistrés dans la procédure. Cependant, ce meurtre n'a jamais été élucidé.

Dans la même période, un deuxième cas d'utilisation de la palynologie légale est rapporté et concerne l'Autriche. Lors de ses vacances le long du Danube, un homme disparaît près de Vienne mais son corps reste introuvable. La police s'oriente rapidement vers un suspect qui a des motifs pour vouloir tuer cette personne. Cependant, aucun indice ou preuve ne permet de lier le suspect avec un possible crime. Mais, au cours des investigations, les enquêteurs trouvent dans l'habitation du suspect une paire de bottes avec de la boue encore présente sous la semelle. Ils les saisissent et les donnent pour analyse à un géologue, le Dr Klauss. Les résultats de l'analyse de la boue montrent qu'elle contient des pollens d'épicéa, de saule et d'aulne actuels, mais surtout est présent un type de pollen âgé de 20 millions d'années, des grains de pollen fossiles de hickory. Or, il se trouve qu'une seule zone de dimension réduite, à 20 kilomètres au nord de Vienne et le long de la vallée du Danube, possède une composition pollinique identique à celle retrouvée sur les bottes. Confronté à ces éléments, le suspect avoue son crime et montre aux enquêteurs le lieu du meurtre ainsi que celui où il a enterré la victime.

Rappel des faits

Stacy Lemmens, 7 ans, et Nathalie Mahy, 10 ans, disparaissent à Liège, en Belgique, alors qu'elles jouaient dehors dans la nuit du 9 au 10 juin 2006 à l'issue d'une braderie dans le quartier Saint-Léonard. Elles seront retrouvées le 28 juin suivant, non loin de là, dans un collecteur d'eau situé près d'une voie ferrée, au flanc d'une colline. Elles ont été étranglées et pour l'une d'elles au moins, violée. Recherché dans tout le pays peu après la disparition des fillettes, comme témoin tout d'abord, Abdallah Aït Oud, un Marocain de 38 ans, s'était livré à la police dès le 12 juin, après avoir vu un avis de recherche le concernant à la télévision. Déjà condamné dans le passé pour des viols sur mineures, l'homme niait farouchement toute implication dans l'affaire. Mais son alibi pour la nuit du crime ne tient pas et les éléments de police scientifique présentés par les enquêteurs sont très graves. Le pollen retrouvé dans les poches de son jean est le même que celui trouvé sur le site où ont été découverts les corps des fillettes. À cela, s'ajoute la présence de fibres provenant de la chambre de sa compagne sur les vêtements des enfants, et de trois cheveux de Stacy prélevés dans ses sous-vêtements[1]. Après la découverte des corps, les enquêteurs ont également retrouvé des fibres provenant du jean d'Abdallah Aït Oud sur les vêtements des fillettes, présumant « un contact intense ». Aït Oud est inculpé le 17 juillet 2006 pour viol et assassinat. Il sera finalement condamné à la réclusion criminelle à perpétuité et à une mise à disposition du gouvernement d'une période de dix ans, en 2008.

---

1. Les cheveux sont reconnus par une analyse de l'ADN mitochondrial controversée, car ayant une valeur d'identification moins forte que celle de l'ADN nucléaire.

Peine confirmée définitivement ensuite par la Cour de cassation. Abdallah Aït Oud purge actuellement sa peine à la prison de Lantin. Il continue à clamer son innocence.

Médecine de catastrophe

*Où l'on apprend comment les principes
de la criminalistique appliqués aux scènes
de catastrophes naturelles, d'accidents d'avions
ou d'attentats terroristes pour identifier les victimes,
permettent aux familles d'entamer leur deuil. Et où l'on
fait la connaissance d'un acteur de terrain, un médecin
des armées, médecin légiste, qui fut l'un des acteurs
importants de cette nouvelle révolution.*

Los Alfaques. Province de Tarragone, Espagne. Ce 11 juillet 1978, vers 14 h 30, le chauffeur d'un camion-citerne perd le contrôle de son véhicule, alors qu'il roule à proximité d'un camping en bord de mer. La cuve a été remplie au-delà du niveau de sécurité. La chaleur accablante de l'été fait le reste. Les vingt-cinq tonnes de propylène, un hydrocarbure hautement inflammable, s'embrasent, provoquant une véritable boule de feu de plus de 1 000 degrés qui déferle en quelques secondes sur le camping voisin, où de nombreux touristes passent leurs vacances. Cette nuée ardente, comparable à de la lave en fusion, les submerge. L'horreur. 217 personnes sont instantanément carbonisées, figées sur place, ou réduites à l'état de cendres. Les journalistes, arrivés sur les lieux presque en même temps que les secours, publient dans la presse des photographies insoutenables, qui montrent des silhouettes noires, pétrifiées pour certaines, dans la position de leurs derniers gestes. L'opinion est bouleversée. Les nombreuses nationalités des victimes compliquent ou empêchent l'identification des cadavres, dont la plupart des dépouilles ne seront pas rendues aux familles.

Quelques semaines plus tard et pour la première fois, à l'initiative d'Interpol, quelques pays européens se réunissent afin de mettre au point une médecine légale de catastrophe. Seule la France participe à ce colloque en tant qu'État.

Crashes d'avions, explosions d'usines, accidents ferroviaires… Au début des années 80, redonner un nom, identifier les victimes de catastrophes est encore secondaire. Le général Caillet, s'inspirant des travaux lancés quelques années plus tôt par Interpol, décide de créer une section dédiée au sein de l'IRCGN, et il confie le rôle de conseiller technique à Yves Schuliar. Ce médecin, rattaché au service de santé des armées, s'intéresse à la criminalistique et obtient en 1987 sa mutation vers les services de gendarmerie. Un profil intéressant pour le général Caillet[1]. « C'est ainsi que je me suis retrouvé en formation intensive de médecine légale », précise Yves Schuliar. Deux ans plus tard, diplôme en poche, il intègre finalement à mi-temps l'IRCGN sous les ordres du général Caillet. « Son souhait était de donner une dimension médico-légale au laboratoire, déterminer ce que l'on pouvait apporter de plus aux unités de criminalistique déjà existantes. Nous envisagions dès l'origine de couvrir de nouveaux champs d'actions tels que l'anthropologie, l'entomologie, l'étude des traces de sang… Mais le plus urgent était d'établir un protocole en identification lors de catastrophes, selon les recom-

1. L'IRCGN n'engage pas de scientifiques à l'extérieur pour les former à la gendarmerie, mais des gendarmes ou des militaires, pour les former au monde scientifique.

mandations d'Interpol. » Yves Schuliar continuera à exercer la médecine légale en parallèle de ses fonctions à l'IRCGN jusqu'en 1995, date où il intégrera pleinement l'Institut : « Il y avait trop de travail avec deux postes en même temps ! »

En France, à l'époque, il n'existe pas vraiment d'équipe dédiée à la gestion de scènes de catastrophes. Au gré des événements, ces situations d'urgence sont prises en charge par les pompiers, l'armée, avec parfois le soutien de médecins légistes locaux, d'officiers de police judiciaire, et surtout, sans préservation de la « scène ». Ce point deviendra crucial, car des indices comme le placement des corps, leur dislocation éventuelle, peuvent aider l'enquête à comprendre les raisons du drame. De plus, les probabilités attirent l'attention sur le fait qu'à l'avenir, avec l'expansion du trafic aérien et la multiplication des besoins énergétiques, leur fréquence ne peut qu'augmenter.

« C'est en 1992 que nous avons l'opportunité, pour la première fois, d'étudier le terrain » se souvient Yves Schuliar. Le 20 janvier, un Airbus A320 de la compagnie Air Inter s'envole de Lyon avec 96 personnes à son bord, en direction de Strasbourg. L'atterrissage est retardé à cause du trafic soutenu, et de la mauvaise visibilité due au mauvais temps. La tour de contrôle demande au pilote d'accomplir un nouveau tour de piste, qui doit passer par le proche mont Sainte-Odile. C'est le crash à 18 h 22, en raison, dira la justice quinze ans plus tard, d'une erreur d'appréciation du pilote[1].

---

1. Selon le BEA, l'hypothèse la plus probable est une erreur de programmation du pilotage automatique par l'équipage qui aurait affiché un taux de descente de 3 300 pieds/minute (16,7 m/s) au lieu d'un angle de descente de 3,3… D'où une descente trop rapide, amorcée quelques secondes avant le crash, et un taux de descente de 3 300 pieds/minute (16,7 m/s) au lieu d'environ 800 pieds/minute. (Source : 2006. Rapport final du BEA. Chapitre 22.33.)

Les secours sont immédiatement envoyés sur place, mais le lieu est escarpé, enneigé, difficile d'accès. Il faudra attendre 20 h 45 pour que des civils, lancés de leur propre initiative à la recherche de l'appareil, découvrent les neuf survivants. Les premiers secours ne les rejoindront qu'à 22 h 45 ! Entre-temps, au moins deux passagers de l'avion, en vie malgré le crash, ont rendu l'âme. Ce retard fera scandale.

« Immédiatement, Serge Caillet, à l'époque directeur adjoint de l'IRCGN, a proposé au commandant de groupement qui était sur le terrain, de pouvoir envoyer une équipe de l'IRCGN, raconte Jacques Hébrard. Nous n'avons encore à ce moment-là aucune compétence reconnue, aucune structure. Seul Interpol avait des compétences dans le domaine des catastrophes, et nous avions d'ailleurs participé à un séminaire organisé sous leur égide, qui avait duré quatre jours, où les services du monde entier avaient apporté leurs propres expériences et réponses à ce type de situation. Nous en avions tiré des éléments prospectifs. Le crash était un excellent moyen pour nous de tester notre organisation nouvelle. C'est au simple titre de gendarmes que le commandant de la compagnie de gendarmerie locale accepte de nous intégrer, en qualité d'observateurs. » Une petite équipe va partir ainsi du fort de Rosny-sous-Bois en voiture, jusqu'au lieu de l'accident. Ce déplacement sera fondamental pour la suite.

« La situation était difficile, précise Yves Schuliar. Il n'y avait pas de réelle méthodologie, de technique de relevage, de quadrillage, aggravé par le fait que les conditions étaient extrêmes. Nous sommes en plein hiver, en altitude, et les conditions d'accès sont très difficiles. La seule police scientifique à l'œuvre est celle d'un technicien en scène de crime, féru d'informatique, qui pensera à relever l'étêtage des arbres, afin de déterminer la trajectoire de l'avion. »

« L'opération de sauvetage et d'identification a été en partie opérée par le directeur de l'époque de l'institut médico-légal de Strasbourg, le professeur Mangin, ainsi que ses équipes, qui ont fait un excellent travail, explique Yves Schuliar. L'IRCGN est arrivé sur les lieux au beau milieu de la nuit. Le ramassage des corps venait de s'achever malgré les conditions. » Les victimes sont entreposées à l'institut médico-légal local. L'IRCGN est invité à suivre la procédure d'identification : « Au départ les légistes allaient naturellement procéder aux autopsies à fins d'identification, mais il y avait quand même un sérieux problème : pour pouvoir identifier il fallait avoir des renseignements, grâce aux familles, obtenir les dossiers des dentistes, des médecins ; puis obtenir des indications sur la façon dont était habillée chaque personne, des photographies afin de pouvoir établir des comparaisons avec les corps, connaître ses particularités physiques, ses éventuels traitements médicaux… Nous avons proposé que l'IRCGN, au profit de l'IML[1], mène ce rôle de collecte de données. Ce qu'ils ont accepté. » Ce soir-là, les membres de l'équipe théorisent ce qui deviendra plus tard *le traitement ante mortem d'une scène de catastrophe*. L'IRCGN se procure la liste potentielle de victimes, et fait rechercher les familles. Mais au fur et à mesure de l'avancée des opérations, l'IML de Strasbourg a besoin de renforts. « De simple observateur, raconte Yves Schuliar, l'IRCGN a fini par devenir acteur. Nous avons d'abord apporté une assistance au relevé des empreintes digitales. Puis nous avons pris des relevés photographiques, notamment des vêtements et des bijoux. Certains corps étaient carbonisés, d'autres polytraumatisés. »

1. IML : institut médico-légal.

L'expérience du mont Sainte-Odile éprouve les équipes de l'IRCGN, qui constatent à quel point les structures et les moyens sont inadaptés : « Nous sommes face à une catastrophe avec des corps dans un tel état que nous savons d'avance que l'identification sera difficile pour nombre d'entre eux. Mais il faut néanmoins le prouver, afin de rendre les corps aux familles. C'est notre devoir, surtout dans les sociétés occidentales, où la remise du corps permet le travail de deuil. Nous avons d'ailleurs remarqué que certaines personnes, à qui nous n'avons pu apporter de certitude sur l'identité du disparu, ont ensuite développé des difficultés psychiques. L'accent va donc être mis sur la recherche en identité, et nous allons initier un travail en trois phases. » L'équipe en gestation [1] commence par intégrer un dentiste des armées, Jean-Michel Corvisier, qui sera responsable de l'étude des dents, car il s'agit de la structure anatomique la plus résistante, même à des températures extrêmes avec en général chez les gens beaucoup de traitements qui peuvent constituer des « identifiants ».

La première phase sera celle du relevage des corps. Sitôt le site de la catastrophe sécurisé par les pompiers, et les brigades de déminage en cas d'attentat, les premières équipes de techniciens en identification criminelle investissent le terrain. La « scène », comme celle d'un crime, est aujourd'hui entièrement gelée grâce à un complet relevé topologique effectué par des mesures au laser, auquel s'ajoute un travail photographique. « Il faut aller très vite, souligne Yves Schuliar, car selon les circonstances, les corps peuvent très vite se détériorer.

1. La direction générale de la gendarmerie nationale, qui a décidé la création de cette structure prête à intervenir en cas de nouvelle catastrophe, lui donne d'abord le nom de « Cellule d'identification des victimes de catastrophes ». En novembre 2000, cette cellule prendra son appellation définitive : Unité gendarmerie d'identification des victimes de catastrophes (UGIVC).

Ensuite, *et c'est la deuxième phase*, on va découper dans la masse la structure abîmée, par exemple celle de l'avion, ou du train, pour évacuer les corps. Les techniques sont évidemment différentes selon les circonstances. Un avion contient par exemple un réseau de câbles électriques qu'il est important de préserver pour l'enquête technique.

À l'époque, l'enquête que nous appelons maintenant ante mortem était complexe. Il fallait déterminer la façon dont les victimes étaient vêtues avant la catastrophe, remonter leur parcours dentaire, interroger les familles sur certaines particularités physiques, comme le port d'un tatouage. Le plus difficile était de leur présenter des bijoux. À ce moment, les proches s'effondrent. » *Enfin, la troisième phase*, celle de la remise des corps dans une chapelle ardente, peut clôturer le cycle.

« Aujourd'hui, nous réalisons des prélèvements ADN, même pour de simples restes, ce qui facilite grandement les identifications. »

La théorie élaborée à l'issue de la catastrophe du mont Sainte-Odile est restée la même avec le temps, et aura plusieurs fois l'occasion d'être vérifiée lors de crashes aériens. Un des souvenirs les plus pénibles des experts reste celui du Concorde, le 25 juillet 2000. L'avion supersonique transportait 109 passagers, presque tous de nationalité allemande, quand il s'écrasa sur un hôtel de Gonesse, dans la banlieue parisienne. « Nous étions plus de cinquante à effectuer les relevés, assister les familles… Il nous aura fallu plus de onze jours avant d'identifier avec certitude les corps. Maigre consolation : nous avons pu rendre toutes les victimes à leurs familles. »

L'IRCGN a dû s'adapter à des circonstances moins favorables. Quelques jours après le crash de l'A320 près de Strasbourg, Yves Schuliar est envoyé en urgence au Sénégal, où un avion d'une compagnie gambienne affrété par le Club Méditerranée, se rendant de Dakar à Cap Skirring, s'était abîmé à l'atterrissage, causant la mort de 26 Français. « Nous arrivons à quatre médecins, se rappelle Yves Schuliar, afin de procéder à l'identification des corps. Sur place, on trouve une morgue extrêmement rudimentaire au sein de l'hôpital principal de Dakar. Il n'y a pas d'eau, les corps sont essentiellement entreposés dans la zone de fret de l'aéroport. Il a fallu tout réorganiser, mais nous avions peu de moyens. Il nous a fallu composer avec le matériel disponible sur place. De plus, les corps avaient déjà été traités, embaumés par les médecins locaux, qui avaient cru bien faire. Du coup, les bijoux et les vêtements avaient été enlevés avant que l'identification soit faite. Donc, pendant huit jours, aidés des familles, nous avons tenté de reconstituer l'apparat de chaque victime. À la suite de ces deux missions, nous avons décidé de changer de dimension. »

Comment travailler sur des terrains où l'IRCGN ne peut disposer de matériel adéquat ? L'Institut se décide à travailler à l'élaboration de structures portatives. « Il nous fallait une véritable morgue de campagne, où nous serions à même de mener notre mission à bien, explique Yves Schuliar. Un endroit où réaliser les autopsies, les examens dentaires. » Structures réfrigérantes, tentes médico-légales, appareils portatifs de radiographie, produits de nettoyage et de protection contre les germes, sacs mortuaires… Un véritable paquetage est constitué, susceptible d'occuper le moins de place possible, prêt à embarquer sur le premier vol. « Aujourd'hui, même dans l'endroit le plus perdu au monde, nous sommes opérationnels en quelques heures, détaille Yves Schuliar. La possibilité de faire des radiographies est un point essentiel : l'état des os est une information capitale. Car le corps, et son état, peuvent éclaircir les circonstances du drame. Généralement, et lorsque cela est possible en cas de crash aérien, nous étudions plus particulièrement le corps du pilote, puis celui du copilote. » Suivent des analyses toxicologiques et microscopiques. Le pilote, pour une raison ou une autre, a pu subir une défaillance, comme une crise cardiaque. « Il faut pouvoir répondre à toutes les questions », renchérit Yves Schuliar.

Ensuite, les corps sont étudiés indifféremment, selon leur seul ordre d'arrivée à la morgue. L'ADN, malgré sa généralisation dans la résolution des affaires criminelles, n'est pas toujours déterminant pour l'identification des victimes de catastrophes car il faut de l'ADN de comparaison d'un membre de la famille, ce qui pose parfois problème, ou parce que les corps sont très détériorés. « Ainsi quand nous avons travaillé sur l'accident du tunnel du Mont-Blanc[1], les corps étaient tellement carbonisés que nous savions que les tests ADN seraient impossibles », raconte Yves Schuliar. Les experts ont dû cette fois se focaliser sur des prothèses, des bijoux, des dents, et tout élément repéré par les radiographies.

Le travail d'expert des médecins attachés à l'identification des corps (l'équipe « post mortem ») ne serait rien sans l'équipe « ante mortem », chargée de recueillir auprès des familles et des proches les indications nécessaires à l'identification. « L'équipe ante mortem, détaille Yves Schuliar, s'apparente à un secrétariat, formé à ce type de crise, et capable d'appeler les familles pour les prévenir qu'un de leurs proches est possiblement impliqué dans une catastrophe. C'est un personnel très psychologue, dont le rôle est essentiel. D'un côté, ils

1. Le 24 mars 1999, un camion belge transportant de la margarine et de la farine prend feu alors qu'il traverse le tunnel du Mont-Blanc, en direction de l'Italie. Il faudra 53 heures aux pompiers pour éteindre l'incendie, qui occasionnera la mort de 39 personnes. Le tunnel sera fermé pendant près de trois ans.

doivent aider la famille à supporter la douleur. Mais ils ont aussi pour mission de soutenir l'enquête, et de persuader leurs interlocuteurs de nous apporter des photos des disparus, un historique médical complet, et enfin leur faire un test ADN. » L'équipe ante mortem est un maillon essentiel de l'enquête : « Il y règne un très fort esprit d'équipe, basé sur le volontariat. » Car l'équipe n'est évidemment pas formée de standardistes payés dans l'attente d'une catastrophe. Il s'agit d'informaticiens, de médecins, de dentistes et de personnels de l'IRCGN immédiatement mobilisables pour tenir le standard ouvert à l'occasion de ces crises et pour accueillir les proches. Ils sont choisis à l'issue d'une sélection draconienne. Car le contact avec les familles est psychologiquement très lourd. Il faut une certaine approche, de l'empathie, « surtout lorsque les gens se révèlent agressifs, ce qui est souvent le cas », continue Jacques Hébrard. « Première règle : ne jamais poser les questions dix fois, faire dans l'efficace, amener les interlocuteurs à l'action, afin qu'ils soient très vite, comme nous, dans l'aspect technique de l'enquête. Il faut leur faire comprendre que ce douloureux travail réalisé dans l'urgence les aidera plus tard à accomplir leur deuil, puisqu'ils nous aident à identifier le corps de leur proche. »

Le risque pour l'équipe ante mortem est évident. « On s'identifie forcément à ce que l'on fait, au rôle crucial que l'on tient, à savoir l'unique lien entre celui qu'ils ont aimé et sa dépouille. Mais cela n'empêche pas que l'on soit atteint psychologiquement, personnellement. C'est pourquoi, après chaque gestion de crise, nous passons tous par un large débriefing car aucun n'est à l'abri d'un PTSD, *Post-traumatic Stress Disorder* en anglais, soit un trouble de stress post-traumatique. Il nous arrive de nous identifier totalement à la situation de catastrophe, venir à penser que cela aurait pu arriver à n'importe qui, donc à nous ou à nos proches. Nous commençons par des réunions de groupe dirigées par des psychologues, suivies d'entretiens individuels. De plus, chaque membre de l'équipe ante mortem a la possibilité d'être suivi en toute discrétion par un psychologue ou un psychiatre. Car, si les maux provoqués par la gestion de ces situations sont souvent immédiats, ils peuvent aussi ressurgir des années plus tard. » Une des grandes difficultés rencontrées par les membres de l'ante mortem, est aussi le sentiment d'impuissance face à la détresse psychologique. « Ils ont pour rôle d'annoncer le décès, ce qui a souvent pour conséquence de nouer un lien très fort qu'il est très difficile de dénouer par la suite. » Fort heureusement, d'autres instances comme l'Association d'aide aux victimes l'ont compris, et un suivi « civil » est aujourd'hui assuré.

L'équipe ante mortem sera renforcée au gré des missions de l'IRCGN. Jusqu'à être composée de près de 30 personnes, à l'occasion du fameux tsunami qui ravagea les côtes indonésiennes, et plus largement une partie de l'Ouest asiatique, le 26 décembre 2004[1].

« Le tsunami aura été une expérience difficile, raconte Yves Schuliar. Mais surtout pour les équipes post mortem. Nous sommes partis au tout début en Thaïlande à près d'une dizaine experts. Nous avons évidemment travaillé sur les cadavres sans distinction de nationalité, au gré des corps que les équipes sur le terrain récoltaient. La mission fut longue, éprouvante, et, compte tenu des relèves nécessaires, nous avons été plus de 150 Français à participer à l'effort. L'IRCGN n'a pas travaillé seul puisque nous avons reçu le soutien d'une quinzaine de médecins légistes, de près de trente dentistes, de policiers… Toute

---

1. Le bilan global des victimes « estimées » de cette catastrophe majeure varie selon les sources entre 200 000 et 280 000 morts, dont près de 100 Français.

la difficulté a consisté à faire "matcher", c'est-à-dire à faire coïncider, les données ADN et autres que nous récoltions sur les corps qui nous étaient amenés, avec celles qui nous étaient envoyées par les familles de par le monde.

Pour l'occasion, Interpol s'est procuré un logiciel de données, Plass Data, consacré à la reconnaissance de cadavres, et intégrant la reconnaissance ADN et digitale, mais aussi les photographies, les données dentaires, le parcours médical et les effets personnels, tels que bijoux. La machine nous proposait des rapprochements, que les médecins vérifiaient de suite. » Malgré tous les efforts des « forensics » venus du monde entier, des personnes restent encore aujourd'hui disparues.

À la suite de ces terribles catastrophes, l'IRCGN peut compter sur un noyau « dur » de près de cinquante personnes formées aux catastrophes au sein même de l'Institut, sans compter un réseau de « sympathisants » de près de 200 personnes comprenant des légistes, des dentistes, des informaticiens… « Aujourd'hui, j'ai surtout un rôle de coordinateur, précise Yves Schuliar. Pour maintenir le réseau dans la crainte de la prochaine catastrophe, nous organisons régulièrement des exercices, des missions, nous formons des gens, on les maintient en condition. Des camarades, praticiens civils sont réactivés pour certaines activités. On ne sait jamais ce que l'on va trouver dans un cas de catastrophe. ».

Le système de veille du docteur Schuliar comprend aujourd'hui aussi des novices, « car, on emmène toujours des gens un peu moins expérimentés, pour les former ».

Avec le progrès, il est de plus en plus rare qu'un corps soit impossible à identifier. La recherche d'ADN est, bien entendu, de plus en plus performante. « Aujourd'hui, seuls de rares cas de corps particulièrement dégradés nous résistent encore ; ainsi que ceux où l'absence de famille nous empêche de procéder à une enquête ante mortem. »

La stratégie est devenue fiable. L'IRCGN travaille actuellement sur des cas de corps particulièrement abîmés. Les experts sont actuellement impliqués dans la reconnaissance des corps des passagers du fameux vol AF 447 Rio-Paris[1], repêchés à près de 4 000 mètres de profondeur dans l'océan Atlantique, où ils ont séjourné depuis plus de deux ans.

Comment peuvent-ils parvenir à redonner une identité à quelques-uns des corps immergés depuis si longtemps ? « C'est encore une autre histoire, répond succinctement Yves Schuliar. Pour l'heure couverte par le secret de l'instruction… »

1. Le vol AF 447 Rio-Paris s'est abîmé en mer dans la nuit du 31 mai au 1er juin 2009. Il transportait 228 personnes dont 12 membres d'équipage.

Département « Signal Image Parole »

Où l'on découvre que les « oreilles d'or »
de la gendarmerie ont également la vue bien aiguisée,
jusqu'à traquer les indices sous le sol
ou à travers les murs...

Parmi les spécialités de l'IRCGN, l'analyse du signal pour la comparaison des voix et des images constitue un point fort qui n'a pas d'équivalent en France dans le domaine de la police scientifique. Les locaux de ce laboratoire sont nichés dans un des derniers bâtiments du fort de Rosny-sous-Bois, presque à toucher l'immense mur d'enceinte qui protège de toute intrusion les 23 hectares du site. L'architecture sobre aux murs faits de briques, est un peu vieillotte. Elle rappelle celle des hôpitaux que l'on construisait dans les années 1840. Pourtant c'est bien ce bâtiment de quatre étages qui abrite aujourd'hui les activités les plus « futuristes » de l'IRCGN.

« Il a fallu des travaux importants pour installer nos laboratoires », explique le lieutenant-colonel Marc Soulas, chef de la division « Criminalistique Ingénierie & Numérique » qui nous accueille dans ses locaux hi-tech. Cet ancien ingénieur diplômé de l'INSA de Lyon[1],

---

1. L'Institut national des sciences appliquées de Lyon est une grande école d'ingénieurs et de recherche qui forme chaque année près de 10 % des ingénieurs français.

spécialiste en « génie électrique »[1], est entré dans la gendarmerie parce qu'il était attiré par « l'esprit de corps et la solidarité ». Sa formation l'a naturellement conduit à intégrer l'IRCGN, où il continue avec passion à vivre au quotidien la révolution de la police scientifique et à suivre les développements, dans les départements qu'il dirige, des armes les plus modernes pour faire échec au crime. En poussant la porte d'un premier « labo » où règne une atmosphère studieuse, on croise un gendarme en blouse blanche qui teste un nouveau laser. Dans une pièce voisine, un autre scrute sur un écran un enregistrement de vidéosurveillance, passant et repassant le court trajet filmé d'une voiture utilisée lors d'un braquage, pour tenter d'identifier sa plaque d'immatriculation. À l'étage, on découvre un atelier rempli d'un bric-à-brac de circuits intégrés, de téléphones mobiles désossés, d'ordinateurs éventrés dont les différents composants, puces, disques durs, mémoires, sont à l'étude. Car les spécialistes de l'IRCGN doivent recycler leurs connaissances des technologies de pointe en permanence pour ne pas se laisser distancer par les progrès fulgurants des fabricants de matériels électroniques qui ne cessent de modifier leurs produits.

Comme tous ses collègues, Marc Soulas a lui aussi apporté sa pierre à l'édifice commun, en travaillant spécialement – en dehors de ses nombreuses autres activités – sur les capacités des géoradars[2]. « L'enquête scienti-

1. La filière de génie électrique ou « Electrical Engineering » forme des ingénieurs pluridisciplinaires capables d'exercer leurs talents dans les secteurs innovants relatifs aux industries électriques et électroniques. La formation principale couvre les cinq domaines de base qui sont l'électronique, l'électrotechnique, l'automatique, l'informatique industrielle et les télécommunications.
2. Le géoradar ou radar de sol, appelé aussi radar géophysique, permet d'établir une carte du sous-sol. Le GPR (Ground Penetrating Radar) sert surtout à détecter les objets non métalliques dans le sous-sol : conduites d'eau, mines antipersonnel, sépultures cachées… Comme un radar aérien,

fique pose toujours le même problème, d'ordre général, explique-t-il, à savoir *comment découvrir des preuves sans causer la moindre destruction* ? Comment être certain que la recherche d'un corps ou d'une cache d'arme, enfouis sous terre ou dans un mur, ne va pas endommager un autre élément important pour l'enquête ? » La réussite n'est jamais assurée, mais chaque utilisation doit être rigoureusement préparée pour mettre les meilleures chances de succès du côté des enquêteurs.

Un exemple concret : la disparition de Cécile Vallin, 17 ans et demi, en 1997, qui conduira l'IRCGN à utiliser le géoradar onze ans plus tard sur les bords de l'autoroute A43 en Savoie.

L'affaire remonte au dimanche 8 juin 1997. Ce jour-là, Cécile, seule à son domicile de Saint-Jean-de-Maurienne en l'absence de sa mère et de son beau-père, était censée réviser son bac, auquel elle devait se présenter le lendemain matin pour l'épreuve de philosophie. Mais, la veille au soir, elle avait organisé une surboum et elle redoutait la réaction de sa mère qui devait rentrer en fin de soirée. Elle n'avait pas l'autorisation d'inviter ses copains à la maison. Peut-être aussi avait-elle un chagrin d'amour…

Dans l'après-midi du dimanche, elle a d'abord passé un coup de fil à une de ses amies. « Elle avait l'air normale, mais un peu triste », dira celle-ci aux enquêteurs. Puis elle avait appelé son père en Normandie. Celui-ci l'avait rassurée quant à la réaction de sa mère et il lui avait souhaité bonne chance pour le bac…

---

il envoie des impulsions électromagnétiques (ondes radio) brèves de forte puissance vers une cible donnée. Il reçoit en écho des signaux permettant de déterminer les caractéristiques de cette cible. La portée ne dépasse pas quelques mètres. Toutefois, on peut obtenir une représentation des différentes couches du sous-sol sur un écran vidéo. Le radar peut être traîné derrière une voiture, ou poussé par un opérateur à pied, comme une tondeuse à gazon.

Ensuite, entre 17 h 30 et 18 heures, on suppose qu'elle a décidé d'aller faire une petite balade à pied pour se changer les idées. Elle est sortie de chez elle, sans bagage, sans sa carte Pastel[1], ce qui semble écarter l'hypothèse de la fugue. Plusieurs témoins vont l'apercevoir peu après 18 heures, à la sortie nord de Saint-Jean-de-Maurienne. À ce moment, elle marchait, seule le long de la route départementale 906, en direction de Chambéry. Notons qu'à l'époque, l'autoroute de la Maurienne était en construction et des dizaines d'ouvriers travaillaient sur le chantier.

L'un des derniers témoins à l'avoir aperçue dira qu'elle semblait triste, comme si elle avait pleuré.

La piste de Cécile s'interrompt vers 18 h 30, à la hauteur du stade de football. À partir de ce moment, personne ne sait ce qu'est devenue la jeune fille dont on est toujours sans nouvelles aujourd'hui.

Dès le lendemain, une information est ouverte par le parquet d'Albertville pour « enlèvement ». Les gendarmes interrogent des dizaines d'automobilistes sur les lieux de sa disparition. Ils enquêtent sur les ouvriers de l'autoroute… Un ancien vicaire épiscopal de Maurienne, incarcéré peu après pour une affaire de mœurs, faisait partie des derniers témoins à avoir croisé Cécile. Il est interrogé et sera mis hors de cause… Des dizaines de milliers d'affiches sont placardées dans les commissariats, les gendarmeries et les péages d'autoroute. Sans résultat… Lors de l'arrestation de Michel Fourniret, l'ADN de Cécile sera comparé avec les traces biologiques retrouvées dans la camionnette du serial killer. En vain. Au fil des années, les juges d'instruction vont se succéder, sans jamais classer le dossier.

1. À l'époque, la carte Pastel était une carte de crédit pour les moins de 18 ans.

Et puis, au printemps 2008, onze ans après la disparition de Cécile, une personne se manifeste auprès des gendarmes de la région. Selon ce témoin, la jeune fille aurait été enterrée sous les bas-côtés de l'autoroute en construction, ou peut-être même sous l'une des voies de circulation recouverte par la suite de bitume[1].

Des fouilles du chantier de l'A43 avaient pourtant eu lieu à l'époque. Mais le temps a passé, et l'IRCGN est missionné fin mai 2008, pour reprendre les recherches avec un outil qui n'existait pas à l'époque : le géoradar.

La suite est racontée par le lieutenant-colonel Marc Soulas. « On ne pouvait pas détruire une portion d'autoroute, longue de quatre kilomètres, sur la base d'un unique témoignage, remarque-t-il. C'est pourquoi on avait pensé à nous et à cet instrument très performant que nous utilisions depuis deux ans et demi à l'époque. Il avait été utilisé dans une trentaine d'enquêtes et avait permis de découvrir à trois reprises un cadavre ou des restes humains. »

« Pour la recherche de cadavres, ajoute Marc Soulas, les chiens spécialisés[2] restent aujourd'hui encore notre principale force, et aucun outil technique ne sera sans doute jamais en mesure de pister une odeur cadavérique, surtout en milieu naturel. Mais comment faire si une chape de béton, un mur ou tout autre obstacle susceptible d'emprisonner l'odeur se dresse entre le chien et le corps ? C'est dans ce genre de circonstance que le géoradar peut être d'une aide précieuse. »

L'appareil ressemble à une poussette ou une tondeuse. Il est équipé d'antennes qui envoient sous terre

<hr />

1. On ne connaît pas les détails de l'audition, toujours couverte par le secret de l'instruction.
2. Les chiens du centre de cynophilie de la gendarmerie de Gramat dans le Lot, spécialisés dans la détection de restes humains, ont retrouvé un mois après le tsunami en Asie un squelette sous un éboulement de béton d'une épaisseur d'un mètre.

des ondes électromagnétiques, capables de repérer des « anomalies » à plusieurs mètres de profondeur. Il donne une image du sous-sol. Les ondes sont réfléchies différemment en fonction des différences de densité du terrain. On peut alors détecter des objets de dimensions variables selon le type d'antenne utilisée (quelques centimètres à plus d'un mètre). Un écho radar apparaît alors sur l'écran avec une indication de profondeur.

Marc Soulas avait participé aux tests de ce nouvel engin dès son acquisition par l'IRCGN.

Explications

« Plus la portée du radar est importante, plus la résolution de sondage est faible et donc plus la capacité de détection pour des objets petits sera faible, commente-t-il. Un radar de 200 mégahertz est capable de sonder la terre jusqu'à une profondeur de 4 mètres, mais ne renverra que des images imprécises qui, néanmoins, si elles sont bien interprétées, peuvent nous faire penser qu'il y a quelque chose à découvrir. »

Quelques jours plus tard, sur la portion d'autoroute indiquée par le témoin, l'équipe de l'IRCGN pointe l'antenne du radar légèrement au-dessus du sol sur toute la longueur du tronçon, un travail qui prendra trois jours, « et qui s'est fait en collaboration avec les chiens spécialisés », précise Marc Soulas. « Chaque fois que l'image permettait de découvrir un élément étrange, un simple trou creusé à l'aide d'une longue chignole permettait de l'atteindre. Le chien pouvait ensuite renifler l'émanation et nous indiquer si oui ou non un corps se trouvait sous nos pieds. »

Les bas-côtés de cette portion d'autoroute ont été quadrillés sans succès. Le témoin paraissait pourtant de bonne foi mais peut-être s'est-il simplement trompé.

L'affaire est toujours en cours et l'enquête continue. « Au moins, on a évité la destruction de plusieurs kilomètres d'autoroute pour rien », soupire Marc Soulas, qui ajoute : « Ce travail du "signal électromagnétique" est encore aujourd'hui largement méconnu des juges d'instruction, qui ne pensent pas toujours à l'utiliser lors de la recherche de corps. Pourtant, l'IRCGN envisage de l'employer aussi à l'occasion d'avalanches, ou de recherches sous-marines. Le radar pourrait être un complément appréciable au travail des plongeurs. »

« Grâce à d'autres antennes aux longueurs d'onde plus courtes, nous pouvons aussi sonder les murs d'une maison et obtenir des photographies très précises », continue Marc Soulas qui, photo à l'appui, nous montre la forme d'un pistolet caché derrière une couche de plâtre. « Cette recherche par onde a souvent fait ses preuves à l'occasion de perquisitions dans des locaux susceptibles de contenir des caches de drogue, d'armes ou de bijoux, sans avoir besoin de détruire le lieu pour en avoir le cœur net. »

Sous l'appellation de « Traitement du signal », l'IRCGN regroupe tous les processus d'enquête faisant appel aux ondes électromagnétiques ou laser, ainsi qu'aux signaux audio ou vidéo, comme les enregistrements d'images ou de sons.

L'analyse de conversations téléphoniques, de photographies, ou l'exploitation d'enregistrements de caméras de vidéosurveillance n'ont pas de secret pour ces experts, qui contribuent ainsi à l'élucidation de nombreuses affaires. Les spécialistes de l'informatique sont également souvent mis à contribution depuis la montée en puissance du numérique.

Une des expertises « sonores » qui a beaucoup suscité d'espoir dans le passé, remonte à l'affaire Grégory, à la fin des années 80. Harcelés par un mystérieux corbeau qui leur téléphonait à toutes les heures du jour et de la nuit, depuis des mois, les parents Villemin avaient fini par brancher un modeste enregistreur à cassette sur leur téléphone. Ces cassettes, remises à la justice, ont été conservées sous scellés. Marie-Ange Laroche, la veuve de Bernard Laroche, abattu par Jean-Marie Villemin, en avait demandé par l'intermédiaire de ses avocats de nouvelles expertises. Les parents de Grégory Villemin avaient fait la même démarche. La cour d'appel de Dijon, dans sa décision du 20 octobre 2010, a ordonné de nouvelles recherches ADN sur un certain nombre de scellés et a confié celles des enregistrements de voix du (des) corbeau(x) à l'IRCGN. Quel résultat peut-on espérer ?

« La difficulté sera d'obtenir ou de retrouver des enregistrements de comparaison[1] », explique le colonel Franck Marescal, ancien responsable de la division Ingénierie et numérique, et membre éminent de l'IRCGN depuis 1996. « On utilise d'ailleurs toujours le terme de reconnaissance vocale, précise- t-il. On évite surtout de parler d'empreinte. »

L'empreinte vocale n'existe pas, en effet. À la différence de l'empreinte digitale ou de l'ADN, la voix humaine n'a pas de caractéristiques suffisamment précises pour que l'on puisse sans le moindre risque d'erreur identifier une voix en affirmant qu'il s'agit de celle de telle ou telle personne. Aucun scientifique ne peut prétendre aujourd'hui affirmer avec certitude qu'une voix est authentique, ou trafiquée.

« Certes, des logiciels spécialisés affichent sur écran des longueurs d'onde, ou des spectrogrammes de la voix enregistrée, précise Franck Marescal. On peut constater des "concordances", des "similitudes", mais il est difficile d'aller plus loin. On peut toujours, à titre indicatif,

---

1. Dans sa décision du 20 octobre 2010, la cour d'appel de Dijon suggère une comparaison avec des documents sonores de l'époque « qui ont dû être conservés par l'INA » (Institut national de l'audiovisuel).

demander à un suspect dont une conversation téléphonique aurait été enregistrée, de se prêter à un nouvel enregistrement où on lui fait répéter les mots ou les phrases qu'il est censé avoir prononcé alors qu'il était sur écoute… Les deux enregistrements sont alors juxtaposés grâce à un logiciel dédié, mais le résultat ne peut être admis devant les tribunaux que comme preuve "indicative".

D'ailleurs, ce n'est pas – comme l'ADN ou le sang – en pourcentage que la ressemblance s'apprécie, mais sur une échelle de valeurs graduée de 1 à 7, soit de "très improbable" à "très probable". Et seules les valeurs 1 et 2 (disculpantes) ou 6 et 7 (impliquantes) peuvent être retenues. »

Une autre difficulté, de taille, vient encore compliquer ce genre de travail : la qualité de l'enregistrement.

« Une enquête, basée essentiellement sur des timbres de voix, m'a particulièrement marqué, raconte Franck Marescal. De grands domaines viticoles bordelais étaient régulièrement cambriolés, et le juge d'instruction en charge de l'affaire était parvenu à identifier un auteur présumé, qu'il avait placé sur écoute. Sur l'enregistrement, il apparaissait clairement que ce suspect avait tenté de revendre des lots de bouteilles volées. Problème : cet homme vivait pratiquement 24 heures sur 24 avec ses deux frères. Comment savoir lequel des trois était celui qui était enregistré lors des écoutes téléphoniques ? Le magistrat nous sollicite sur l'affaire et prend soin de ne pas nous préciser l'identité de celui sur qui pèsent ses soupçons, afin de ne pas influencer nos résultats. Sur les cinq ou six enregistrements qu'il nous met à disposition, seuls un ou deux étaient de très mauvaise qualité. Nous avons donc travaillé en priorité sur les trois autres. Nous avons commencé par des traitements de son assez classiques, pour éliminer les bruits de fond et nous nous sommes très vite rendu compte qu'en réalité deux voix distinctes, donc deux des trois frères, étaient impliquées. Qu'en est-il du troisième ? Nous avons alors décidé d'organiser une "parade d'identification" à la façon de celles qui se déroulent dans les commissariats et gendarmeries, lorsque les suspects sont présentés au témoin derrière un miroir sans tain. Sauf que c'est à l'oreille des experts que celle-ci s'adressait. »

Les trois frères sont alors convoqués pour une séance d'enregistrement qui va durer plusieurs heures. Les enquêteurs veulent leur faire prononcer des phrases identiques à celles enregistrées pendant les écoutes, afin d'obtenir des points de comparaison avec l'enregistrement original. « Pour obtenir ces références, la meilleure façon était de procéder nous-mêmes à cet enregistrement, avec notre matériel, en essayant de mettre les frères dans les conditions psychologiques les plus proches de l'appel téléphonique à analyser.

Lorsque nous organisons ce genre d'audition, certaines personnes peuvent être intimidées par le matériel utilisé (casque, microphone, téléphone). Il a donc fallu les mettre en confiance. Tout en les enregistrant, nous leur avons posé de nombreuses questions qui semblaient complètement anodines, inutiles et qui semblaient ne pas concerner l'enquête. Je me souviens que nous avions, par exemple, largement commenté avec eux un match de foot qui s'était joué la veille, de façon à les faire parler le plus naturellement possible. Nous avons également joué aux cartes ! Cela peut sembler surprenant, mais en réalité *quand la personne se prend au jeu, et oublie qu'elle est enregistrée, tous ses tics de parole deviennent alors incontrôlables. Ce qui nous est évidemment très profitable.* »

À l'issue de la partie (de poker !), *les experts ont pu désigner au juge les deux coupables.*

Dans la majorité des affaires, l'exercice de comparaison de voix est loin d'être aussi aisé. Dans le cas qui vient d'être évoqué, le lieutenant-colonel Marescal avait eu la chance de disposer d'enregistrements longs, et de qualité correcte, où l'intonation générale des suspects était la plupart du temps perceptible parce qu'ils parlaient d'une voix posée, tranquille. Bien souvent malheureusement, la majorité des écoutes recueillies sont courtes. Les voix sont stressées, véhémentes. Il arrive que les personnes qui parlent expriment de l'irritation, de l'exaspération, voire de la colère ! Il est dans ce cas beaucoup plus difficile de reproduire ce contexte pendant l'exercice de comparaison sans risquer de se heurter aux droits de la défense les plus élémentaires : « Si nous devions provoquer la fureur chez la personne enregistrée, nul doute qu'on nous le reprocherait avec vigueur, sourit Franck Marescal. D'une manière générale, s'il y a trop de problème de bruit d'ambiance, ou si la durée d'enregistrement est trop courte, ou encore si les voix sont trop lointaines, il ne faut pas tenter d'identifier les voix dans ces conditions ! C'est notre position au laboratoire, compte tenu de notre longue expérience dans ce domaine. Nous connaissons les limites de l'exercice. Si l'on est hors des limites, on ne peut pas le faire. Cela serait contre-productif et risquerait de mettre en doute la valeur des expertises devant les tribunaux. On sait que c'est un domaine dans lequel on ne peut pas être sûr à cent pour cent. »

Quid des accents ? Et des langues étrangères ? Représentent-ils une difficulté supplémentaire ?

« Nous disposons de bases de données, qui sont constituées d'enregistrements de toutes les catégories de la population, hommes, femmes, jeunes, personnes âgées, avec des accents régionaux ou étrangers, explique Franck Marescal. Il faut ensuite comparer certains de ces éléments avec la source. L'expert est là pour aider dans la mesure du possible à mettre en évidence les caractéristiques d'une voix, déterminer éventuellement son origine régionale ou sa nationalité, confirmer qu'il s'agit d'une voix féminine ou masculine, et surtout rester le plus objectif possible ! Pour cela, les informations transmises par les enquêteurs avec le dossier sont capitales parce qu'elles guident notre travail. Par exemple, si, pour une raison ou pour une autre, l'enquête a déterminé que la voix que nous devons analyser est celle d'un homme – même si elle est très aiguë –, nous irons alors chercher dans les bases de données "hommes". En général, la fréquence de vibration des cordes vocales est assez caractéristique du sexe du locuteur. Elle est, en moyenne de 130 hertz par seconde pour un homme, et de 200 hertz pour une femme. Mais il y a quand même une sorte de petit chevauchement de ces valeurs, qui concerne quatre à cinq pour cent des voix ; Il est alors difficile de trancher sur ce seul critère. Mais, d'affaire en affaire, notre base de données s'enrichit et nous permet d'affiner au mieux nos analyses. »

L'enregistrement de la voix est un élément qui prend de plus en plus d'importance actuellement dans les dossiers judiciaires. On pense d'abord aux écoutes requises par la justice ou par les services d'enquêtes ; mais l'usage généralisé du téléphone portable nous donne accès à de nombreuses autres sources ! Certes les opérateurs téléphoniques ne peuvent pas conserver en mémoire toutes les conversations de leurs clients, mais un certain nombre de nos conversations qui passent par des numéros spécialisés sont enregistrées par ces correspondants, notamment dans le cadre de contrôle qualité. Ainsi lorsque nous appelons le service client de notre opérateur de téléphonie ou d'Internet, les services commerciaux d'Air France, d'EDF, de la SNCF, ou encore telle ou telle chaîne de grands magasins, un disque nous signale que notre conversation est susceptible d'être enregistrée. Et ces documents sont archivés un certain temps. Si la justice a besoin d'identifier une voix aux fins de comparaison, elle peut solliciter la multitude d'entreprises qui conservent ces conversations.

Bien évidemment tous les appels vers des numéros d'urgence sont enregistrés. C'est ce qui s'est passé en 2002, dans une affaire criminelle qui a fait la une de l'actualité : l'affaire Élodie Kulik.

Tout commence le 10 janvier 2002, à 0 h 21. À cet instant, les pompiers de Péronne reçoivent un appel sur le 18. La conversation, comme le veut l'usage, est enregistrée. C'est une jeune femme qui parle, ou plutôt qui hurle. Elle semble terrorisée. Ses propos sont confus, elle évoque un accident de la route. Au bout de 26 secondes, la communication est coupée. Il n'y aura pas de second appel…

Deux jours plus tard, le corps d'Élodie Kulik est retrouvé dénudé et brûlé sur un chemin de terre, près de Tertry, un petit village de la Somme. Elle a été violée. À six kilomètres de là, en bordure de la départementale 44, sa Peugeot 106 rouge a été abandonnée en plein champ avec la clé sur le contact. Élodie Kulik avait 24 ans. L'autopsie révélera qu'elle a été étranglée avant d'être violée.

Jolie, prévenante, intelligente, toujours de bonne humeur, Élodie Kulik était, à l'époque, la plus jeune directrice d'agence bancaire en France. Le soir du 10 janvier, elle quitte son bureau de la banque de Picardie à Péronne, une ville de la Somme située à une cinquantaine de kilomètres à l'est d'Amiens. Elle rejoint un ami avec qui elle a prévu de dîner à Saint-Quentin, au « Nouveau Pavillon de Shangaï », un restaurant asiatique considéré comme le meilleur de la région. Après le dîner, elle prend un dernier thé au domicile de son ami, avant de reprendre la route pour rentrer à Péronne.

Il est 23 h 30 lorsqu'elle s'installe au volant de sa Peugeot 106 rouge. Ensuite, elle emprunte la route départementale très peu fréquentée à cette heure-là. Il fait froid. La route est gelée, la circulation est difficile à cause du brouillard.

À 0 h 21, c'est l'appel dramatique reçu par les pompiers de Péronne. Le lendemain, la voiture accidentée est retrouvée abandonnée, portière ouverte, au bord de la route départementale. Puis, au matin du 12 janvier, le corps d'Élodie, partiellement dénudé et brûlé, est retrouvé à six kilomètres de là par un agriculteur, sur les anciennes pistes de l'aérodrome de Tertry, à proximité de l'usine Bonduelle d'Estrées-Mons.

L'enquête

Pour les gendarmes, l'enquête commence par de nombreuses questions : comment les agresseurs ont-ils abordé la jeune femme et combien étaient-ils ? L'accident de voiture précédant le crime était-il volontaire ou non ? Élodie connaissait-elle ses agresseurs ?

Dès le début de leurs investigations les gendarmes n'excluent pas que les assassins d'Élodie soient des habitants de la région proche de la scène de crime. En effet, le lieu où on a retrouvé le corps, « la piste des avions » comme disent les gens du coin, est ce qui reste d'un aérodrome désaffecté après la Seconde Guerre mondiale. Il est difficile d'y accéder quand on ne connaît pas la région. Depuis la route départementale, le chemin qui y mène est invisible, surtout par temps de brouillard, comme c'était le cas la nuit du drame. Il y a aussi un autre point troublant : l'essence qui a servi à brûler le corps. Soit les tueurs la transportaient avec eux comme les gens le font à la campagne, soit ils sont allés récupérer chez eux un jerrican. Et puis il y a enfin cette camionnette blanche aperçue la nuit du meurtre par plusieurs témoins. Justement, une camionnette blanche a été volée cette même nuit à Eppeville, le village voisin. Les gendarmes n'ont jamais retrouvé ce véhicule.

En revanche, un certain nombre d'indices matériels sont relevés : plusieurs ADN « complexes », mais aussi et surtout, l'ADN nucléaire du violeur retrouvé sur la victime et dans un préservatif abandonné sur place.

Aujourd'hui encore, les assassins n'ont toujours pas été appréhendés. 5 000 prélèvements ADN ont été effectués depuis 2002, aux fins de comparaison avec les empreintes du fichier FNAEG[1]. Une cellule « Élodie Kulik[2] » centralise à la section de recherches d'Amiens, les 9 500 pièces de procédure de l'enquête, ainsi que toutes les informations, tous les recoupements effectués à l'occasion d'autres affaires peut-être liées à la mort d'Élodie Kulik[3].

La justice dispose donc de plusieurs ADN, mais aussi de l'enregistrement de l'appel téléphonique. Franck Marescal : « Élodie Kulik a composé le 18, alors que ses agresseurs étaient présents. Derrière ses propos, on distingue des voix d'hommes. Lorsque le juge d'instruction nous confie l'enregistrement, sa question est de savoir si on peut rendre intelligibles *les bruits alentour, et surtout déterminer le nombre d'agresseurs, dont les premiers*

1. Le Fichier national automatisé des empreintes génétiques (FNAEG), créé en 1998, est un fichier commun à la police nationale et à la gendarmerie, qui gère les traces d'ADN prélevées au cours des enquêtes. Cette base de données se trouve à la Sous-direction de la police technique et scientifique (SDPTS), basée à Ecully, dans le Rhône.
2. Cette cellule est toujours active en 2011. En cas de renseignements, n'hésitez pas à contacter la gendarmerie : Section de recherches, 107 rue d'Elbeuf, 80000 Amiens Cedex – Tél. : 03 22 53 69 10 ou 06 11 56 54 49 – e-mail : cellule.elodiekulik@live.fr
3. Au mois de juillet 2002, Patricia Leclercq, 19 ans, connaît le même sort. Un mois plus tard, Christelle Dubuisson, 18 ans, est tuée à l'arme blanche. Un homme, Jean-Paul Leconte, a été condamné pour les meurtres de Patricia et de Christelle. Personne ne l'a encore été pour celui d'Élodie.

auditeurs de la bande pensaient discerner les voix. Nous avons passé l'enregistrement dans tous les logiciels de traitements sonores possibles. Que disent ces voix ? S'échangent-ils des prénoms ? Entre le moment où la victime a pu passer le coup de téléphone et celui où les agresseurs se sont rendu compte que l'appareil était en ligne, il se passe un peu moins de 30 secondes. Ce document est précieux pour nous, mais aussi difficilement exploitable, car l'opératrice des pompiers, inquiète à juste titre, ne cesse de parler. On l'entend questionner sans cesse : "Allô, Codis, j'écoute… Madame ? Vous m'entendez ?…" ce qui couvre l'essentiel du son de l'action. Et nous ne sommes pas, et ne serons probablement jamais, en mesure d'effacer un son au bénéfice d'un autre. »

Ce cas concret fait aujourd'hui partie de la formation de la plupart des réceptionnistes de numéros d'urgence, qui doivent respecter des temps de silence afin que l'enregistrement soit plus tard exploitable par la police scientifique si besoin, au risque d'agacer les interlocuteurs.

« En tout, nous disposions de 26 secondes d'enregistrement certes très difficile à analyser, mais, aujourd'hui, nous avons identifié au moins deux voix d'hommes et nous avons même découvert l'existence d'une troisième personne. Nous ne pouvons malheureusement pas en dire plus. »

Faire parler les boîtes noires

Le principal travail d'analyse en matière d'enregistrement sonore concerne toutefois les catastrophes aériennes. Pionnier en matière d'analyse de boîtes noires, l'IRCGN est devenu au fil du temps un spécialiste de l'aide technique aux enquêtes judiciaires concernant les crashes d'avion. « Le BEA[1] réalise l'enquête de sécurité des crashes, explique Marc Soulas. Notre rôle est d'apporter un appui technique à l'enquête judiciaire. » La toute première mission de ce type remonte au crash d'Habsheim, le 26 juin 1988[2]. Ce jour-là, un Airbus A320 était tombé dans une forêt près de Mulhouse, causant la mort de trois passagers. Pour la première fois, la lecture des boîtes noires a été confiée à l'IRCGN. Suivront les analyses du crash du mont Sainte-Odile en 1992. Et, plus tard, comme nous le racontons ensuite, l'analyse de l'enregistreur CVR (Cockpit Voice Recorder) du Concorde d'Air France à destination de New York, qui s'est écrasé le 25 juillet 2000 sur un hôtel de Gonesse, peu après son décollage de Roissy-Charles de Gaulle[3].

Qu'est-ce qu'une boîte noire[4] ?

Franck Marescal commence par un préalable : « Il existe de nombreux fantasmes à propos de ces fameux

1. Le BEA, ou Bureau d'enquêtes et d'analyses pour la sécurité de l'aviation civile, est l'autorité responsable des enquêtes de sécurité dans l'aviation civile.

2. Le vol 296 d'Air France est un vol de démonstration de l'Airbus A320, lors d'un meeting aérien à Habsheim dans le sud de l'Alsace, qui s'est terminé par l'écrasement de l'appareil. Outre les 6 membres d'équipage, il transporte 130 passagers pour ce court vol de démonstration, quelques journalistes et des personnes faisant un baptême de l'air sur cette nouvelle génération d'appareils d'Airbus. Le commandant de bord rate son atterrissage et l'avion s'écrase en bout de piste sur la forêt.

3. Le vol 4590 d'Air France a duré une minute vingt-huit secondes. Les 109 occupants de l'appareil ont été tués, ainsi que quatre personnes qui se trouvaient dans l'hôtel au moment du crash.

4. Une boîte noire est un dispositif qui enregistre certaines données de vol de l'avion, dont l'analyse aide à déterminer les causes d'un incident ou d'un accident. Dans la pratique, les boîtes noires sont de couleur orange ou rouge, ce qui facilite la recherche si l'avion est détruit. Les deux boîtes noires (FDR Flight Data Recorder, et CVR Cockpit Voice Recorder) sont

enregistreurs censés recueillir l'intégralité des données de vol, et délivrer – comme une parole divine – les raisons d'un accident. Il n'en est rien dans la réalité ! Les enregistreurs n'analysent pas l'accident, ce sont les spécialistes qui peuvent le faire en interprétant les données.

Les deux boîtes noires ne recueillent que des données basiques. La première enregistre tout au long du vol des paramètres comme les coordonnées géographiques, les vitesses et la hauteur de l'appareil. La seconde, tout aussi intéressante, enregistre, justement, le son de la cabine de pilotage. Et cette sorte de dictaphone ultra-résistant, le Cockpit Voice Recorder, nécessite précisément l'attention des experts… Dans tous les crashes, explique Franck Marescal, lorsque nous recevons le CVR, la première étape est de retranscrire les échanges entre les pilotes et la tour de contrôle, et les conversations des deux pilotes entre eux. » Ensuite, le véritable travail commence. Prenons l'exemple d'un des accidents d'avion les plus médiatisés de ces trente dernières années, celui du Concorde[1] : « L'enregistrement du CVR met en évidence toutes sortes de bruits d'ambiance qui peuvent être couverts – mais pas toujours – par les voix des pilotes. C'est d'abord le son des alarmes, puis des cris ou des interjections. Une écoute toujours très difficile à interpréter pour les experts. Notre objectif est de mettre sur papier tout ce qui a été dit, par qui, et à quel moment précis. Ensuite, il faut identifier les nombreux bruits de la cabine, tenter d'identifier quelles alarmes se sont déclenchées, et éventuellement savoir celles qui ne se sont pas déclenchées. » Les enquêteurs

---

placées à l'arrière de l'avion car c'est la partie qui est généralement la mieux conservée lors d'un impact avec le sol ou la mer.
1. Le 25 juillet 2000, le Concorde opérant le vol 4590 d'Air France à destination de New York s'écrase sur un hôtel à Gonesse. Il s'agit du seul accident aérien impliquant le Concorde.

disposent pour cela de quatre pistes d'enregistrement. Les deux premières sont celles des microphones du pilote et du copilote. La troisième enregistre les liaisons radio avec les tours de contrôle. La dernière capte uniquement le son d'ambiance à l'intérieur du cockpit.

« Une fois encore, précise Franck Marescal, l'expertise n'est possible qu'avec une source de comparaison. »

C'est la raison pour laquelle les gendarmes, à la fin de l'année 2000, vont réquisitionner un Concorde dont ils ne pourront disposer, sur autorisation d'Air France, qu'une seule journée ! « En 24 heures, se souvient Franck Marescal, il a fallu enregistrer tous les bruits, toutes les alarmes, tous les sons de comparaison. »

Les spécialistes de l'IRCGN vont procéder de la manière suivante : d'abord placer à l'endroit du microphone raccordé au CVR un micro et un enregistreur de même marque. Puis, un commandant de bord chevronné, dont la présence avait été requise, actionne successivement, à la demande des enquêteurs, tous les interrupteurs et toutes les commandes qui sont mis en œuvre par l'équipage au cours d'un décollage et dans la phase de montée de l'appareil. « Un travail de titan, précise le colonel, car chaque cliquetis devait être identifié et soigneusement répertorié. Nous identifions ainsi la sortie des volets, l'enclenchement du dégivrage… Il faut donner une signification à toutes les manœuvres qui produisent un bruit, même le plus infime. »

Il aura fallu ensuite plusieurs longues semaines aux experts de l'IRCGN pour reconnaître, par comparaison, chaque bruit enregistré par la piste dédiée du CVR, mais ils ont finalement réussi à reconstituer intégralement les faits et gestes du pilote et du copilote pendant la minute et les vingt-huit secondes qu'a duré le vol.

Entre-temps, les responsables de l'enquête technique du BEA, qui savent que le pilote n'a pas pu rentrer le train d'atterrissage, vraisemblablement parce que le circuit électrique du train gauche était endommagé, cherchent une cause possible qui expliquerait cette panne. En tenant compte des témoignages visuels et de la vidéo du Concorde en feu, filmée par un touriste, ils en viennent à soupçonner l'éclatement d'un pneu [1]. L'IRCGN est à nouveau aussitôt sollicité : « Il nous a alors été demandé de reprendre l'écoute du CVR afin de voir (ou plutôt d'entendre !) si le bruit de l'explosion d'un pneu au moment du décollage avait été enregistré, et de déterminer, dans cette éventualité, si le pneu avait explosé avant le réservoir gauche, ou après ! La première chose que nous avons dû faire, toujours dans un but de comparaison, a été d'enregistrer un pneu qui explose, pour connaître la nature de ce type de bruit. Nous nous sommes alors rendus à Toulouse, où Air France dispose d'un centre d'essai consacré aux pneus d'avion. Avec leur aide, nous avons recréé exactement les conditions de décollage du Concorde. Nous avons procédé à plusieurs éclatements, notamment à l'aide d'une copie de la fameuse lamelle perdue par l'avion ayant précédé le Concorde sur la piste. Chaque éclatement a été enregistré. Mais nous n'avons malheureusement jamais pu retrouver ce bruit. Il n'y avait rien d'étonnant à cela, dans la mesure où le CVR n'enregistre que ce qu'il perçoit dans le cockpit, et compte tenu du bruit incroyable que produisent les réacteurs au décollage, il y avait fort peu de chances. Mais on a essayé ! »

Autre question habituelle des juges d'instruction chargés de l'enquête sur un crash aérien : est-il possible que l'accident soit la conséquence d'un attentat ?

---

1. L'accident a été provoqué, en effet, par l'éclatement d'un pneu à cause d'une lamelle métallique perdue sur la piste de Roissy par un DC10 de Continental Airlines qui avait décollé juste avant. Le choc des débris du pneu sous l'aile gauche a fait éclater de l'intérieur une partie du réservoir de carburant, cause de l'incendie fatal qui allait provoquer le crash.

Pour ne pas être pris de court, et en collaboration avec plusieurs polices européennes, l'IRCGN a procédé il y a quelques années à plusieurs plastiquages de carlingue, à l'aide d'explosifs différents. La comparaison était possible. Mais c'est bien un accident qui a causé la perte du Concorde.

« J'ai tué Untel »

On dit souvent que le diable est dans les détails. En matière d'expertise de documents sonores, on peut dire qu'il se cache plutôt dans le numérique... Il est en effet devenu possible, grâce au numérique, de trafiquer par malveillance n'importe quel enregistrement sonore. Le « montage » que tous les techniciens connaissent est beaucoup plus facile à réaliser qu'avec un enregistrement analogique. Le numérique a transformé les bandes magnétiques en objets de musée ! Avec le numérique, le support est devenu immatériel.

Pourtant, les gendarmes en blouse blanche ont fini par trouver la parade. C'est sans doute une des plus grandes avancées de la police scientifique dont la découverte a été faite... presque par hasard. En voici l'histoire.

Le point de départ de la découverte qui allait permettre aux experts de l'IRCGN de détecter toute tentative de manipulation d'un enregistrement sonore, remonte à l'affaire Elf[1]. Une affaire aux ramifications

1. Cette vaste et longue affaire politico-financière a éclaté en 1994, suite à une enquête de la Commission des opérations boursières (aujourd'hui AMF) sur le financement de l'entreprise textile Bidermann par Elf. L'instruction de la juge Eva Joly va rapidement mettre au jour un impressionnant réseau de corruption mettant en cause hommes politiques et grands patrons. L'entreprise, basée en France, est devenue au fil des fusions un géant du pétrole et aurait bénéficié de la bienveillance de l'exécutif français qui considère l'approvisionnement en pétrole comme un domaine stratégique.

tentaculaires avec des réseaux parallèles de financement et d'influence, dont les épisodes les plus médiatiques furent sans conteste la fuite d'Alfred Sirven, homme d'affaires soupçonné d'avoir détourné plus d'un milliard de francs de l'époque, ou encore la fameuse implication de Christine Deviers-Joncour dans la vente de frégates à Taiwan, et qui donna lieu à des commissions occultes considérables. « Dans ces affaires, se souvient Franck Marescal, nous étions face à une multitude d'enregistrements. La plupart ne provenaient pas d'écoutes judiciaires. Il s'agissait plutôt d'enregistrements pirates, réalisés par certains des protagonistes dans le plus grand secret, en vue de se "protéger", dans l'avenir, de leurs propres partenaires. » Les deux principales juges d'instruction de l'affaire, Eva Joly et Laurence Vichnievsky, se demandaient si ces bandes étaient authentiques, et si les propos tenus par les personnes enregistrées n'avaient pas été modifiés astucieusement pour les mettre en cause comme complices. Autrement dit, ces bandes étaient-elles manipulées ? tronquées ? Y avait-il eu montage ? »

Après expertise, les spécialistes de l'IRCGN ont pu affirmer catégoriquement aux juges d'instruction que ces enregistrements étaient parfaitement authentiques. L'explication est un peu technique, mais elle vaut d'être racontée en détail, comme l'a fait pour nous le lieutenant-colonel Marescal.

La parade : le 50 Hertz !

Une méthode classique, toujours en cours, pour savoir si un document sonore a été ou non trafiqué, est de repérer sur une bande analogique les infimes ruptures que des coupes de montage produisent dans le bruit de fond de l'enregistrement. On s'aperçoit aussi facilement des petites altérations de la respiration de celui ou de celle qui parle lorsque ses propos ont été « montés ». « On voit donc très vite s'il y a manipulation, explique Franck Marescal. Quand on utilise un enregistreur à bande, chaque pause, chaque action laisse une trace.

Le montage en numérique, lui, est parfait puisqu'il est réalisé virtuellement sur un écran d'ordinateur. Ce n'est plus du montage audio, c'est de l'informatique ! Ainsi, dans bien des cas, il peut être impossible de se faire un avis sur l'authenticité d'un enregistrement numérique. Mais il existe une parade très utile pour mettre un faux document en évidence : le 50 Hz ! »

Il faut savoir que nous baignons en permanence dans un champ électromagnétique dès lors que nous sommes à proximité d'un appareil relié au réseau électrique. Ce qui en définitive est presque toujours le cas ! Ordinateur, réfrigérateur, machine à café, ascenseur, lampadaire… tous ces objets familiers délivrent un bruit de fond très faible, une « microvibration » de 50 hertz, due au réseau électrique que captent la plupart des enregistrements ! Or, cette vibration de 50 Hz a la particularité de subir d'infimes variations qui se propagent uniformément sur tout le réseau électrique. « Les variations du 50 Hz sont identiques en tout point de nos réseaux de distribution européens qui sont totalement interconnectés de l'Espagne à la Pologne, explique Marc Soulas. Dès la découverte de ce phénomène, la vibration d'ambiance a été enregistrée en permanence par de nombreuses polices dans le monde, sur des "banques de données témoins", car elle permet de dater précisément n'importe quel enregistrement qui comporte ce signal à 50 Hz ! »

« Le principe est simple, continue Marc Soulas. Nous récupérons ce signal, lorsqu'il est présent, sur chaque enregistrement que nous expertisons et nous comparons ses variations avec nos enregistrements de référence. L'opération prend quelques minutes à un ordinateur pour dater, à quelques secondes près, les enregistrements qui présentent ce signal à 50 Hz. La conséquence évidente, c'est qu'il nous est alors possible de déterminer si un enregistrement a été trafiqué ou non », qu'il soit analogique… ou numérique.

Prenons l'exemple d'un enregistrement où une personne déclare à une autre « *J'ai tué le temps en attendant Untel* ». Si le codage est numérique, il est aisé pour quiconque de réduire cette phrase pour faire déclarer au locuteur : « J'ai tué Untel ». La coupe ne pourra pas être repérée à l'oreille, mais la microvibration aura, elle, été interrompue dans sa continuité. La police scientifique et technique pourra immédiatement dater la première partie de la phrase, puis la seconde. Et si elle est incapable de reconstituer les mots manquants (« *le temps en attendant* »), elle saura au moins combien de secondes séparent la première partie de la déclaration de la deuxième, et conclure sans le moindre doute à une manipulation.

Cette méthode est utilisée par les militaires et les services de contre-espionnage, notamment pour sourcer l'origine d'un enregistrement et dater précisément les documents audio et vidéo de terroristes, ou d'otages.

L'image

Si les séries télévisées s'inspirent bien souvent d'histoires réelles et de techniques éprouvées de la police scientifique, elles sont aussi sujettes à l'exagération. Ainsi voit-on régulièrement des agents installés devant des ordinateurs trafiquer des photographies ou des vidéos de mauvaise qualité, jusqu'à en faire apparaître les plus petits détails qui, sans coup férir, confondent le suspect. Dans la vie réelle, il n'en est rien.

« Un pixel est un pixel ! martèle Marc Soulas. Et rien ne peut nous permettre d'augmenter la définition d'une image. »

Comme pour l'audio qui est passé de l'analogique au numérique, la photo est passée de l'argentique au numérique. Les logiciels de traitement de l'image peuvent jouer sur le contraste, la luminosité, avec des logiciels bien plus puissants que ceux du commerce. Mais rien ne pourra jamais rajouter une information réelle à une image qui souffre d'un manque de définition ou d'un taux de compression excessif.

« Travailler sur une seule image donne souvent des résultats assez limités, confirme Marc Soulas. Mais fort heureusement, il est rare que nous ne disposions, justement, que d'une seule image. » C'est au tournant des années 2000 que le labo « Image » de l'IRCGN a définitivement pris son essor, avec la généralisation de la vidéosurveillance.

Les premières lois sur la vidéosurveillance datent de 1995, mais il faudra attendre quelques années avant que sa pratique se généralise, non sans soulever de nombreux débats. « Il est vrai que nous sommes très souvent tombés sur des images de vidéosurveillance censée contrôler les allées et venues, notamment dans des banques, mais qui en réalité étaient pointées sur les employés », se désole Marc Soulas.

La généralisation de ces appareils a connu un véritable essor au début du siècle, si bien qu'aujourd'hui en France, 35 000 caméras surveillent l'espace public, avec un total évalué à 340 000 caméras autorisées en France, contre plusieurs millions en Grande-Bretagne[1] ! Des

1. Le nombre de caméras de vidéosurveillance en Grande-Bretagne est généralement évalué à plus de 4 millions, soit une caméra pour 14 citoyens britanniques. La Grande-Bretagne est le pays le plus équipé au monde dans ce domaine. Il semble que le bilan de l'efficacité de ce système généralisé

caméras souvent de mauvaise qualité, mal utilisées, aux cadres improbables, qui vont longtemps faire le bonheur des criminels. « Il m'est arrivé de saisir des cassettes VHS qui n'avaient pas été changées depuis plus de dix ans, raconte Marc Soulas. Inutile de préciser qu'il y a bien longtemps qu'elles n'enregistraient plus rien. »

Pour remédier à la situation, l'IRCGN organise en 2001, une conférence où sont invités les responsables de sécurité des principales entreprises ayant vocation à utiliser la vidéosurveillance : banques, stations-service, grandes surfaces, etc. « Nous avons commencé par leur diffuser notre bêtisier, s'amuse encore Marc Soulas. Nous avions sélectionné, par exemple, des images tragicomiques d'un braquage dans une agence bancaire. Pendant que les malfaiteurs étaient en action, la scène qui aurait pu nous être précieuse, était entièrement cachée par… le yucca, qui avait été manifestement bien soigné. » Suivent d'autres exemples tout aussi cocasses. L'assistance est atterrée. « Depuis, ils ont fait de gros progrès. »

La qualité des images a elle aussi progressé, explique Franck Marescal. Mais tous les problèmes n'ont pas été résolus : « Avec l'arrivée du numérique, on imaginait qu'enfin on allait pouvoir travailler sur des images de bonne qualité. Mais c'était sans compter sur la compression des fichiers. Une image JPEG, ou une vidéo MPEG, reste un fichier compressé, dont une partie plus ou moins importante des informations d'origine a été supprimée, pour des raisons de stockage de mémoire. Or, plus un fichier est compressé, plus la qualité de l'image est mau-

---

soit assez critique. Les policiers de Scotland Yard estiment généralement que l'omniprésence des caméras n'a pas amélioré considérablement le taux d'élucidation des violences sur la voie publique à Londres (3 % d'affaires résolues). En fait, la police manque de personnels et de moyens pour analyser les informations et pour gérer le flux considérable d'images. Les autorités considèrent cependant que les caméras ont un effet dissuasif sur la petite criminalité.

vaise. D'autre part, quand on dit au système d'enregistrer trois images par seconde au lieu des vingt-cinq images traditionnelles, cela va prendre huit fois moins de place, mais la qualité est *in fine* pire qu'avant[1] !

Ces mauvaises décisions étaient prises bien souvent pour des raisons économiques. Les disques durs avaient des capacités qui plafonnaient au mieux à quelques giga-octets. On essayait de mettre le maximum d'images dessus pour limiter les frais…

Aujourd'hui, nous arrivons à des capacités de mémoire, et donc de stockage, presque illimitées. Les choix de positionnement des caméras se sont aussi bien améliorés. Nous pouvons enfin travailler avec une meilleure efficacité. Mais il reste encore beaucoup de systèmes d'enregistrement inadaptés aux enjeux. »

Direction la salle du département « Signal Image Parole » de l'IRCGN, pour une brève visite guidée.

On y trouve une multitude de magnétoscopes, allant du très ancien V2000 au Beta numérique dernier cri utilisé par les chaînes de télévision. « Nous devons savoir tout lire. Les enregistrements de vidéosur-veillance, mais aussi les cassettes Vidéo8 familiales, et les anciennes VHS sur lesquelles peuvent être stockées des images pédophiles. L'essentiel de notre travail consiste à identifier sur les images des visages, des tenues vestimentaires, des véhicules, et/ou leurs plaques d'immatriculation, mais aussi nous pouvons donner des informations aux enquêteurs sur le modus operandi des malfaiteurs », explique Marc Soulas.

« Si une image isolée ne peut guère être améliorée, il est parfois possible d'améliorer la résolution d'une

---

1. Un décret du ministère de l'Intérieur du 3 août 2007, portant définition des normes techniques des systèmes de vidéosurveillance, fixe la fréquence minimale des flux vidéo de 6 à 12 images/s en fonction de leur spécificité.

image provenant d'une séquence vidéo, en utilisant des traitements numériques qui combinent et fusionnent des informations issues de l'ensemble des images de la séquence[1]. »

Marc Soulas nous montre, sur l'écran d'un technicien, un enregistrement vidéo où l'on voit une voiture sombre, manifestement filmée grâce à une caméra de vidéosurveillance, traverser le champ. À son bord, on distingue mal la présence à bord du véhicule de deux ou trois individus. Le passage, assez flou, dure à peine une seconde ! « Ce sont des fuyards, précise-t-il. Le travail du technicien consiste néanmoins à trouver des indices, grâce aux algorithmes de super résolution. » C'est un travail qui va prendre plusieurs heures. D'abord, le technicien décompose la séquence vidéo en 12 images fixes, qu'il traite afin d'améliorer le contraste. « Au fil des opérations, on s'aperçoit que tout n'est pas flou tout le temps, commente le technicien. Ainsi, il est possible par exemple que sur la première image, une petite partie de la plaque d'immatriculation soit nette. Puis qu'une autre partie de cette même plaque soit de nouveau nette à la septième image, par exemple.

Toutes les zones exploitables de chaque image sont repérées avant d'être traitées par le logiciel de super résolution. Des calculs sont appliqués à l'ensemble des images, qui sont finalement fusionnées pour obtenir une image finale exploitable, et il arrive que nous parvenions à des résultats intéressants. »

En assemblant les pixels exploitables de chacune des 12 images dont il dispose, le technicien parvient en effet, au bout de quelques heures, à créer une treizième

1. La « Super Resolution Technology » (SRT), utilisée en police scientifique, est en passe de révolutionner le marché du DVD et celui du cinéma. Elle permettra par exemple de diffuser sur DVD ou sur grand écran, des films anciens en améliorant considérablement leur qualité.

image, de bien meilleure qualité. Comme par magie, plusieurs caractères de la plaque d'immatriculation deviennent parfaitement lisibles ! Complétés par l'identification de la marque et du modèle de véhicule visible sur cette vidéo, ces précieux éléments permettront d'orienter les recherches des enquêteurs. « Ensuite, ajoute Marc Soulas en souriant, l'enquêteur pourra lancer une requête dans le fichier des véhicules volés, à partir des nouveaux éléments d'identification que nous avons pu récupérer. »

Un autre axe de recherche du département « Signal Image Parole » concerne la comparaison de visages. Un exemple de cas concret : un individu réalise un retrait sur un distributeur automatique de billets, avec une carte bancaire volée. Lors de son action, son visage est enregistré par une caméra de vidéosurveillance, intégrée au distributeur. Un des objectifs des enquêteurs sera alors de donner une identité à ce visage, pour remonter à l'éventuel auteur du vol de la carte bancaire. Selon le cas, deux approches techniques peuvent être envisagées :

– Les enquêteurs, pour orienter leurs investigations, souhaiteraient savoir si ce visage pourrait ressembler à une des milliers de photographies anthropométriques figurant dans les fichiers centraux judiciaires, regroupant les informations concernant les auteurs d'infraction. Pour répondre à cette question, il existe aujourd'hui des logiciels qui automatisent ce type de recherche, avec des performances intéressantes [1]. Les résultats se présentent

1. Un logiciel de reconnaissance des visages, développé par l'université américaine du MIT, s'appuie sur la numérisation des points caractéristiques de la face. Il permet, à partir de l'image scannée d'un visage, de déterminer une trentaine d'éléments significatifs, tels que distance entre les yeux, forme des oreilles, ampleur du front. Mais ce « tracé géométrique personnel » pose plusieurs problèmes. Même si les logiciels d'analyse sont de plus en plus sophistiqués, un visage peut changer (barbe, moustache, lunettes) et l'image de contrôle doit être prise dans de très bonnes

sous la forme d'une liste de personnes pouvant ressembler au visage inconnu, sans pour autant en faire d'emblée des suspects. Ces résultats pourront éventuellement permettre aux enquêteurs d'orienter leurs investigations.

– Les enquêteurs disposent d'un suspect bien identifié et voudraient savoir si ce suspect peut correspondre au visage enregistré par le système de vidéosurveillance. Ce type de comparaison, à distinguer du processus précédent de recherche automatisée au sein d'une base de données de photographies de visages, peut s'avérer bien plus complexe et sensible qu'il n'y paraît au premier abord. Il est en effet très dépendant de la qualité des images de vidéosurveillance, comme l'est aussi le processus automatisé, à la différence près que les conclusions n'ont pas le même objectif !

Le processus automatique n'a pas d'autre ambition que d'extraire d'une base de données une liste de personnes pouvant ressembler au visage inconnu, dans le seul but de donner d'éventuelles orientations aux enquêteurs. Alors que, dans le cas présent, l'attente des enquêteurs est de savoir si leur suspect est bien – ou n'est pas du tout – l'individu enregistré devant le distributeur automatique de billets. Or, il est très difficile, voire impossible, de répondre clairement à ces attentes…

Notre visage pourrait-il un jour devenir une « empreinte » fiable, au même titre que l'ADN ?

« Une fois encore, aucune technique n'est aujourd'hui en mesure de reconnaître sans erreur un visage, conclut Marc Soulas[1]. Les progrès réalisés depuis dix

_____

conditions pour être exploitable. Un changement d'angle, d'éclairage, un passage trop rapide… brouillent la prise de mesures.

1. Malgré les progrès incessants de l'informatique, la reconnaissance automatique de visages, à l'entrée des stades pour repérer d'éventuels hooligans ou dans les aéroports pour identifier des terroristes, a été, à notre connaissance, abandonnée pour l'instant faute de résultats probants. Le logiciel de vieillissement des visages est un autre exemple des limites de

ans en la matière sont considérables, et de nouvelles pistes prometteuses, notamment celles faisant appel aux images en 3D, sont à l'étude. » De là à en conclure que la fiction d'aujourd'hui sera la réalité de demain, il n'y a qu'un pas… que les experts de l'IRCGN se gardent prudemment de faire.

---

la reconnaissance faciale. Très médiatisé il y a une dizaine d'années, il continue à être utilisé dans le cadre de disparitions d'enfants, mais force est de constater qu'il n'a pas fait ses preuves.

Département « Informatique-Électronique » (INL)[1]

*Où l'on assiste à la traque des cybercriminels
et à l'autopsie de téléphones mobiles, clés USB,
cartes mémoires et disques durs d'ordinateurs
dont les entrailles recèlent de véritables cavernes
d'Ali Baba. Et où l'on apprend que la seule façon
d'échapper à Big Brother, est d'éteindre
son smartphone définitivement !*

L'omniprésence d'objets numériques dans notre vie courante s'est totalement banalisée en quelques années. Les téléphones GSM, les ordinateurs portables, les cartes de crédit ou de paiement, les tablettes intelligentes et les smartphones en tout genre, bref toutes ces « facilités » nées des nouvelles technologies, font désormais partie de notre vie quotidienne et sont la marque de la société d'information – et de contrôle – dans laquelle nous vivons. Pour être complet, sinon exhaustif, il faudrait ajouter au tableau tous les systèmes de vidéosurveillance, de téléreport, autrement dit de « compteurs intelligents » qui transmettent automatiquement à

1. Le département informatique électronique (INL) de l'IRCGN est chargé de l'analyse des éléments de preuve (pièces à conviction) saisis dans les enquêtes judiciaires : disques durs (y compris endommagés), téléphones portables, cartes à puce, etc.

l'opérateur nos consommations d'eau, de gaz et d'électricité, les GPS[1] de nos voitures, la clé magnétique de notre chambre d'hôtel, ou encore les puces RFID, ces radio-étiquettes d'identification aux applications multiples qui équipent par exemple nos passeports biométriques, mais dont on peut aussi se servir pour passer un péage sans avoir à s'arrêter, ou accéder à une zone sensible interdite aux personnes non habilitées.

Toutes ces innovations nous facilitent la vie, à l'évidence, mais elles font aussi de chaque citoyen, un « Petit Poucet », hyperconnecté, qui sème sur son passage « numérique » quantité d'informations personnelles et confidentielles qui font de lui une cible privilégiée des cybercriminels.

Notre téléphone portable nous permet de communiquer avec qui on veut, quand on veut, de surfer sur l'Internet, de télécharger des documents, d'envoyer des SMS et un certain nombre d'autres informations qui peuvent être retrouvées comme les données personnelles (numéro et code de carte de crédit, clé RIB de notre compte en banque, informations confidentielles), l'historique de nos connexions Internet, notre agenda, notre répertoire… Toutes ces informations personnelles peuvent être piratées ou volées et utilisées à notre insu dans un but criminel.

Le cyberespace dans lequel nous évoluons sans trop nous poser de questions est devenu en quelques années

---

1. En matière de surveillance et de gestion à distance, Big Brother n'est plus très loin. Les grands acteurs du secteur GPS avec échange de données proposent des connexions base/véhicule qui relèvent : date, heure, position, direction, kilométrage, vitesse. D'autres sont allés plus loin à la demande, par exemple, des entreprises de transport. Le boîtier embarqué récupère et traite les données du chronotachygraphe, identifie le chauffeur, peut vérifier si une porte est ouverte ou fermée, que la température d'une chambre froide est nominale… Ce même boîtier peut permettre également de suivre les déplacements d'un véhicule volé, déclencher à distance son arrêt, les feux de détresse et même l'avertisseur sonore.

un terrain de prédilection pour les délinquants. On pourrait même affirmer qu'« il réunit pratiquement tous les ingrédients pour réaliser le crime parfait [1] ! ». Le constat est inquiétant : les délits se multiplient. Ils menacent autant les individus que les entreprises ou les États. Les « agressions électroniques » se comptent par centaines de milliers chaque année dans le monde. Et comme le réseau Internet est planétaire, les cybercriminels profitent des législations permissives de certains États pour échapper aux sanctions [2].

On comprend, dans ces conditions, que l'IRCGN ait dédié plusieurs de ses laboratoires à la lutte contre la cybercriminalité et à la formation d'enquêteurs spécialisés, les N-TECH, qui traquent sur le terrain les délinquants qui utilisent les outils des nouvelles technologies, soit pour communiquer entre eux, soit pour pénétrer les systèmes protégés (comme les réseaux de cartes bancaires, ou les ordinateurs et les téléphones portables de leurs nombreuses victimes). Ces N-TECH, qui sont plus de 200 en France, suivent une formation de huit semaines à l'issue de laquelle ils sont dotés d'un « pack-matériel » avec connexion ADSL, qui leur permet d'effectuer les premières analyses sur le terrain dans le domaine des systèmes de fichiers sur disques durs, clés USB, CD et DVD, mais aussi de récupérer des fichiers

---

1. Maud Olinet (doctorante à l'université de Paris I), « Cybercriminalité : énoncé du cas pratique et synthèse des réponses ».
2. Un récent rapport de l'OCDE classe la cybercriminalité comme l'une des cinq plus grandes menaces planant sur l'économie mondiale. Selon les estimations de l'institut Ponemon, les pertes de données liées pour la plupart à des actes de piratage ont coûté en moyenne 2,2 millions d'euros aux entreprises visées en 2010. Un chiffre en augmentation de 16 % par rapport à 2009. Edward Amoroso, responsable des systèmes d'information de l'opérateur américain AT&T, évaluait quant à lui à 1 000 milliards de dollars par an dans le monde le montant généré par la cybercriminalité. En termes de revenus, les pirates récolteraient ainsi plus d'argent que les trafiquants de drogue. (Source : Benoît Landon – silicon.fr – 28 juin 2011.)

visibles ou effacés, de reconstituer l'activité Internet du suspect, de récupérer ses données utilisateur et de « faire parler » les téléphones GSM, dont les smartphones et leurs cartes SIM. Lorsque l'enquête nécessite une analyse plus fine ou la recherche de preuves « scientifiques » de l'implication de suspects, ils transmettent dossier et matériel saisi au département « Informatique-Électronique » de l'IRCGN.

« Confiez-moi votre portable ! » nous demande Patrick Testuz, le responsable du département informatique de l'IRCGN qui sera notre guide. Sitôt l'appareil entre ses mains, nous revêtons comme lui une blouse blanche de laborantin et l'accompagnons jusqu'à une large pièce encombrée de part et d'autre d'ordinateurs les plus modernes, d'appareils complexes aux fonctions inconnues pour les néophytes que nous sommes… Un étrange et imposant caisson trône au centre de la pièce. Il en ouvre la porte et nous nous y introduisons. À l'intérieur, un étroit bureau et quelques appareils de mesures. On ne peut y tenir à plus de deux personnes. Question de notre « guide » : « Vous aviez du réseau avant d'entrer ? » Nous confirmons, d'autant qu'un SMS nous est parvenu quelques secondes plus tôt. Il nous rend alors notre téléphone portable. « Maintenant vous n'en avez plus ! » Nous sommes à l'intérieur d'une cage de Faraday [1].

La présence de cette cage au sein du laboratoire de l'IRCGN répond à une nécessité. Elle permet en effet aux experts chargés de faire parler des smartphones de dernière génération, d'éviter qu'une intervention exté-

---

1. Enceinte ou cage métallique qui permet d'isoler une portion d'espace contre l'influence des champs électriques extérieurs. À l'intérieur de la cage, le champ électrique est nul, même si des charges sont placées à l'extérieur ou si la cage est reliée à un générateur électrostatique. Les ondes radio (électromagnétiques) ne traversent pas les cages de Faraday.

rieure vienne ruiner leurs efforts. Elle répond à une innovation technique qui a singulièrement compliqué leur travail dans certaines enquêtes. Elle est aussi le symbole d'une nouvelle bataille gagnée contre les malfaiteurs.

Explication

Depuis quelques années les fabricants de téléphones et autres smartphones, ainsi que les opérateurs les plus en vue, ont mis en place, via leurs sites Internet, la possibilité pour leurs abonnés de géolocaliser leur téléphone en cas de perte ou de vol. Il existe également une fonction « effacer à distance ». D'un simple clic d'ordinateur, il est donc possible de vider toutes les mémoires du téléphone. Cette innovation a été conçue pour éviter au propriétaire d'un smartphone de voir tomber ses données confidentielles dans des mains indélicates[1].

Mais la manœuvre s'est vite retournée contre les représentants de la loi.

1. Pour ceux qui ont un compte MobileMe, il est possible de localiser son iPhone (via une carte Google Maps), mais aussi de le faire sonner et/ou d'envoyer des messages à distance qui seront affichés sur l'écran de l'iPhone. Encore mieux, si l'iPhone n'est pas retrouvé, il y a alors la fonction « effacer à distance » : toutes vos données seront supprimées et les réglages d'origine rétablis, mais il devient alors impossible de localiser l'appareil.

Autre petite astuce pour ceux qui ont un compte gmail, vous pouvez relever les adresses IP des dernières connexions à votre compte, et si une même IP revient souvent on peut alors présumer que le malfaiteur se connecte de chez lui. Reste plus qu'à avoir des contacts dans la police !

Source : 2009/forum, sur www.blogdumac.com/trucs-astuces/proteger-iphone-vol-1284

Flash-back

Ce jour-là, après des mois d'enquête, d'écoutes téléphoniques, de filatures, des gendarmes réalisent ce qu'on appelle « un joli coup de filet » ! Ils viennent d'arrêter un important revendeur de drogue, peut-être la tête pensante d'un réseau de trafiquants particulièrement méfiants et habiles. Le téléphone portable de l'individu est saisi. C'est un smartphone et les enquêteurs se frottent les mains car ils savent que ce téléphone va parler, qu'ils vont pouvoir accéder à des éléments capitaux pour l'enquête : liste de contacts, e-mails, derniers appels entrants et sortants. Ils sont d'autant plus satisfaits qu'ils n'avaient pas réussi jusque-là à se procurer le numéro de ce téléphone et n'avaient donc pas pu le mettre sur écoute… Ils contactent alors leurs camarades N-TECH de la région en vue de leur confier cette importante pièce à conviction.

Quelques heures plus tard, le précieux objet est confié aux experts, qui vont alors découvrir avec stupéfaction… un téléphone vide !

Le trafiquant avait un complice qui, muni des codes nécessaires et sitôt l'interpellation connue, a pu manœuvrer à distance et effacer l'intégralité du téléphone, interdisant aux gendarmes toute possibilité de retrouver le moindre élément de preuve dans la mémoire de l'appareil.

Pas question, bien évidemment, de demander aux opérateurs mondiaux d'abandonner les nouveaux services proposés à leurs clients, ni d'empêcher ceux-ci de sauvegarder leurs données personnelles en cas de vol ! Les experts utilisent par conséquent la cage de Faraday, qui interdit tout passage d'onde électromagnétique. Depuis lors, tous les téléphones mobiles saisis au cours d'une procédure sont « autopsiés » par les experts de l'IRCGN, dans la fameuse cage du laboratoire de Rosny-sous-Bois.

Mais il reste un autre problème à résoudre. Même s'il faut de longues minutes, voire plusieurs heures pour effacer toutes les données d'un smartphone, en fonction de ce qu'il contient en mémoire, il est capital de pouvoir le mettre à l'abri de toutes manipulations informatiques *dès sa saisie*. Et par conséquent, pouvoir également l'acheminer au laboratoire de l'IRCGN dans des conditions de sécurité absolues.

La seule possibilité consisterait à concevoir une mini-cage de Faraday, une valisette, sorte de gros attaché-case, susceptible de contenir une dizaine de téléphones dans le cas d'arrestations multiples, et d'en doter l'ensemble des enquêteurs spécialisés, et en priorité les N-TECH. Ainsi, tout téléphone portable saisi serait immédiatement enfermé dans cette petite enceinte protégée qui empêche l'effacement à distance. Sécurisé, son contenu serait ensuite expertisé dans la grande cage de Faraday où les spécialistes peuvent sereinement récolter toutes les informations nécessaires.

Cette solution n'a pourtant pas été retenue par la gendarmerie nationale. Un autre système a été mis en place pour protéger les téléphones saisis, conserver leurs données et les mettre hors de portée d'une intervention extérieure. Mais nos interlocuteurs sont restés muets sur la technique utilisée. On comprend qu'ils veuillent protéger leurs solutions techniques dans la guerre de vitesse à laquelle se livrent depuis toujours gendarmes et voleurs.

« En toute franchise », nous confie Patrick Testuz, le chef du département « Informatique-Électronique », « une grande majorité de délinquants n'a jamais pensé à utiliser cette fonction ! Je pourrais même dire que généralement, ils nous gâtent ! Le goût du clinquant et la fierté de posséder un smartphone dernier cri l'emportent bien souvent sur la prudence la plus élémentaire ! Nous sommes toujours très heureux d'en saisir un au cours d'une enquête, et nous savons les faire parler ! »

Il faut dire qu'un autre service mis gratuitement depuis quelques mois à la disposition des possesseurs de smartphone a été salué par tous les enquêteurs : le positionnement GPS du téléphone. Le iPhone 4G, par exemple, conserve des données de localisation. Il est donc possible d'accéder à l'historique des déplacements du téléphone… et de son utilisateur. Cette particularité a permis de confondre un certain nombre de malfaiteurs. Malgré des alibis qui les situent en général loin des lieux d'un casse ou d'une agression, l'autopsie du téléphone, l'historique des communications et la traçabilité du GPS parviennent bien souvent à les confondre…

Téléphone mobile
Les méthodes de la police scientifique[1]

Si Sherlock Holmes revenait parmi nous, il devrait certainement troquer sa loupe contre un micro-ordinateur : plutôt que d'étudier minutieusement des enveloppes ayant voyagé par la poste, il aurait à expertiser des cartes SIM et des téléphones portables ! Pour la police scientifique, il y a là une mine inépuisable d'indices et même de preuves, où le citoyen de bonne foi verra plutôt de possibles atteintes à sa vie privée.

Le quotidien des expertises à vocation judiciaire n'a pas grand-chose à voir avec ce que montrent certaines séries télévisées : un policier qui découvrirait un téléphone portable sur une « scène de crime »

1. Extraits d'un article de Patrick Gueulle publié sur acbm.com le 22 janvier 2008. Ingénieur radio électronicien et informaticien, Patrick Gueulle est l'auteur de très nombreux ouvrages aux éditions ETSF et d'articles scientifiques dans *Électronique pratique*.

et le mettrait aussitôt en marche pour rappeler le dernier correspondant enregistré dans le «journal» risquerait fort de commettre une faute impardonnable !

Un mobile GSM et sa carte SIM sont souvent susceptibles de «parler», c'est vrai, mais les indices qu'ils contiennent sont éminemment fragiles. En tirer des preuves capables de convaincre un tribunal nécessite une méthodologie très rigoureuse, que ne soupçonne généralement pas le grand public. Bien conseillé par des spécialistes, ou lui-même suffisamment compétent en la matière, un bon avocat ne ferait qu'une bouchée d'accusations basées sur des données informatiques pouvant s'être trouvées altérées entre la saisie de la pièce à conviction et son expertise.

Un simple exemple : éteindre un GSM avant de le mettre sous scellés risque fort de modifier des informations permettant de déterminer l'endroit où il a été utilisé pour la dernière fois, qui n'est pas nécessairement celui où on l'a trouvé. En effet, la procédure d'arrêt «propre» prévoit de prendre congé du réseau en mettant à jour les données de localisation que contient la carte SIM ! Faut-il alors le mettre brutalement hors tension en retirant sa batterie ? C'était effectivement une démarche volontiers préconisée, il y a quelque temps, mais on s'est aperçu depuis que cela remettait souvent à zéro l'heure et la date internes : encore un indice envolé si elles étaient erronées ou volontairement trafiquées ! De plus, tout arrêt peut réactiver un code PIN que l'on ne connaît probablement pas, tandis que dans le cas d'un mobile étranger, le PUK ne pourra peut-être jamais être obtenu (sauf à mettre la main dessus pendant la perquisition).

Pas question non plus de laisser, sans précautions, le mobile sous tension pendant son transport au labo, car il risquerait de se relocaliser en chemin, écrasant là encore des données significatives. Du coup, certains manuels du parfait petit enquêteur prescrivent de le convoyer dans un emballage blindé, empêchant toute communication avec les réseaux, le labo devant lui-même être installé dans une « cage de Faraday » parfaitement efficace, ou être équipé d'un brouilleur. Encore faut-il que la batterie tienne suffisamment longtemps, ou que la mallette de transport soit équipée d'un chargeur universel…

(…) Au laboratoire, pas question de retirer d'emblée la carte SIM pour l'explorer au petit bonheur : cela risquerait d'effacer la liste des derniers appels émis ou reçus, qui réside souvent dans le téléphone et non dans la carte. L'ordre des investigations revêt donc une importance capitale, et devra être scrupuleusement décrit dans le rapport d'expertise, voire convenu préalablement avec l'officier en charge de l'enquête, selon ses priorités.

D'une façon générale, on s'efforcera de recueillir le plus tôt possible une image logicielle certifiée de tout ce que contiennent le téléphone et sa carte SIM, avant de les ranger en lieu sûr. Le principe fondamental est de ne rien commettre d'irréversible, autrement dit de garder la possibilité de faire recommencer l'expertise par un spécialiste différent (qui devrait aboutir aux mêmes conclusions…) tout en apportant la preuve que l'intégrité de toutes les données a été préservée de bout en bout. En pratique, cela suppose de n'utiliser que des outils effectuant uniquement des opérations de lecture, et authentifiant les données lues au moyen de signatures cryptographiques vérifiables ultérieurement (…) Expertiser un GSM ou une carte SIM à des fins policières est un travail de professionnel spécifiquement formé, habilité, et totalement impartial.

L'IRCGN n'intervient jamais sur les écoutes téléphoniques. Ce rôle échoit aux officiers de police judiciaire.

Concernant l'analyse des données contenues dans des téléphones, des clés USB, ou des disques durs d'ordinateurs, des enquêteurs spécialisés ont été formés par la gendarmerie nationale. Ce sont les N-TECH.

N-TECH et lutte contre la cybercriminalité

La gendarmerie nationale s'est engagée résolument, ces dernières années, dans la lutte contre les nouvelles formes de criminalité, en rapport notamment avec l'utilisation de l'Internet. Cette nouvelle typologie de crimes et de délits a nécessité la mise en place aux niveaux central et territorial de formations et de moyens spécifiques.

La réussite de la montée en puissance de ces unités conditionne grandement la capacité générale de la gendarmerie, en matière de cybercriminalité, à remplir avec efficacité et synergie sa mission à tous les échelons.

Au niveau central

Dès 1998, la gendarmerie nationale a identifié l'enjeu que représentent les nouvelles technologies en mettant en place des structures et des formations adaptées :

• Département Cybercriminalité du Service technique de recherches judiciaires et de documentation (STRJD).

Il assure la surveillance du réseau en recherchant les infractions portant atteinte aux personnes et aux biens et relatives à la transmission de données à caractère illicite sur Internet (sites, les « Internet Relay Chat », les newsgroups, les réseaux d'échanges communautaires, le peer-to-peer).

• Département Informatique-Électronique de l'Institut de recherche criminelle de la gendarmerie nationale (IRCGN).

Il développe des méthodes, des outils et des logiciels permettant de détecter automatiquement des images pédophiles connues ou d'extraire des données.

• En octobre 2003, la gendarmerie s'est vu confier la charge de mettre en œuvre à Rosny-sous-Bois, le Centre national d'analyse des images de pédopornographie (CNAIP) en collaboration avec la police nationale.

Il collecte et classe dans une base de données toutes les images et vidéos saisies au cours des enquêtes judiciaires, assiste les enquêteurs lors de saisies importantes et effectue des rapprochements judiciaires d'initiative ou à la demande des unités.

• Depuis 2002, la gendarmerie a mis en place une formation spécifique dans le domaine des nouvelles technologies au profit d'enquêteurs spécialisés, dénommés N-TECH (enquêteurs en technologie numérique) affectés en unités de recherches. Une trentaine est formée chaque année. Cette formation est dispensée au Centre national de formation de police judiciaire (CNFPJ) situé à Fontainebleau et à l'UTT, l'Université de Technologie de Troyes [1]. À l'issue de leur formation,

1. L'UTT assure des formations en partenariat avec la gendarmerie nationale. L'objectif de ce transfert des savoirs liés aux nouvelles technologies est de former principalement les militaires, fonctionnaires et agents chargés de la lutte et de la répression contre la criminalité organisée par un contenu innovant tels les aspects techniques de l'analyse de la délinquance liés aux nouvelles technologies de l'information et de la communication intégrant les techniques juridiques, informatiques et de gestion de la criminalité organisé.

les stagiaires rejoignent leur unité avec un matériel spécifique, dénommé « lot enquêteur N-TECH ».

Au niveau de la chaîne territoriale

Les unités territoriales et de recherches :

Dès lors qu'ils sont confrontés à ce type d'infractions, les enquêteurs des unités territoriales, qui sont des généralistes, bénéficient du concours des spécialistes des unités de recherches spécifiquement formés dans le domaine des technologies liées à la cybercriminalité.

Dans les brigades de recherches (BR), les enquêteurs N-TECH, formés au CNFPJ, prennent en charge l'aspect technique des investigations judiciaires.

Les sections de recherches (SR) traitent des infractions spécifiques concernant les atteintes aux systèmes d'information. S'agissant d'Internet, ces unités ont vocation à exercer une surveillance ciblée du réseau en liaison avec le STRJD.

Les Brigades départementales de renseignements et d'investigations judiciaires (BDRIJ) :

Implantées au chef-lieu du département, elles constituent le pôle criminalistique départemental de la gendarmerie nationale. La concentration des effectifs de techniciens en criminalistique (techniciens en investigations criminelles, N-TECH, analyse criminelle…) dans ces unités favorise les échanges d'expériences techniques et la pérennisation des savoir-faire et des compétences.

Le fort de Rosny dispose d'un plateau de haute technologie. Les experts qui y travaillent sont en relation constante avec leurs collègues N-TECH, et font partie d'un réseau international, une communauté, qui est en contact permanent, via Internet, avec leurs confrères de toutes les polices du monde. Sitôt qu'une arnaque informatique est découverte quelque part dans le monde, ou qu'un nouveau logiciel espion fait son apparition, les membres du réseau communiquent entre eux en temps réel pour trouver les réponses, confondre les malfaiteurs ; du simple apprenti hacker qui s'introduit dans une banque de données réservée, au blanchisseur d'argent de la drogue, en passant par les cyberattaques des réseaux de cartes de crédit ou des sites sensibles.

La même veille est assurée en direction des réseaux de pédocriminalité.

Dans cette guerre de mouvement et de vitesse, il faut toujours tenter d'avoir « un coup d'avance ». C'est à quoi se consacrent quotidiennement les personnels du fort de Rosny-sous-Bois et les enquêteurs spécialisés N-TECH.

Mais s'il existe bien une criminalité internationale spécifique au réseau Internet, la guerre contre la criminalité hexagonale passe aussi par la maîtrise de ce téléphone nomade qui est devenu au fil des années une véritable centrale de communication, une « caverne d'Ali Baba » qui garde la trace de toutes les activités de leurs possesseurs, y compris les activités… criminelles ! C'est à travers lui que les membres de la pègre organisée, les braqueurs, les proxénètes, les trafiquants de drogue, mais aussi les délinquants sexuels et les terroristes communiquent. C'est par son intermédiaire que se règlent également toutes sortes d'opérations clandestines et que se déclenche parfois l'explosion de bombes meurtrières…

D'où l'intérêt pour les services spécialisés d'exploiter les informations que contiennent les téléphones portables le plus rapidement possible, notamment pendant une garde à vue.

Premier constat de notre enquête : chaque ligne téléphonique attribuée par un opérateur français peut être mise sur écoute en quelques minutes et – confort ultime – branchée sur un petit récepteur de bureau, où l'officier de police judiciaire a tout loisir d'écouter sa « cible »…

Les opérateurs téléphoniques ont obligation légale de conserver pendant un an les données de géolocalisation de chaque téléphone, et la liste d'appels entrants et sortants. Les conversations et messages audio ne sont pas archivés…

Tout ce qui concerne l'exploitation et la surveillance des moyens de communication est soigneusement encadré par la justice qui doit veiller au respect de la vie privée et de l'intimité auquel a droit chaque citoyen. Les écoutes « sauvages » sont devenues rarissimes. Chaque « branchement » est avalisé par un juge d'instruction, en accord avec le parquet.

La CNIL (Commission nationale de l'informatique et des libertés) manifeste régulièrement des mises en garde pour préserver l'équilibre entre les nécessités des enquêtes et les libertés des citoyens. La question de la vie privée reste néanmoins très sensible[1].

Alex Türk : « Ce qui nous attend est bien pire que Big Brother[2] ».

Les technologies numériques (biométrie, vidéo-surveillance, géolocalisation) nous offrent une sécurité renforcée tout en empiétant sur nos libertés

---

1. Rien n'indique non plus que certains services spéciaux, policiers ou militaires, ne s'affranchissent pas des contrôles. La raison ou le secret d'État couvrent parfois des opérations douteuses. Raison de plus pour inciter les citoyens à la vigilance.

2. Extraits d'une interview de l'ancien président de la CNIL (Commission nationale de l'informatique et des libertés) recueillie par Marie Boëton pour le journal *La Croix*, à l'occasion de la publication de son livre, *La vie privée en péril – Des citoyens sous contrôle,* aux éditions Odile Jacob.

individuelles. Comment, concrètement, la CNIL arbitre-t-elle entre les deux ?

Alex Türk : Aucune technique n'est bonne ou mauvaise en soi, seul l'usage qu'on en fait peut être préoccupant. Ainsi, lorsque la CNIL doit se prononcer sur la mise en place d'un nouveau dispositif intrusif, elle évalue toujours de façon concrète les enjeux spécifiques du dossier qu'on lui soumet. En général, plus la sécurité des citoyens est en jeu, plus nous consentons à l'installation de tels dispositifs. Ces dernières années, par exemple, nous avons validé la mise en place de contrôles biométriques au sein des aéroports. Le gain en matière de sécurité nous semblait en effet évident. En revanche, nous venons de refuser l'installation de technologies identiques au sein des cantines scolaires. C'était totalement déplacé.

Certains estiment que le recours massif aux nouvelles technologies n'est pas à craindre, dès lors qu'on n'a personnellement rien à se reprocher. Que leur répondez-vous ?

A. T. : Quelle naïveté ! Tenir un tel discours revient à confondre intimité et innocence. Il faut préserver son intimité, quand bien même on est irréprochable ! Nous devons pouvoir aller et venir sans être tracés, pistés, contrôlés. Qu'adviendra-t-il de notre liberté d'expression si nous sommes en permanence épiés et jugés pour des propos tenus en privé ? Resterons-nous spontanés, si nous n'avons plus jamais la certitude d'être seuls ?

Nos concitoyens critiquent volontiers la multiplication des fichiers de police, tout en mettant librement en ligne, sur les réseaux sociaux, nombre d'informations les concernant. Comment expliquez-vous ce paradoxe ?

A. T. : Lorsque j'ai pris la tête de la CNIL, il y a sept ans, la multiplication des fichiers régaliens à la suite des attentats du 11-Septembre me préoccupait au premier chef. Aujourd'hui, nous sommes entrés dans une autre ère : celle du fichage de masse et du « flicage ludique », si je puis dire. Les gens diffusent spontanément un tas d'informations sur eux. Aujourd'hui, un citoyen est forcément fiché quelque part, et souvent sur de multiples bases. Peut-être seront-elles interconnectées un jour ? Cette transparence, c'est le rêve des multinationales : elles espèrent bien tirer profit de nos profils. C'est une forme de Big Brother convivial… Mais revenons au paradoxe que vous pointiez du doigt : les objectifs des réseaux sociaux et des fichiers de police diffèrent fondamentalement, mais leurs effets sont analogues, puisque tout le monde sait que les personnels de police voient en Internet une mine d'informations. Au final, les citoyens doivent vraiment se créer une conscience numérique, comme ils se sont petit à petit forgé une conscience écologique.

N'est-il pas un peu exagéré de comparer les dérives actuelles au Big Brother d'Orwell ?

A. T. : Mais ce qui nous attend est bien pire ! Car Big Brother était un système centralisé, on pouvait se rebeller contre lui. Or, aujourd'hui, nous assistons à la multiplication des nano-Brothers (capteurs, puces électroniques dans les cartes et les portables). Ce sont là des outils de surveillance multiples, disséminés, parfois invisibles. Ils sont donc bien plus difficiles à contrôler. On ne sait pas qui collecte les données, ni dans quel but, ni pour combien de temps. Prenons l'exemple des puces RFID – qui permettent aujourd'hui de géolocaliser les marchandises. Leur usage va probablement s'étendre. À terme, les individus consentiront sans doute, eux aussi, à être tracés en permanence. Nous allons assister à un développement « métastasique », si je puis dire, massif et pernicieux, des puces électroniques. Par sécurité et par confort, nous consentirons exceptionnellement à être pistés lors de nos vacances aux sports d'hiver. Et ce, afin d'être secourus rapidement en cas d'accident. Petit à petit, nous ne nous en passerons plus…

« Allô, j'écoute… »

Il existe deux procédés pour écouter une ligne téléphonique : soit par le biais de l'opérateur qui autorise une dérivation de la ligne (celle-ci est réalisée légalement à la demande d'un juge d'instruction[1]), soit grâce à « l'écoute sauvage » de l'ensemble du réseau mondial de télécommunications, comme cela est pratiqué par le programme Échelon, resté secret pendant plus de quarante ans. Échelon est un nom de code utilisé par les services de renseignement des États-Unis pour désigner des bases d'interception de communications transitant par le réseau spatial des satellites commerciaux. Échelon a bénéficié du soutien opérationnel de nombreux autres pays anglo-saxons, comme le Royaume-Uni, l'Australie, le Canada et la Nouvelle-Zélande. Les autorités françaises, même si elles le démentent officiellement, auraient créé leur propre système d'écoute baptisé « Frenchelon ». Ce réseau de « grandes oreilles électroniques » intercepte les télécopies, les communications téléphoniques, les courriels et, grâce à un puissant réseau d'ordinateurs, est capable de trier en fonction de certains « mots-clés » les communications écrites et, à

---

1. Certaines dérivations de lignes illégales ont été néanmoins réalisées à l'aide de complicités internes achetées par des mafias.

partir de l'intonation de la voix, les communications orales.

À terme – demain sans doute – le secret de la correspondance téléphonique ne sera plus qu'une chimère. Certes, la justice condamnera toujours les écoutes clandestines, comme l'illustre le dernier scandale des écoutes sauvages de personnalités par le journal *News of the World* au Royaume-Uni, mais il est clair désormais que nos conversations téléphoniques, nos SMS ou nos courriels n'ont plus de secret pour les spécialistes des nouvelles technologies.

« Selon les logiciels employés, j'estime qu'il nous faut entre quelques minutes et deux jours avant de pénétrer dans la vie virtuelle d'une personne », précise l'un de nos interlocuteurs.

La géolocalisation

Cette nouvelle possibilité technique est particulièrement prisée par les enquêteurs. Sauf s'il est éteint, en effet, notre téléphone mobile est en recherche permanente de « réseau ». Il « dialogue » donc de façon continue avec toutes les antennes-relais de son secteur géographique, dans un rayon de 10 à 30 kilomètres aux alentours. Lorsque nous passons une communication, notre combiné « choisit » généralement l'antenne ayant le meilleur signal alors qu'elles sont en réalité plusieurs à avoir été détectées par le mobile. Les spécialistes ont la possibilité de définir une position géographique du portable avec une marge d'erreur de quelques kilomètres en campagne, qui peut descendre à quelques centaines de mètres en ville (l'équivalent d'un quartier). « Cela fonctionne maintenant en continu, précise Marc Soulas. Nous n'avons plus besoin, comme auparavant, que la personne utilise son téléphone. Le fait qu'il soit en veille suffit. » Le militaire nous emmène dans une autre pièce du département, où un spécialiste étudie justement les relevés de « bornage » d'un téléphone. « C'est un exemple particulièrement intéressant », raconte-t-il. Il s'agit du portable d'un présumé trafiquant de drogue, pisté à l'occasion d'un Go-fast[1]. Sur un bureau est dépliée une carte de France, sur laquelle l'expert inscrit les différents points du bornage, jusqu'à faire apparaître un trajet. « C'est un trajet classique, constate-t-il. Passage par les Pyrénées, puis remontée vers Lyon sur le trajet de l'autoroute. » La fiabilité de cette méthode est très élevée, mais n'est pas sans risque d'erreur, comme le souligne l'expert. « Il n'est pas rare que nous ayons des ratés, explique-t-il. Le réseau téléphonique ne fonctionne pas toujours de la façon la plus logique, notamment en ville. Théoriquement, un appel téléphonique transitera toujours par l'antenne ayant le meilleur signal, mais il arrive que celle-ci soit saturée. Dans ce cas-là, l'appel va transiter par une autre antenne, plus lointaine, et diminuera la précision des données de géolocalisation. » Cela complique régulièrement les enquêtes, notamment à l'occasion de grands rassemblements, ou de pics d'appels, comme au jour de l'an. « Nous travaillions sur un meurtre à l'occasion d'une bagarre qui avait eu lieu précisément vers minuit un 31 décembre, raconte l'expert. Les enquêteurs avaient un suspect, mais son téléphone portable ne bornait pas au lieu de l'agression, selon la zone de couverture théorique de l'opérateur.

1. Go fast (« aller vite » en français) est une technique utilisée par les trafiquants de drogue. Elle consiste à rouler le plus vite possible sur autoroute d'un point à un autre avec deux véhicules, l'un servant à transporter les marchandises, l'autre servant d'« éclaireur ». Le but est de déjouer les tentatives d'interception des douaniers ou de trafiquants rivaux. La voiture « ouvreuse », qui précède la voiture transporteuse, la prévient des éventuels barrages ou contrôles. Parfois les convois comprennent une ou plusieurs voitures « suiveuses », prêtes à intervenir en cas de problème. (Source Wikipedia.)

Pour en comprendre la raison nous avons dû faire des mesures, au même endroit et à la même heure… le 31 décembre suivant ! En nous replaçant dans les mêmes conditions, nous avons pu prouver que le portable du suspect pouvait très bien se trouver là où nous le pensions ! »

Le téléphone portable n'est pas l'unique source de renseignements dans une enquête judiciaire. De plus en plus souvent, les trafiquants font appel à d'autres moyens de communication, tels que tablettes numériques, ordinateurs portables, ou clefs USB. Le département « Informatique-Électronique » fait aussi parler ces bijoux de nouvelles technologies. Leurs locaux sont protégés par des digicodes que seules connaissent les personnes qui y travaillent. « On n'est jamais trop prudent, ironise le chef du département. Les pièces à conviction qui entrent ici peuvent être de nature très sensible… »

Exemple de pièces à conviction particulièrement sensibles : les enregistrements extraits des boîtes noires lors d'accidents aériens.

« Nous traitons ici toutes les copies d'enregistrement qui nous sont confiées pour expertise et qui nous sont remises par le BEA, qui réalise lui l'enquête de sécurité technique du vol. » Les analyses d'enregistreurs de vol ne font heureusement pas partie du travail quotidien de ce laboratoire. Les spécialistes y passent aussi de longues heures à tenter de faire parler des objets technologiques parfois très dégradés dont le contenu peut être capital pour orienter une enquête criminelle.

Suite de la visite guidée…

Sur un bureau voisin, nous découvrons une petite plaque verdâtre rectangulaire, parsemée de puces et de différents composants électroniques. En son milieu, un trou provoqué par le tir d'un projectile. C'est tout ce qui reste d'un téléphone portable qu'un présumé trafiquant a tenté de détruire d'un coup de feu lors de son arrestation mouvementée… On croirait l'objet perdu, irrémédiablement détruit, bon à jeter à la poubelle, mais l'expert a relevé le défi. « Ne croyez pas qu'il suffit de quelques minutes pour accomplir un tel travail, nous dit celui-ci. Il nous est arrivé de passer jusqu'à 18 mois sur un seul appareil, en vain d'ailleurs. »

Ce qui complique souvent la tâche des experts, c'est la découverte, dans les entrailles d'un appareil de communication, de pièces ou de circuits couverts par le secret industriel. Et l'industrie du smartphone protège jalousement ses secrets de fabrication.

« Parfois, explique notre guide, nous découvrons des appareils dont nous ne connaissons pas toutes les subtilités. Les fabricants européens et américains acceptent en général de transmettre aux forces de police ou de gendarmerie certains schémas techniques ultraprotégés, mais tout ce qui vient d'Asie échappe partiellement au savoir des enquêteurs. Il faut alors se procurer des éléments de comparaison pour connaître d'abord avec certitude la marque du téléphone ! » L'IRCGN a donc un budget qui lui permet d'acheter régulièrement chaque nouveau modèle de téléphone commercialisé, pour le désosser et l'identifier. « Mais la difficulté ne s'arrête pas là, ajoute Patrick Testuz. Certains composants internes peuvent changer sans que nous le sachions ! Prenons l'exemple de ces deux téléphones, Ils paraissent identiques, mais en réalité, ils ne le sont pas. En un mois de temps, un microprocesseur japonais a été changé pour un autre d'origine coréenne, parce qu'il était moins cher. Cela ne nous simplifie pas la tâche. Une fois l'appareil identifié, il faudra encore savoir où, dans quelle nouvelle puce chercher les informations importantes, comme les appels entrants ou les listes de contacts. Chaque puce doit alors être étudiée, comparée, et greffée sur un autre appareil pour savoir ce qu'elle contient. Parfois pour rien ! »

Lorsque l'appareil finit par « parler », l'analyse est loin d'être terminée. Car ce qu'il délivre, c'est une suite « illisible » de 1 et de 0. Les données recueillies partent alors dans le laboratoire voisin, où les experts tentent de traduire le langage numérique employé. Nous suivons Patrick Testuz dans cet autre labo où trois gendarmes sont postés devant des ordinateurs. « Leur travail est de lire les données brutes à l'aide de tous les systèmes d'exploitation connus, afin de leur donner une cohérence », explique Patrick Testuz, qui précise : « Le langage informatique, surtout en matière de téléphonie mobile, est propre à chaque fabricant. Une fois trouvé le bon, et en espérant qu'une nouveauté ne soit pas venue troubler l'analyse, vont pouvoir apparaître sur les écrans des numéros de téléphone, des e-mails, des photographies qui étaient contenus dans la mémoire de ce téléphone. La difficulté est identique avec les ordinateurs, pourtant très importants pour les enquêteurs. Car les trafiquants, mais aussi les pédocriminels, sont passés maîtres en matière d'informatique.

Nous recevons aussi régulièrement pour analyse des ordinateurs calcinés, aux disques durs rayés ou encore transpercés par arme à feu, comme le téléphone que vous avez vu, et nous arrivons parfois à en faire sortir de l'information. »

Demain, l'IRCGN devra faire face à de nouvelles technologies encore plus sophistiquées, à des systèmes encore plus compliqués. « Nous nous y préparons, confirme Patrick Testuz. Pour cela, nous sommes sans cesse en formation. Un de nos experts vient d'ailleurs de terminer un stage de plusieurs mois chez Microsoft. Nous nous intéressons aussi en ce moment aux nanotechnologies, et aux téléphones du futur…

L'avenir, nous ne le connaissons pas. Il est impossible de prédire la façon dont la criminalité exploitera les prochaines découvertes. Nous ne pouvons que rester vigilants, pour rester dans la course sans se laisser distancer. »

Ce que nous savons en revanche, c'est que l'usage de certains systèmes va se développer de façon spectaculaire dans les années qui viennent. Un exemple : les puces émettrices RFID[1], des radio-étiquettes qui permettent d'identifier leurs porteurs (homme ou objet) et qui peuvent permettre le paiement électronique automatique aux caisses de magasins ou aux péages d'autoroute, assurer la traçabilité de marchandises, etc. Ces puces sont déjà présentes dans de nombreux secteurs industriels. Elles fonctionnent grâce à un champ électromagnétique de faible intensité. On les trouve notamment dans les magasins de vêtements, afin d'empêcher les vols. On les trouvera bientôt sur notre passeport biométrique. À l'avenir, elles contiendront donc des informations très sensibles comme nos coordonnées bancaires, le numéro de notre carte de crédit et même, pourquoi pas, notre dossier médical actualisé. En cas d'accident ou de malaise sur la voie publique, les services d'urgences pourraient immédiatement connaître notre histoire médicale…

« Le problème, c'est que nous ne savons pas actuellement de quelle manière ce système pourrait être détourné dans un but malveillant… Nous travaillons à leur sécurité avec les fabricants. Mais cela ne résout pas tous les problèmes.

L'un d'entre eux est de taille : ces puces peuvent être brouillées, et même détruites volontairement, en les

1. Les puces RFID mesurent un peu moins de 1 millimètre : la taille moyenne d'un grain de riz. Malgré cette miniaturisation, elles intègrent une mémoire de 1 kbit et une antenne qui émet dans la bande de fréquence des 2,5 GHz. Elle peut facilement être implantée sous la peau.

exposant par exemple à un rayonnement de micro-ondes. Cela rendrait les passeports inopérants. Avant d'en comprendre exactement la raison, on pensera peut-être à une simple panne et le personnel se verra contraint à un contrôle "dégradé", moins strict. Des gens indésirables pourraient alors passer entre les mailles des contrôles... »

Qui a dit que la réalité dépassait toujours la fiction ? À l'issue de cette plongée au cœur des laboratoires de l'IRCGN, on ne peut que souhaiter aux experts en blouse blanche d'avoir les moyens – budgétaires et humains – de continuer leur lutte contre les dérives criminelles qui menacent toujours les sociétés de liberté.

La preuve par l'ADN ?

Où l'on découvre pourquoi l'ADN est le marqueur par excellence d'un individu... Et comment certaines parties apparemment inutiles du génome humain [1] sont devenues les premières à fournir à la police les empreintes génétiques.

Face à un délit ou un crime commis par un ou plusieurs inconnu(e)s, les enquêteurs doivent répondre à un ensemble de questions – toujours les mêmes – dont les réponses constituent en général la solution de l'énigme : qui a commis les faits ? Quand ? Comment ? Avec quoi ? Et, accessoirement, pourquoi ?

1. À l'échelle moléculaire, notre ADN ne diffère pas entre individus au niveau des gènes mais au niveau de séquences répétitives dont on ignore encore aujourd'hui la signification et l'utilité ! Ces fragments d'ADN répétitif constituent des microsatellites (STR, Short Tandem Repeats) ou des minisatellites (VNTR, Variable Number Tandem Repeats) en dehors des gènes. Ils sont appelés en anglais « Junk ADN », ADN poubelle ou dépotoir. (Source : Matt Ridley, *Génome*, éditions Robert Laffont, 2001.) La longueur de ces fragments a une grande variabilité, propre à chaque individu (polymorphisme). Le nombre de répétitions est variable pour chaque humain. L'empreinte ADN est donc une signature individuelle. Mais une seule de ces régions de séquences répétées, qu'on appelle *locus*, peut se retrouver à l'identique chez 5 à 20 % de la population. Un seul *locus* n'est donc pas suffisant pour désigner un individu précis. En France et aux États-Unis, on utilise 13 à 15 *loci*, ce qui permet d'effectuer un calcul de probabilité. Exemple : pour 13 *loci* analysés, la probabilité d'avoir deux séquences identiques pour deux individus différents non apparentés, est estimée à une chance sur 10^{18} (1 suivi de 18 « 0 », ce qui est quasiment négligeable).

L'enquête commence toujours par la préservation rigoureuse de la scène de crime, le « gel des lieux », afin de conserver les indices éventuels qui pourraient permettre d'identifier le ou les auteurs, en évitant que des personnes étrangères ou complices puissent intentionnellement ou non, détruire ou déplacer de précieuses indications. Le principe fondamental, énoncé dès le début du XXᵉ siècle par le professeur Edmond Locard, qui est considéré comme le père de la police scientifique en France, est toujours valable aujourd'hui : « Nul ne peut agir avec l'intensité que suppose l'action criminelle sans laisser des marques multiples de son passage. Tantôt le malfaiteur a laissé sur les lieux les marques de son activité, tantôt, par une action inverse, il a emporté sur son corps ou sur ses vêtements les indices de son séjour ou de son geste[1]. »

Le travail des enquêteurs est avant tout de trouver le plus d'informations possible relatives aux faits constatés et aux personnes impliquées, de façon à réunir des éléments probants constituant des preuves. La recherche des empreintes digitales a longtemps constitué l'élément principal des investigations de police technique et scientifique, avec, bien sûr, la recherche de fibres ou d'éléments microscopiques pouvant permettre d'aboutir à l'auteur.

Le relevé et l'analyse des taches de sang ont accompagné la découverte des groupes sanguins et du facteur rhésus[2], qui a fait de la biologie un outil de criminalistique à part entière. Il était désormais possible, par la

1. Edmond Locard, *L'enquête criminelle et les méthodes scientifiques*, éditions Flammarion, 1920.
2. Chaque être humain appartient à un groupe sanguin bien précis (A, B, AB ou O), accompagné de facteurs rhésus, présents ou non à la surface des globules rouges. Si ces facteurs apparaissent sur les globules rouges d'une personne, elle est dite « Rhésus (Rh) positif ». Si ces facteurs n'apparaissent pas sur ses globules rouges, elle est dite « Rh négatif ».

détermination du groupe sanguin, d'exclure éventuellement un suspect. Mais la précision des indications permettant de « cibler » un auteur présumé était peu fiable, dans la mesure où, par exemple, 40 % de la population française est du groupe « A » et 3 % du groupe « AB ». Et même, si l'auteur présumé d'un crime ou d'un délit s'avérait être du groupe AB Rhésus négatif, cela correspondait encore à 1 % de la population française, soit 600 000 suspects potentiels en 2011 !

Mais ce qui a dominé pendant des décennies la culture de l'enquête judiciaire criminelle (pour ne pas parler de « culte »), c'était l'aveu ! La « reine des preuves », qui, la plupart du temps, mettait fin à la recherche des preuves matérielles !

On mesure ainsi l'incroyable révolution qui s'est opérée avec la découverte, au milieu des années 80, qu'il y avait dans le génome humain une partie de l'ADN spécifique à chaque individu pouvant servir à l'identification – ou à la mise hors de cause – d'un criminel[1].

L'histoire remonte à 1984. Elle est racontée par Matt Ridley[2], dans son livre *Génome* (éditions Robert Laffont, 2001). « Cette année-là, le chercheur généticien Alec Jeffreys et le technicien qui l'assiste découvrent presque par hasard les *minisatellites*, ces

1. Après la découverte de la structure en double hélice de la molécule d'ADN et la preuve incontestable que les gènes, support de l'hérédité, pouvaient s'autorépliquer, ce qui valut le prix Nobel de médecine 1962 attribué à James Watson, Francis Crick et Maurice Wilkins, il faudra attendre 1984 et les travaux d'Alec Jeffreys de l'université britannique de Leicester pour que le polymorphisme de l'ADN soit utilisé à des fins d'identification humaine. Voir ci-après, comment ses travaux ont permis pour la première fois dans l'histoire, d'innocenter quelqu'un qui avait avoué un crime qu'il n'avait pas commis.

2. Zoologiste anglais, ancien responsable des pages scientifiques du journal *The Economist* avant de devenir son rédacteur en chef pour les États-Unis, Matt Ridley a été aussi cadre supérieur à la banque Northern Rock de 2004 à 2007. Il est l'auteur de nombreux ouvrages de vulgarisation scientifique.

zones d'ADN répétitif, en comparant le fonctionnement du gène humain de la myoglobine, la protéine du muscle, avec son équivalent chez le phoque ! Par hasard, ils remarquent un fragment d'ADN répétitif. Chaque minisatellite comprend la même séquence centrale de 12 lettres, mais le nombre de répétitions peut varier énormément. Il est donc simple de pêcher la collection complète de minisatellites et d'en comparer la taille selon les individus. Ils constatent que le nombre de répétitions est si variable que chaque individu dispose d'une empreinte génétique unique. »

Ridley raconte ensuite comment le scientifique britannique, conscient de l'importance de sa découverte, abandonne ses recherches en cours pour se consacrer à trouver une application pratique de cette possibilité nouvelle d'identification humaine. Or Jeffreys avait également remarqué que les empreintes génétiques de deux personnes n'ayant aucun lien de parenté étaient plus éloignées que celles de deux personnes d'une même famille. La publication de sa découverte attira l'attention des services britanniques de l'immigration qui y trouvèrent une nouvelle possibilité de vérifier immédiatement la véracité des déclarations des immigrants qui disaient vouloir rejoindre au Royaume-Uni des membres de leur famille (regroupement familial). La police britannique put constater à cette occasion que la plupart des candidats à l'immigration disaient en général la vérité !

Mais c'est un terrible fait-divers qui allait ensuite donner à l'ADN ses lettres de noblesse en matière d'identification humaine et – surtout – permettre à la police d'innocenter un jeune homme qui avait avoué en garde à vue un crime qu'il n'avait pas commis !

L'histoire nous a été racontée par Frédéric Brard, qui dirige le service central d'analyses génétiques et Yvan

Malgorn, chef de la division « Criminalistique identification humaine » à l'IRCGN.

Pour la première fois au monde, l'ADN permet aux enquêteurs britanniques de résoudre un mystère criminel

Nous sommes le 2 août 1986. Ce jour-là, le corps sans vie d'une jeune fille de 15 ans, Dawn Ashworth, qui travaillait comme vendeuse de journaux dans la région, est découvert à la lisière d'un bois proche de la petite commune de Narborough, dans le comté de Leicester. Sa disparition mystérieuse avait été signalée par ses proches deux jours plus tôt. Son corps, grossièrement dissimulé sous des feuillages, avait été abandonné au bord du chemin qu'elle empruntait pour rentrer chez elle. Les constatations des policiers et du médecin légiste ayant pratiqué l'autopsie montrent qu'elle a été étranglée et violée. Une petite quantité de sperme de l'agresseur a été prélevée. Immédiatement, la police locale fait le lien avec un précédent meurtre non résolu, survenu trois ans plus tôt dans le même secteur. En novembre 1983, Lynda Mann, également âgée de 15 ans, avait disparu sur le chemin de son domicile, après avoir passé l'après-midi avec une de ses amies habitant Narborough. Son corps avait été découvert le lendemain de sa disparition, non loin d'un hôpital psychiatrique de la région. L'autopsie avait révélé qu'elle avait été violée et étranglée. Les policiers de l'époque avaient prélevé sur son corps et sur ses vêtements un peu de sperme qui avait été soigneusement conservé, même si l'enquête n'avait pas permis de résoudre l'affaire.

Les policiers pensent que les deux jeunes filles ont certainement été assassinées par le même agresseur.

Une semaine plus tard, à la mi-août 1986, un suspect est arrêté. Il a 17 ans. Il s'appelle Richard Buckland. Il travaille à l'hôpital local. Il connaissait la victime. Après quelques heures d'interrogatoire, il avoue le meurtre de Dawn Ashworth, mais il nie farouchement avoir tué en 1983 la petite Lynda. Certes, il avait à peine 14 ans à l'époque, mais les policiers sont persuadés de sa culpabilité.

C'est alors que l'un des enquêteurs se souvient avoir lu dans la presse locale un article racontant la récente découverte du professeur Jeffreys concernant l'identification par l'ADN. Il décide alors d'envoyer au scientifique des échantillons de sperme prélevés sur les deux cadavres et un prélèvement sanguin effectué sur Richard Buckland. La demande faite à l'expert par les policiers est de comparer l'ADN de Buckland avec l'empreinte génétique du meurtrier de Lynda Mann. Jeffreys accepte. Au laboratoire, il n'a aucun mal à repérer les minisatellites de chacun des échantillons. Au bout d'une semaine, il rend ses conclusions à la police : le sperme retrouvé sur le corps de la jeune fille assassinée en 1983 est bien le même que celui du violeur assassin de Dawn Ashworth… Mais il a constaté avec étonnement, leur dit-il, que l'ADN de Buckland était différent. Buckland n'était pas l'auteur des meurtres ! Il est le premier suspect à être innocenté grâce à une analyse ADN.

Dans un premier temps, les enquêteurs sont incrédules. Alec Jeffreys recommence ses analyses, le laboratoire de médecine légale du ministère de l'Intérieur également. Même résultat ! Richard Buckland est définitivement innocenté, et rendu à la liberté à l'automne.

Mais alors, se disent les policiers, qui a tué deux fois en trois ans dans cette région tranquille ? Ils veulent identifier l'auteur des crimes le plus vite possible afin d'éviter une récidive. Cinq mois après la mort de Dawn Ashworth, la police décide – et c'est encore une première – de soumettre à un test sanguin les 5 500 habitants mâles de Narborough et des environs. Sans succès. Aucun échantillon ne correspond au profil du tueur.

Et c'est alors que la chance va sourire, enfin, aux enquêteurs, par l'intermédiaire d'un témoignage spontané. Nous sommes en 1987. Un témoin, qui a réfléchi plusieurs mois avant de résoudre son problème de conscience, vient dénoncer à la police un boulanger de la région, Ian Kelly. Celui-ci, dit le témoin, a raconté en sa présence dans un pub, à l'heure de l'apéritif, une étrange histoire…

L'une de ses connaissances, un certain Colin Pitchfork, lui aurait offert 200 livres sterling pour se présenter à sa place au test sanguin organisé l'année précédente par la police ! Pitchfork, lui-même boulanger à Narborough, ayant eu « des problèmes » judiciaires dans le passé, aurait demandé à Ian Kelly de coller sa propre photo sur son passeport afin de se faire passer pour lui !

Les enquêteurs constatent que l'homme en question a bien été interpellé et condamné par le passé dans des affaires de mœurs. Pitchfork est aussitôt appréhendé. Il avoue rapidement les deux meurtres, aveux confirmés par de nouvelles analyses ADN.

L'histoire est extraordinaire à plus d'un titre, car les policiers retrouveront trace d'un interrogatoire du boulanger en 1983, après le meurtre de Lynda Mann. Il avait été mis hors de cause car, à l'époque, il venait d'avoir son premier enfant et, le jour du meurtre, sa femme lui avait demandé de garder l'enfant, ce qui lui avait donné, aux yeux des policiers, un alibi suffisant. Personne ne pouvait imaginer ce qui s'était pourtant passé : il avait laissé son bébé dans sa voiture, pendant qu'il violait et assassinait la pauvre adolescente !

Pitchfork a été condamné à la prison à vie en 1988. Il serait libérable en 2015…

En France, l'affaire Dickinson

Il faudra attendre 1996 et le meurtre d'une jeune Anglaise de 13 ans pour que la révolution ADN ait définitivement lieu en France.

Le 14 juillet 1996, 40 collégiens anglais et 5 professeurs d'un collège des Cornouailles en voyage scolaire, arrivent à l'auberge de jeunesse de Pleine-Fougères, près de Saint-Malo.

Le 17 juillet au soir, Caroline Dickinson, une écolière de 13 ans, s'endort dans la chambre n° 4, qu'elle partage avec quatre autres jeunes Britanniques. Faute de place, Caroline dort sur un matelas posé par terre. Les fenêtres restent ouvertes pendant la nuit car il fait très chaud à cette époque. Le lendemain matin vers 8 heures, la jeune Ann essaie de réveiller Caroline qui semble inconsciente. Ses lèvres sont bleues. Le médecin qui examinera le corps constatera qu'elle a été violée et étranglée ou étouffée par son agresseur.

Aussi incroyable qu'il paraisse, les quatre jeunes filles ne se sont aperçues de rien ! L'une d'entre elles a bien entendu des gémissements vers 3 heures du matin, mais elle a pensé que Caroline faisait un cauchemar et elle s'est rendormie.

Les gendarmes appelés sur les lieux ne pourront que constater l'incroyable audace de l'assassin qui a su profiter des circonstances du moment : porte d'entrée de l'auberge non verrouillée, fenêtres des chambres ouvertes pour créer un courant d'air. Il a pu ainsi monter l'escalier qui mène à l'étage et s'introduire dans la chambre numéro 4 où il a violé la jeune fille qu'il a aussi étouffée avec un oreiller, avant de quitter les lieux sans se faire repérer…

Les indices relevés sur les lieux par les enquêteurs sont un morceau d'ouate qui a pu servir à étouffer la victime, et une trace de sperme qui permettra d'extraire l'empreinte génétique de l'assassin… L'enquête est confiée au juge d'instruction Gérard Zaug.

Le premier suspect est un SDF ayant été aperçu par plusieurs témoins, dans le courant du mois de juillet, même la veille du meurtre près de l'auberge, selon une habitante de Pleine-Fougères. Cet homme arbore un anneau à l'oreille ainsi que de nombreux tatouages que tous les témoins avaient mentionnés. Le 20 juillet, il est arrêté lors d'un banal contrôle routier à quelques dizaines de kilomètres de l'auberge. Il s'appelle Patrice Padé. Il a 39 ans. Il possède un casier judiciaire et a déjà été condamné pour des affaires de mœurs. Patrice Padé est placé en garde à vue. On lui fait une prise de sang dont les résultats seront comparés avec les analyses du sperme retrouvé sur la cuisse de la victime. Dans un premier temps, il nie farouchement être l'auteur du crime, donne un alibi selon lequel il se trouvait la veille en fin d'après-midi à plusieurs kilomètres de Pleine-Fougères, à Avranches, où une femme âgée lui aurait donné un billet de 50 francs, une somme importante pour lui ! Mais, à la 45e heure de garde à vue, Patrice Padé craque et s'effondre en pleurs. Puis il avoue tout : le viol, l'asphyxie, le meurtre. Il donne quelques détails assez flous sur la manière dont il s'est introduit dans l'auberge, puis dans la chambre de l'écolière anglaise. Présenté au juge d'instruction, il est immédiatement mis en examen et incarcéré. Le lendemain, la photo du « Tatoué » fait la une de la presse. Pour tout le monde, l'affaire est bouclée…

Huit jours plus tard, coup de tonnerre : les tests génétiques réalisés sur son échantillon de sang ne correspondent pas aux analyses des spermatozoïdes de l'assassin retrouvés sur la victime. Selon le laboratoire qui a procédé à la comparaison, le risque d'erreur est de 1 sur 1 million ! Le 5 août, les enquêteurs retrouvent une veuve qui vit à Avranches. Elle confirme qu'elle a bien donné 50 francs à Patrice Padé le 17 juillet vers 17 h 30. Entendu à nouveau par le juge Zaug le 7 août, le SDF explique qu'il a avoué parce qu'il était « à bout », épuisé par les questions des enquêteurs. Il sort libre du bureau du juge.

Avec la libération du « suspect n° 1 », le mystère s'épaissit et l'enquête s'enlise, malgré les investigations des gendarmes qui lancent des commissions rogatoires internationales en Suisse et en Italie pour retrouver tous les occupants des chambres de l'auberge de Pleine-Fougères dans la nuit du 17 au 18 juillet. Ils interrogent tout le personnel de l'auberge, les anciens employés, leurs amis et leurs parents. Ils retrouvent deux adolescents qui avaient aspergé d'eau Caroline et ses amies au cours d'un jeu en début de soirée le 17. Ils vérifient également tous les registres de toutes les auberges de jeunesse de la région et entendent plusieurs centaines de témoins. 230 analyses génétiques sont réalisées, sans succès… Enfin, les gendarmes qui ont appris qu'un certain nombre de jeunes filles étrangères avaient été confrontées à un inconnu qui s'était introduit dans les mois précédents dans plusieurs auberges de jeunesse de la région, établissent un portrait-robot qui est transmis à toutes les forces de police sur l'ensemble de la France.

Le 12 décembre 1996, John Dickinson, le père de Caroline, qui connaît l'histoire de Colin Pitchfork[1], demande au juge d'instruction de prélever systématiquement l'empreinte génétique de tous les hommes de Pleine-Fougères, âgés de 15 à 35 ans. Le juge Zaug refuse, mais la famille de Caroline obtient que le dossier soit confié à un nouveau juge. C'est Renaud Van Ruymbeke qui est désigné. Il fait procéder aux analyses de

1. Voir ci-dessus.

l'ensemble des habitants de Pleine-Fougères, mais cela ne donne pas de résultats [1].

Renaud Van Ruymbeke reprend l'enquête de zéro. Sur la base du travail remarquable des enquêteurs qui ont établi le portrait-robot de l'agresseur potentiel qui aurait pu opérer le soir même du drame dans une autre auberge de jeunesse située à Saint-Lunaire, à quelques kilomètres de là, il établit une liste de 200 suspects, coupables de viols commis selon le même mode opératoire. Après interrogatoires et analyses génétiques de la plupart des suspects n'ayant pas d'alibi pour la nuit du 17 au 18 juillet, il reste trois auteurs possibles qui n'ont pas pu être localisés par les enquêteurs. Parmi eux, un certain Francisco Arce Montes, un routier espagnol d'une cinquantaine d'années. Il a été condamné par le passé en Allemagne pour des affaires de viol sur mineures dans des établissements de jeunesse et il est recherché aux Pays-Bas pour attouchements sexuels également sur mineures. Il est par ailleurs connu des services de police en France, car, en 1994, il avait tenté de s'introduire dans une auberge de jeunesse…

Toutes les recherches se concentrent sur lui, mais il reste introuvable. Il faudra attendre plusieurs années pour qu'un incroyable rebondissement relance l'affaire.

C'est une simple vérification effectuée à l'aéroport de Detroit aux États-Unis, le 2 avril 2001, qui va dénouer l'affaire. Un agent de la police d'immigration qui avait déjà lu par ailleurs un article sur l'affaire Dickinson, ramasse dans une salle d'attente de l'aéroport un exemplaire du journal britannique *Sunday Times*, abandonné par un voyageur. Le nom de Francisco Arce Montes est mentionné dans l'article. Par acquis de conscience, le policier consulte les fichiers de son administration et

---

1. Au final, tout au long de l'instruction et à la faveur des indices découverts, plus de 9 000 personnes subiront un test ADN.

s'aperçoit qu'Arce Montes est entré sur le territoire américain et même, qu'il est alors incarcéré à Miami dans l'attente d'être jugé pour une affaire d'attentat à la pudeur dans une chambre d'hôtel où il s'était introduit.

Peu après, le juge Van Ruymbeke, prévenu par les autorités américaines, envoie sur place deux policiers. Les analyses ADN du suspect indiquent que son empreinte génétique correspond à l'ADN extrait de quelques gouttes de sperme retrouvées sur la cuisse de la victime. Arce Montes est extradé vers la France. Il sera condamné par la cour d'assises de Rennes à 30 ans de prison, dont une peine de sûreté de 20 ans, en juin 2004. Peine confirmée en appel à Saint-Brieuc.

Aujourd'hui il y a environ 350 000 prélèvements ADN par an réalisés sur des personnes. La gendarmerie nationale en analyse en moyenne 60 000 dans un laboratoire qui est le seul qui ne soit pas confiné au sein du fort de Rosny.

150 000 à 200 000 prélèvements biologiques sont réalisés par an sur les scènes de crime ou d'infraction. Ils sont adressés à la quinzaine de laboratoires agréés en France, qu'ils soient privés ou qu'ils appartiennent à la police ou à la gendarmerie. Les premiers laboratoires à réaliser des empreintes génétiques en France au tout début des années 90 ont été le laboratoire de biologie moléculaire du CHU de Nantes et le laboratoire Codgène à Strasbourg. Peu après, la police et la gendarmerie ont créé leurs propres laboratoires.

Le rôle des laboratoires de l'IRCGN dans le domaine des analyses ADN

L'IRCGN procède à l'analyse d'environ 800 objets par mois au sein du département Biologie à Rosny-sous-Bois. Ces analyses sont réalisées dans le cadre d'affaires complexes ou sensibles. Les 13 personnels de ce département interviennent également eux-mêmes sur les scènes de crime dans le cadre de l'Unité nationale d'investigation criminelle (UNIC) lors d'affaires particulièrement délicates.

Le SCAGGEND (Service central d'analyses génétiques de la gendarmerie) fonctionne à temps plein avec 18 collaborateurs installés à Cergy-Pontoise dans le cadre de l'Institut de recherche criminelle. Il analyse mensuellement 5 000 prélèvements biologiques réalisés sur des individus aux fins d'alimenter le fichier national automatisé des empreintes génétiques (le FNAEG).

Une nouvelle unité d'analyse de prélèvements standardisés (de type écouvillons) est en cours de déploiement dans les locaux du SCAGGEND à Cergy-Pontoise. Cette chaîne d'analyse dont les matériels ont été livrés à l'été 2011 est dans les phases finales de validation et devrait être très vite opérationnelle. 18 personnels travaillent dans cette unité qui pourra analyser entre 3 000 et 4 000 objets mensuellement.

80 % de l'activité de l'IRCGN concerne des affaires délictuelles. D'où la création d'une unité dédiée au SCAGGEND en normalisant les prélèvements réalisés par les enquêteurs pour pouvoir automatiser les analyses.

En moins de quinze ans, les progrès de l'analyse génétique aux fins d'identification ont été considérables. Pour extraire l'ADN nécessaire à réaliser l'empreinte génétique d'une personne, il fallait, au début, disposer au moins d'une tache de sang de la taille d'une pièce de deux euros. À l'heure actuelle, une quantité infime de matériel biologique – quelques cellules – peut suffire, car on possède désormais des techniques d'amplification de l'ADN qui font des « photocopies » des régions spécifiques de l'ADN permettant aux experts d'obtenir les mêmes résultats en quelques heures. Un nanogramme de matière, c'est-à-dire un milliardième de gramme seulement, permet d'établir un profil génétique, contre cinq cents nanogrammes auparavant [1] ! Si la biologie est devenue incontournable dans les enquêtes judiciaires, parce qu'elle donne la possibilité d'établir un lien direct avec un individu et les faits ou l'endroit où ils se sont déroulés, l'ADN ne peut pas prouver la culpabilité de quelqu'un. Il peut, soit disculper un mis en cause par erreur, soit témoigner du passage de quelqu'un en un lieu donné, ce qui ne prouve pas sa participation éventuelle à un acte criminel. D'autre part, si la génétique a fait beaucoup de progrès, il est toujours impossible à l'heure actuelle de dater l'ADN, c'est-à-dire de déterminer le moment où la trace relevée a été déposée.

Un exemple parmi d'autres : la mise en examen en 2006 de Nordine Mansouri. Maintes fois condamné, fiché au grand banditisme – on l'appelle familièrement « la gelée » dans le milieu –, son empreinte génétique était depuis longtemps contenue dans le fichier recensant le profil génétique de toutes les personnes ayant eu affaire à la justice.

À l'occasion d'une enquête sur le cambriolage d'un entrepôt en 1996 à Villepinte, dans le nord de Paris, un ADN inconnu est retrouvé sur un mégot de cigarette vraisemblablement abandonné sur place par un des membres du gang. Après analyse, l'empreinte de cet ADN inconnu est introduit, pour comparaison, dans le

---

1. Source : « L'ADN auxiliaire de justice », article de Frédéric Brard et Yvan Malgorn publié par la revue *Pour la Science*.

FNAEG[1]. Moins de 24 heures plus tard, l'ordinateur est formel : l'identité de l'inconnu ayant laissé son empreinte génétique sur le mégot n'est autre que celle de Nordine Mansouri. Pourtant, à l'issue de l'instruction, il sera établi que Mansouri ne pouvait être présent lors de ce casse. D'où vient la confusion ? Est-ce le hasard qui a conduit Nordine Mansouri près de cet entrepôt quelques jours ou quelques semaines avant que le vol ne soit commis ? Ses avocats ont évoqué une possible manipulation policière. Les enquêteurs maintiennent qu'ils ont bien retrouvé ce mégot sur les lieux. Le mystère n'a jamais été éclairci. Il est également possible, dans ce cas ou dans d'autres, que les auteurs aient abandonné sur place un élément destiné à brouiller les pistes, ou à mettre en cause un complice n'ayant pas participé à l'action. Tous les enquêteurs savent que les voyous regardent *Les Experts* à la télé. Certains braqueurs de banque ont ainsi abandonné sur les lieux de leur casse des mégots ramassés au hasard dans la rue ou dans le cendrier d'un endroit public pour compliquer la tâche des enquêteurs. Un gardien d'immeuble qui avait violé et assassiné une jeune femme qu'il avait séquestrée dans sa loge, avait répandu sur le cadavre le sperme d'un des locataires de l'immeuble qu'il avait prélevé dans un préservatif jeté à la poubelle !

---

1. Le fichier national automatisé des empreintes génétiques (FNAEG), basé à Écully, près de Lyon, a été créé en 2002 et compte aujourd'hui près de 1 500 000 profils génétiques recensés. Ce listing informatique est nourri quotidiennement des traces ADN de toute personne condamnée ou *suspectée* de crimes et délits entraînant une condamnation égale ou supérieure à cinq années de prison. Si ce recensement, encadré par la CNIL, a souvent permis d'identifier des auteurs de crimes violents, il n'en reste pas moins critiqué par de nombreuses associations, qui y voient un véritable fichage de la population, notamment à cause de la présence du profil génétique de nombreux innocents. Pourtant, certaines autorités aimeraient augmenter la portée du FNAEG, pour y intégrer les auteurs de délits mineurs. Voir encadré.

Le FNAEG, fichier national automatisé des empreintes génétiques

Qu'il s'agisse d'ADN humain ou animal, l'identification impose de disposer d'un élément de comparaison. C'est pourquoi, dès 1992, le Comité des ministres du Conseil de l'Union européenne a encouragé les États membres à développer des bases de données génétiques. Le principe est simple : on enregistre le profil génétique d'individus connus auquel on compare tous les profils génétiques non identifiés provenant des traces prélevées sur des scènes d'infraction. On peut aussi comparer les profils génétiques d'individus entre eux et ceux des traces inconnues entre eux afin de détecter éventuellement des alias ou des usurpations d'identité, ou encore comparer les scènes d'infraction ayant un même auteur potentiel, dans le cas des tueurs en série. Le FNAEG a été créé en 1998 en France, après la Grande-Bretagne (1995), l'Allemagne, l'Autriche et les Pays-Bas (1997). Il contient, à l'heure actuelle, plus d'un million et demi de profils d'individus identifiés, condamnés, suspects ou « mis en cause » dans le cadre de crimes ou de délits. On y trouve aussi 100 000 profils inconnus que l'on compare aux premiers et qui donnent lieu à plus de 200 rapprochements par semaine.

Il a fallu également systématiser les prélèvements biologiques sur l'ensemble des scènes d'infraction de délinquance de proximité en vue d'alimenter le FNAEG en nouveaux profils. À cet effet, des kits de prélèvement spécifiques ont été développés et des unités dédiées à l'analyse de masse de ces échantillons ont été créées. Les kits autorisent une analyse plus rapide, mais aussi une conservation à température ambiante des échantillons biologiques avant et après traitement.

Enfin, les unités nouvellement créées sont conformes aux normes les plus strictes du domaine de l'analyse génétique, notamment la norme ISO/CEI 17025 relative aux laboratoires d'étalonnage et d'essai[1], qui représente un standard international apportant aux différents pays qui partagent des données la confiance réciproque nécessaire[2].

Il faut savoir que le refus de se soumettre au fichage génétique est un délit, passible d'un an d'emprisonnement et d'une amende de 15 000 euros[3]. Pour les personnes condamnées, le refus du fichage génétique entraîne la suppression des remises de peine.

Malgré les succès incontestables remportés dans la lutte contre le crime grâce à l'établissement des profils génétiques[4], un certain nombre de questions se posent sur la fiabilité d'une technique en constante évolution. Notre enquête à l'IRCGN, auprès des experts de la gendarmerie nationale, montre que les autorités françaises sont soucieuses d'éviter les erreurs qui s'accumulent dans différents pays, en particulier aux États-Unis, où Brandon L. Garrett, professeur à l'école de droit de Virginie, et Peter J. Neufeld, cofondateur de « Innocence Project », ont réussi à innocenter 261 personnes en démontrant que leur ADN ne correspondait pas à celui

1. La loi impose désormais à tous les laboratoires de génétique judiciaire d'être accrédités selon cette norme avant 2013.
2. Depuis la création des fichiers en Europe, une politique commune a été définie afin de faciliter les échanges de données génétiques entre États membres pour lutter contre la délinquance frontalière.
3. Art. 706-56 du Code de procédure pénale.
4. Selon un article du journal *Le Monde* du 10 décembre 2010, « depuis la constitution du fichier, de très nombreux rapprochements d'affaires ont été réalisés : 5 548 avec une trace non identifiée, 25 884 avec l'empreinte génétique d'une personne mise en cause et 8 796 avec celle d'une personne condamnée ».

du véritable coupable de ce pour quoi ils avaient été condamnés (plus de la moitié d'entre eux avaient pourtant été, notamment, condamnés sur la foi de preuves apportées par la police technique et scientifique qui, par la suite, se sont en fait avérées erronées). Sur les 137 cas qu'ils ont analysés en 2009, pour leur étude qu'ils ont consacrée aux erreurs des « experts » de la police scientifique et technique, Garrett et Neufeld ont découvert 11 erreurs judiciaires imputables, en partie, à une mauvaise interprétation ou exploitation de « la preuve par l'ADN ».

L'une des victimes de ces erreurs judiciaires fit les frais d'une « grossière erreur » dans l'analyse de son ADN. Mais trois autres furent condamnés sur la base de faux témoignages des experts ayant analysé leur ADN.

L'étude raconte, entre autres, l'histoire incroyable d'un certain Gilbert Alejandro, condamné pour viol sur la base du témoignage de l'« expert », qui déclarait être « sûr à 100 % » que l'ADN du violeur était le sien. On a découvert plus tard que cet « expert », Fred Zain, avait non seulement menti sur son diplôme, mais qu'il ne possédait aucune qualification bien qu'il ait réussi à travailler pendant vingt ans pour la police scientifique et technique du Texas. Il s'est avéré, concernant l'affaire d'Alejandro, qu'il n'avait pas effectué l'analyse en question ! Fred Zain est impliqué dans 134 condamnations douteuses, et plusieurs dizaines de personnes, qu'il avait contribué à faire condamner, furent ensuite innocentées[1].

1. Source : journal *Le Monde* du 10 décembre 2010. Article de Jean-Marc Manach, « Quand les experts se trompent ».

Le fantôme de Heilbronn

La plus incroyable histoire de ces dernières années, présentée par la presse allemande, pendant plus de quinze ans, comme « la plus grande histoire criminelle de tous les temps », est bien celle de la « tueuse sans visage », une tueuse en série que certains journaux d'outre-Rhin avaient également baptisé « le fantôme de Heilbronn »[1].

L'enquête a mobilisé plus de cent policiers allemands et autrichiens ainsi qu'Interpol pendant seize ans. 1 400 pistes différentes ont été suivies. Plus de 2 400 vérifications ADN et une prime de 300 000 euros promise à toute personne permettant d'arrêter cette criminelle impliquée dans plusieurs affaires de meurtres et dans une multitude de braquages et de cambriolages. Point commun à toutes ces affaires : son ADN, retrouvé sur les lieux de tous ses méfaits, sans exception…

La mystérieuse tueuse s'était même manifestée en France, en septembre 2004. Cette année-là, un commerçant ambulant, d'origine cambodgienne et son épouse vietnamienne sont agressés, saucissonnés et séquestrés à leur domicile, puis dépouillés de 3 000 euros de bijoux et d'un lingot d'or. À l'époque, les gendarmes jurassiens cherchent à établir la présence sur la scène du crime de quatre suspects interpellés : un Turc et trois Chinois. Les spécialistes de police scientifique découvrent une trace ADN sur un pistolet à billes, une réplique extrêmement réaliste d'une arme véritable, mais dont la détention est libre. L'ADN découvert sur cette arme factice est inconnu dans le fichier français des empreintes génétiques. Les enquêteurs n'ont donc aucune raison de s'intéresser plus avant à cet aspect de l'enquête. Les

---

1. Source : Michel Ferracci-Porri, *L'affaire du fantôme de Heilbronn*, éditions Normant, 2009.

suspects sont mis hors de cause au cours des investigations et le dossier est classé. L'affaire va rebondir par le plus grand des hasards quelque temps plus tard, lorsque des policiers allemands et autrichiens s'aperçoivent que cette trace ADN correspond à celle d'un mystérieux criminel recherché en vain par leurs services depuis une quinzaine d'années. Comment ont-ils été amenés à opérer cette vérification ? Tout simplement dans le cadre d'accords de coopération des polices européennes qui comparent systématiquement les empreintes ADN trouvées au cours d'affaires non élucidées avec les fichiers des pays étrangers… L'empreinte trouvée à Arbois, disent les Allemands, est celle d'une tueuse en série dont la première manifestation remonte à 1993…

C'était le 26 mai 1993. Ce jour-là, le cadavre d'une retraitée de 62 ans, Liselotte Shlenger, est retrouvé à son domicile dans la ville de Idar-Oberstein, en Rhénanie. Elle a été étranglée avec un fil de fer. La police relève plusieurs traces d'ADN inconnu sur une tasse à café. Après analyse, les enquêteurs apprennent que cet ADN appartient à une femme… Huit ans plus tard, le 26 mars 2001, c'est un brocanteur de Fribourg qui est découvert étranglé et assassiné avec une grande sauvagerie, à son domicile. Plusieurs traces d'un ADN féminin sont retrouvées dans différentes pièces de l'appartement. Cet ADN est le même que celui retrouvé en 1993 à 500 kilomètres de là… Le 11 octobre de la même année, un enfant se blesse avec une seringue contenant des restes d'héroïne, au cours d'une balade en forêt dans la région de Geroldstein. On retrouve le même ADN féminin. Les enquêteurs imaginent que la mystérieuse tueuse qu'ils recherchent est une junkie, prête à tout pour se procurer de l'argent afin d'acheter ses doses de drogue. Par la suite, on retrouvera encore régulièrement la signature ADN de la tueuse sans visage, en 2003 sur les lieux d'un cambriolage de bureaux, puis dans une voiture volée…

En septembre 2004, c'est l'épisode du saucissonnage d'Arbois en France. En octobre on retrouve encore le même ADN dans le Tyrol en Autriche… Jusqu'en avril 2007, on retrouvera épisodiquement l'ADN du fantôme sur trente lieux différents ! La tueuse semble être d'une grande intelligence. Elle brouille les pistes à plaisir et semble particulièrement mobile. Un groupe multidisciplinaire composé de policiers et de psychologues s'attache à dresser un profil morpho-psychologique de l'inconnue. Les spécialistes sont d'autant plus perplexes que depuis 2001, il n'y a plus eu de crimes de sang attribués à la tueuse sans visage. La plupart des cambriolages ou des braquages dans lesquels elle est impliquée n'ont rapporté que des sommes dérisoires. Aurait-elle renoncé à faire couler le sang ? La réponse ne tardera pas à venir. Avec fracas, le 25 avril 2007 dans la ville de Heilbronn. Ce sera la 27e manifestation de l'inconnue. C'est à partir de cette date qu'elle sera désignée unanimement en Allemagne « le fantôme de Heilbronn ».

Ce jour-là, deux jeunes policiers en tenue, Martin, 25 ans, et Michèle, une jeune femme de 22 ans, déjeunent tranquillement dans leur voiture de patrouille sur un parking de cette ville de 120 000 habitants située dans le Bade-Wurtemberg. Ils sont découverts par des passants, effondrés sur leurs sièges. Ils ont reçu chacun une balle dans la tête, tirée vraisemblablement par surprise et sans sommation, car ils n'ont pas eu le temps de dégainer leurs armes de service. Martin s'en sortira par miracle, mais ne gardera aucun souvenir de l'attaque. Michèle, elle, est décédée sur le coup ! Les enquêteurs mettront une fois de plus en évidence la présence de l'ADN de la femme inconnue qui les nargue depuis plus de quatorze ans ! C'est cette affaire qui va déclencher une des plus importantes traques policières de l'après-guerre. Malheureusement sans aucun succès. La trace ADN du fantôme de Heilbronn sera encore retrouvée dans une voiture utilisée par trois Géorgiens exécutés au cours d'un règlement de compte mafieux, puis au bord de la piscine d'une maison cambriolée, dans une cabane de pêcheur isolée dans laquelle a été sauvagement agressée une sexagénaire, et aussi près du cadavre d'une infirmière de 43 ans assassinée dans un bois proche de Heilbronn.

La traque de la mystérieuse inconnue va se poursuivre jusqu'en septembre 2008, à Linz, en Autriche, où, pour la première fois, des policiers vont émettre de sérieux doutes sur l'existence réelle de l'inconnue.

En effet, le 28 septembre 2008, suite à une bagarre dans une discothèque, un jeune Serbe de 21 ans est mortellement blessé. On prélève sur un de ses doigts l'ADN du fantôme de Heilbronn ! Le jeune homme avait les mains propres. Aucune présence féminine sur les lieux de la bagarre, ni dans aucun des groupes de jeunes qui l'avaient agressé. Comment expliquer cette invraisemblance ?

Certains policiers qui avaient dressé quelques mois plus tôt le portrait-robot de l'auteur d'un cambriolage raté à Sarrebruck où on avait encore retrouvé l'ADN féminin inconnu, avaient déjà eu la surprise de découvrir le visage d'un jeune homme aux traits fins ornés d'une petite barbichette. Ils avaient alors émis l'hypothèse que l'inconnue de Heilbronn pourrait être en fait une tueuse transsexuelle…

Était-ce la clé du mystère ? Ou s'agissait-il tout simplement d'un homme possédant un ADN féminin ? Une sorte d'exception génétique rarissime ? Ou encore, fallait-il reconnaître que la preuve de la présence de l'inconnue sur plus de quarante scènes de crimes en seize ans devait être remise en cause ? Que s'était-il passé ?

Le mystère sera résolu l'année suivante. En mars 2009, le journal allemand *Bild* révèle que certains policiers perspicaces avaient émis l'hypothèse que ce fantôme insaisissable n'existait pas et que l'ADN retrouvé systématiquement à des époques et dans des lieux sans aucun lien devait être en réalité le résultat d'une pollution, une erreur due à la contamination des bâtonnets de prélèvement. Et ils avaient raison ! L'ADN a fini par être identifié, c'était celui d'une paisible Suissesse, Diane P., qui était employée par l'entreprise qui fabriquait les écouvillons servant à prélever les échantillons d'ADN. L'institut de médecine légale de Hombourg, dans la Sarre, réalisa des tests démontrant que des bâtonnets non encore utilisés par les services de police étaient porteurs du même ADN. La plupart des affaires criminelles où était impliquée la « tueuse sans visage » n'ont jamais été élucidées. Rien ne prouve que l'ensemble des homicides aient été liés ni qu'ils soient l'œuvre d'un seul auteur.

Les limites de l'ADN

Nous avons évoqué l'affaire de Heilbronn et la question des limites de l'ADN avec le lieutenant-colonel Yvan Malgorn, chef de la division Criminalistique Identification humaine à l'IRCGN[1].

« Je connais l'affaire du "fantôme de Heilbronn" car on nous a demandé à l'époque, par l'intermédiaire des ambassades, de quelle façon les prélèvements avaient été faits dans "l'affaire du Jura" (lorsque le profil génétique de la tueuse avait été retrouvé en France).

1. Cette division regroupe quatre départements : Biologie, Entomologie, ATO (Anthropologie Thanatologie Odontologie) et Empreintes digitales, ainsi que deux services : SCCPB (Service central de préservation des prélèvements biologiques) et SCAGGEND (Service central d'analyses génétiques de la gendarmerie nationale).

D'une manière générale, il peut y avoir une source de contamination de prélèvements tout au long de la chaîne, mais tout est fait pour que cela n'arrive pas. Lorsque nous faisons des appels d'offre pour l'achat de kits de prélèvement, nous demandons aux candidats qui répondent au marché que des tests soient effectués sur les écouvillons. Nous doublons la sécurité en pratiquant également nos propres tests aléatoires sur les différents lots. Sur le terrain, nos enquêteurs sont formés à la pratique des prélèvements. Ils utilisent des gants, savent comment prélever et conserver un échantillon. Les prélèvements sont ensuite scellés jusqu'au laboratoire.

Au laboratoire aussi il peut y avoir des contaminations. D'ailleurs toutes les personnes qui y travaillent ont leur profil génétique fiché. La fiabilité du résultat du test génétique dépend aussi beaucoup de la qualité de la trace ADN.

Dans les enquêtes, la limite principale de l'ADN est tout simplement sa présence : encore faut-il que des traces biologiques aient été laissées sur une scène de crime pour qu'elles puissent être analysées ! »

« L'autre limite, qui devient de plus en plus importante au fur et à mesure que les techniques d'analyse se font plus sensibles, à partir de quelques cellules, ajoute-t-il, c'est l'interprétation des résultats. En effet, lorsque l'on obtient un profil génétique à partir de quelques cellules seulement, il faut que les enquêteurs puissent expliquer comment ces cellules ont pu se trouver là. Autant on ne se pose pas trop de questions lorsque le profil génétique est déterminé à partir d'une trace de sang, autant cela peut devenir beaucoup plus compliqué pour les traces de contact. Comme pour les empreintes digitales, il y a de "bons" et de "mauvais" donneurs ! Ainsi, un bon donneur qui serre la main d'un mauvais donneur pourra laisser de ses cellules sur la main de ce dernier. Si celui-ci touche un objet, il est tout à fait envisageable qu'il dépose non pas ses propres cellules mais quelques-unes de celles de la personne à qui il vient de serrer la main. Il faut donc être extrêmement attentif aux résultats d'analyses qui ont été obtenus à partir d'échantillons[1]. »

Pourrait-on aller plus loin dans l'identification : sexe, origine ethnique, couleur des yeux, maladies héréditaires ?

« Pour le sexe, aucun problème, c'est déjà fait systématiquement lors des analyses traditionnelles. Mais attention, ce n'est pas parce que la personne est XY génétiquement que nous avons affaire à un homme. Le sexe génétique n'est pas forcément le sexe administratif et encore moins le sexe "ressenti" selon que des dysfonctionnements hormonaux sont présents ou non...

En ce qui concerne l'origine ethnique, la couleur des yeux ou des marqueurs de maladies génétiques, leur analyse n'est pas permise en France. Le code civil dans ses articles 16-10 et 16-11 indique que l'analyse des caractéristiques génétiques d'une personne ne peut être entreprise qu'à des fins médicales ou de recherche alors que l'identification d'une personne par ses empreintes génétiques peut aussi être réalisée en matière judiciaire.

---

1. Il peut arriver également que l'ADN recueilli sur une scène de crime ou d'infraction ait été, en réalité, apporté par un enquêteur ou par un membre de l'autorité judiciaire. Ce phénomène de « pollution » des échantillons, même s'il est rarement constaté, est plus fréquent qu'on ne le pense généralement. C'est ce qui s'est produit par exemple dans l'affaire Giraud : les enquêteurs avaient relevé un ADN inconnu sur un des dévidoirs de ruban adhésif ayant servi à enserrer les corps de Géraldine et de sa compagne Katia Lherbier. Pendant de nombreux mois, on a continué à évoquer la piste d'un possible complice de Jean-Pierre Treiber avant de constater que l'ADN provenait... d'un technicien négligeant ! Il y avait eu contamination. Voir supra l'histoire du « fantôme de Heilbronn ».

De plus, si certaines caractéristiques phénotypiques comme les cheveux roux sont très facilement analysables génétiquement et permettent de dire à coup sûr que la personne qui a laissé la trace biologique a les cheveux roux (sous réserve qu'elle ne soit pas teinte ou qu'elle se soit rasé les cheveux bien sûr), pour la plupart des autres caractéristiques cela permet seulement d'avoir une approche statistique.

Exemple : on sait que 80 % des personnes ayant telle caractéristique, ont ce profil génétique, c'est-à-dire que si on observe le même profil génétique il y a 80 % de chances pour que la personne à l'origine de la trace ait la caractéristique considérée, *mais il y a aussi 20 % de chances pour qu'elle ait tout à fait autre chose.*

Il y a des considérations éthiques que le législateur a prises en compte afin d'éviter que des dérives n'apparaissent dans l'utilisation qui peut être faite des analyses génétiques. »

On parle quand même beaucoup des SNP, des séquences répétitives spécifiques qui permettraient d'établir un portrait-robot d'un suspect en déterminant précisément les caractéristiques physiques évoquées, jusqu'à l'origine ethno-géographique ou la forme du lobe de l'oreille d'un suspect... L'ADN ne pourrait-il pas devenir réellement « la reine des preuves » ?

« L'ADN est souvent considéré comme la reine des preuves mais c'est seulement parce que les statistiques associées sont bien connues et que son pouvoir discriminant est très important.

Les analyses génétiques, même si elles ont un pouvoir individualisant très fort, restent comme les autres analyses, seulement un outil à disposition des enquêteurs et du procès pénal.

Elles ne remplacent pas et ne remplaceront jamais l'enquête elle-même qui seule va pouvoir expliquer pourquoi et comment telle trace, biologique ou autre, a pu se retrouver à cet endroit. »

Épilogue

Retour vers le futur...

*Où l'on constatera, comme le disait Pierre Dac,
qu'il est très difficile de faire des prédictions,
surtout celles qui concernent l'avenir ! La seule
certitude que nous pouvons avoir, à propos de l'avenir,
est justement qu'il n'est jamais conforme
à nos prévisions [1] !*

Les avancées techniques et les découvertes fonda-
mentales qui ont permis la révolution de la police scientifique n'étaient pas toutes prévisibles. Si le professeur
Jeffreys, de l'université de Leicester, n'avait pas travaillé en 1985 sur la comparaison d'un gène humain
avec celui d'un phoque, aurait-il découvert l'importance des mini et des microsatellites pour la détermination du profil génétique qui a changé fondamentalement
l'enquête judiciaire ? D'autres chercheurs l'auraient-ils
remarqué, et, si oui, à quelle date ?

Nous avons demandé systématiquement à tous les
interlocuteurs rencontrés au cours de cette enquête
comment ils voyaient l'avenir de la police scientifique.
Fallait-il s'attendre à de nouvelles découvertes ? Dans
quels domaines ?

La plupart d'entre eux restent persuadés que l'avenir
verra plutôt une amélioration, un perfectionnement des

1. Citation attribuée à Jean Dutour.

techniques actuelles, accompagné d'une sophistication des outils mis à la disposition des experts. Mise à part une découverte scientifique majeure, par définition impossible à prévoir, ils pensent que l'avenir verra encore reculer les frontières de l'infiniment petit. Et d'abord dans le domaine des empreintes génétiques.

Si l'on compare le temps et la matière nécessaires pour réaliser un profil génétique dans les années 1990, avec les méthodes actuelles d'extraction de l'ADN et de détermination de « l'empreinte » génétique, on peut imaginer que le développement des nanotechnologies permettra d'abaisser encore le seuil de la quantité de matière biologique nécessaire à une analyse fiable. Il ne serait alors pas impossible d'obtenir *quasi instantanément* le profil génétique d'une personne à partir d'une simple goutte de sang prélevée. Même si on s'en rapproche, cela est encore impossible aujourd'hui.

Actuellement, il faut d'abord opérer un prélèvement aux fins d'analyse ultérieure, et on n'obtient pas la réponse immédiatement. Pour le moment, les temps de traitements sont irréductibles, même si la technique de chimie FTA-Whatman [1] permet d'isoler de l'ADN à partir d'une goutte de sang ou d'un peu de salive en trente minutes ! Il faut ensuite conserver ce scellé et le transmettre au laboratoire. L'évolution peut donc porter sur le temps nécessaire à l'établissement du profil génétique, mais aussi sur la facilité d'obtenir très rapi-

---

1. Fondée sur une technologie récente, la chimie FTA sur support papier (procédé Whatman) a permis de créer une carte de cellulose imprégnée d'une solution chimique qui lui donne des propriétés particulières, comme extraire de l'ADN par simple application sur la carte d'un prélèvement sanguin ou autre (salive, cellules, etc.). Les acides nucléiques sont stabilisés à température ambiante. L'ADN est prêt en trente minutes. Il n'est plus nécessaire de conserver les prélèvements à moins 80 °C. Les possibilités de contamination croisée sont réduites. Et, surtout, l'échantillon peut être conservé, toujours à température ambiante, sans perte d'efficacité, jusqu'à quinze ans !

dement les informations *sur les lieux mêmes* de l'enquête.

On peut ainsi « prédire » sans grand risque de se tromper, que des progrès comparables à ce qui s'est passé dans le domaine des empreintes digitales avec la meilleure détection et l'amplification des traces papillaires les plus infimes, se développeront dans de nombreux domaines.

En ce qui concerne les traces papillaires, jusque dans les années 1990, on ne travaillait qu'avec la poudre traditionnelle qui avait comme inconvénient de rendre difficiles d'autres types d'analyses et ne permettait pas, par exemple, de relever des traces utilisables sur certains supports ou sur des objets ayant séjourné dans l'eau. C'est alors que des chimistes se sont aperçus qu'au niveau des sécrétions biologiques, on pouvait aller beaucoup plus loin. Désormais, on peut faire réapparaître des empreintes digitales, sur tous types de supports, armes, téléphones portables, carrosserie de voitures, livre ou papier journal, même après un long séjour dans l'eau !

C'est un progrès important. Les seuils de détection ont été réduits grâce à ces nouveaux produits chimiques. Si le signal d'une empreinte digitale est très faible, après excitations avec des lasers à haute puissance, on peut l'amplifier et arriver à avoir une empreinte utilisable, alors qu'avec les traitements classiques, c'était impossible !

Concernant les incendies criminels, on utilise actuellement la chromatographie qui permet d'analyser des hydrocarbures pour en déterminer l'origine. La chromatographie 2D, de deuxième dimension, va continuer à se développer, dans le but d'identifier par exemple la nature et la localisation du pétrole dont cette essence a été extraite !

Cet exemple indique les progrès que l'on peut attendre dans le futur en matière d'analyse, et plus généralement en matière d'une richesse d'information encore inconnue aujourd'hui…

Dans le domaine des écoutes ou de la télésurveillance, les possibilités de miniaturisation ouvriront certainement de nouvelles perspectives. Certains laboratoires de recherche en nanotechnologies travaillent sur des sortes de robots volants ultraminiaturisés, de la taille d'une grosse mouche, qui permettront peut-être d'embarquer une caméra ou des microphones et d'envoyer le tout au quatrième étage d'un immeuble pour pénétrer dans une pièce où sont retenus des otages…

Nous avons également interrogé les gendarmes en blouse blanche sur une pratique pourtant très souvent utilisée par les spécialistes de l'identité judiciaire de la police nationale et dans laquelle ils ne se sont pas particulièrement investis : l'odorologie, dont le principe est basé sur l'analyse des odeurs par des chiens afin de confondre les criminels.

L'odorat des chiens est depuis longtemps utilisé par la police pour le repérage de drogue, d'explosifs, ou d'armes. Les services de sauvetage et les équipes de médecine de catastrophe peuvent ainsi retrouver des corps ensevelis sous une avalanche ou sous un immeuble effondré à la suite d'un tremblement de terre ou d'un tsunami. Il existe d'ailleurs des chiens dressés au repérage des cadavres, ce qui peut être intéressant dans le cadre d'une enquête criminelle.

Une étude menée par des médecins français en 2010 a également démontré qu'on pouvait entraîner certains chiens à distinguer, en flairant leurs urines, des hommes sains et d'autres atteints d'un cancer de la prostate !

L'odorologie canine, en tant que technique criminalistique, s'est développée en Hongrie dans les années 1970 puis dans les pays d'Europe de l'Est pendant la guerre froide. En Europe de l'Ouest, on s'y intéresse depuis le début des années 1980. Des maîtres-chiens sont allés se former en Roumanie et en Hongrie depuis l'entrée de ces pays dans l'Union européenne.

La police nationale l'utilise régulièrement depuis 2003[1]. Ceux qui sont convaincus de l'intérêt de cette méthode font remarquer qu'un criminel peut tenter d'effacer ses traces digitales ou éviter de laisser son ADN, mais il lui est impossible de détruire à coup sûr une trace olfactive.

Pourtant, un grand nombre de magistrats refusent de prendre en compte l'odorologie pour l'identification de malfaiteurs, car ils considèrent que la méthode est plus empirique que scientifique et pourrait être contestée avec succès, provoquant l'annulation de l'ensemble d'une procédure.

Odorologie : mode d'emploi

La technique consiste à piéger, grâce à des pinces stériles et des bandelettes de textile spécial, les traces odorantes qui constituent « l'empreinte olfactive » d'un individu, sur une scène de crime en extérieur, dans une pièce ou dans un véhicule. D'après les spécialistes, le prélèvement doit être effectué dans un délai de quatre jours, car les molécules olfactives sont très volatiles. Les opérateurs procèdent à un transfert d'odeur à partir d'un objet dont on peut supposer qu'il a été touché par le malfaiteur. Par exemple : une arme, un tissu, le volant ou le changement de vitesse d'un véhicule…

1. Interpol a validé cette technique en identification criminelle en 2002. Une vingtaine d'autres pays européens ont intégré l'odorologie depuis 2009. Selon différents articles publiés sur Internet, la France aurait traité entre 2003 et 2010 plus de 300 dossiers, avec un bilan de 117 identifications positives. Le violeur d'une fillette aurait été identifié dès 2003 grâce à cette technique.

Les bandelettes de prélèvements sont enveloppées de papier d'aluminium pour « fixer » l'odeur pendant une heure puis mises sous scellé dans des récipients stériles qui sont ensuite conservés dans une « Odorothèque ». Plus tard, on fait sentir ces bocaux par des chiens spécialement entraînés pendant 12 à 18 mois [1].

Concrètement, lorsqu'un suspect est interpellé, on lui fait serrer dans chaque main une bande de tissu pendant plusieurs minutes. On enferme ensuite soigneusement les lingettes dans un bocal qui est envoyé au laboratoire [2]. Sur place, plusieurs chiens dressés à cet effet plongent leurs truffes dans le bocal contenant l'empreinte odorante de l'individu. On dispose ensuite, dans une pièce spécialement aménagée, cinq ou six bocaux espacés de deux mètres les uns des autres. *Un seul contient l'échantillon prélevé sur la scène de crime.*

Un premier chien est invité à sentir successivement les bocaux. S'il reconnaît l'odeur du suspect, il se couche devant ! Après l'avoir récompensé, on dispose à nouveau les bocaux, mais cette fois, selon un nouveau protocole : on a retiré le bocal supposé contenir l'empreinte du suspect. Le chien ne doit donc pas s'allonger pour que la vérification soit satisfaisante.

On passe ensuite à la troisième étape : le bocal contenant l'odeur à expertiser est réintroduit parmi les bocaux à tester, mais l'ordre de présentation au

1. L'odorat du chien est particulièrement développé. La membrane olfactive d'un labrador contient plus de deux cents millions de cellules sensorielles (contre à peine cinq millions chez l'humain). La zone cervicale de détection du chien occupe 10 % de son cerveau contre 0,1 % pour l'homme. Un chien est capable de détecter une goutte de vinaigre diluée dans cinquante litres d'eau et il peut effectivement retrouver la trace olfactive d'une empreinte de doigt sur un objet jusqu'à six semaines après qu'elle y a été déposée. (Source : Stéphan Mairesse, éducateur canin.)

2. Pour la police nationale, l'échantillon est envoyé au laboratoire de police scientifique et technique d'Écully, près de Lyon.

chien est modifié. Exemple : le bocal n° 6 devient le n° 3. Le n° 5 se trouve en n° 1, etc.

Si le chien se couche à nouveau devant le « bon » bocal, on procède à une ultime vérification avec un autre chien en suivant le même protocole.

Les experts de l'IRCGN admettent que l'odorologie peut permettre d'orienter une enquête en confortant d'autres indices relevés par les enquêteurs. Ils comprennent l'intérêt que porte la police nationale à ce procédé, mais ils considèrent qu'il s'agit d'un élément de police technique et non de police scientifique.

Dans le cadre des complémentarités que police et gendarmerie recherchent, les enquêteurs de la gendarmerie peuvent, s'ils le souhaitent, faire appel aux spécialistes de la police nationale. Un enquêteur nous a toutefois fait remarquer une limite du procédé. En effet, si l'on décide de procéder à un prélèvement d'odeur, ce sera peut-être au détriment d'un autre prélèvement. Sachant que la lingette détruit l'ADN, l'enquêteur doit prendre la responsabilité de privilégier une technique empirique à une méthode scientifique dont tout le monde connaît maintenant l'efficacité.

Un autre domaine susceptible de voir réaliser des progrès importants par rapport à la situation actuelle : la reconnaissance faciale, aujourd'hui encore très controversée. La mise au point de nouveaux logiciels pourrait ainsi permettre d'identifier un visage dans une foule filmée par une caméra de surveillance, dans la rue, dans une gare, un aéroport, ou à l'entrée de bâtiments sécurisés.

La lutte contre la cybercriminalité verra également de grands progrès dans les années à venir. Il devrait être possible de repérer et capter des données numériques qui ne sont plus confinées dans une puce ou un disque dur d'ordinateur.

Là aussi, il est difficile aujourd'hui de prévoir les prochaines étapes, tant les technologies informatiques et électroniques évoluent rapidement. Les machines ont atteint des seuils de détection faramineux, mais les cybercriminels tentent toujours d'avoir une longueur d'avance sur ceux qui les traquent, comme cela se passe par exemple dans le domaine du dopage sportif.

C'est pourquoi, à l'IRCGN, on insiste tellement sur la mise en place de processus de démarche qualité et d'habilitation des laboratoires, dans le domaine du prélèvement et de la conservation des échantillons, préservés de toute pollution extérieure, tout au long de la chaîne qui va de la scène de crime au laboratoire.

L'indice matériel ayant pris une place considérable, il est important de garantir à la justice – et aux citoyens – que les techniques d'analyse utilisées sont fiables, et laissent la place à une contre-expertise éventuelle. Quand on détecte à 10^{-10} ou à 10^{-12}, il faut avoir la certitude qu'il n'y a pas eu de contamination qui aurait faussé les résultats. C'est pourquoi il sera très important dans le futur de développer aussi de nouveaux laboratoires avec des installations soumises à des normes de plus en plus rigoureuses… dans tous les domaines d'expertises.

En matière de stupéfiants, on travaille sur l'analyse des impuretés ou des pollens qui peuvent permettre d'identifier la région de production.

Le profilage psychologique et comportemental des criminels fera certainement aussi de grands progrès. Mais cette approche de l'enquête restera celle d'une science humaine, donc à utiliser avec prudence comme un élément parmi d'autres…

Conclusion

*Le bilan prospectif que nous avons pu établir
nous mène à un constat personnel qui n'engage pas
les experts que nous avons pu rencontrer
au cours de cette enquête.*

Sans céder à la tentation de prédire un futur digne des romans de science-fiction, force est de constater que nos sociétés se rapprochent *techniquement* de celle décrite par George Orwell dans son fameux roman *1984*, avec le slogan « Big Brother is watching you[1] ! ».

Les télécrans fonctionnant vingt-quatre heures sur vingt-quatre pour surveiller en temps réel les citoyens, peuvent être rapprochés des caméras de vidéosurveillance qui fleurissent un peu partout, notamment en Grande-Bretagne, le pays de George Orwell[2] !

Les écoutes opérées par le système Échelon, ou ses équivalents, visent à un contrôle mondial des communications téléphoniques. Les services secrets des différents pays utilisent déjà certains moyens technologiques qui permettent de repérer une communication parmi des milliers d'autres… Les satellites d'observations peuvent

1. Voir plus haut l'interview d'Alex Türk, l'ancien président de la CNIL (Commission nationale de l'informatique et des libertés).
2. Les experts s'accordent à dire qu'il y a actuellement au Royaume-Uni une caméra de surveillance pour 14 citoyens !

localiser des détails avec une précision inférieure à un mètre ! Enfin, il est de notoriété publique que le secret des échanges par mails ou celui des transactions financières, et, plus généralement, celui des correspondances qui utilisent le numérique, ne sont plus garantis.

Comme dans *1984*, il est désormais possible également, grâce au numérique, de truquer des documents audiovisuels, ce qui rend de plus en plus difficile l'établissement même de la vérité historique…

En revanche, on ne peut que constater l'efficacité des moyens de haute technologie dans la lutte contre toutes les formes de criminalité.

Mais l'évolution galopante de ces nouveaux outils posera encore plus dans l'avenir la question de la protection de la liberté d'expression et de l'intimité de la vie privée dans un monde où les simples citoyens seront de plus en plus fichés…

Certes, le monde décrit par George Orwell en 1949 doit être considéré avant tout comme un conte philosophique destiné à dénoncer le danger des régimes policiers et totalitaires.

Notre réalité est bien différente. Nous avons la chance de vivre en démocratie. À chacun d'entre nous d'ouvrir et d'alimenter le débat public, au cours des prochaines échéances électorales par exemple, pour éviter de laisser en héritage aux générations futures une société technomaniaque et des citoyens sous surveillance.

Remerciements

Général Jean-Philippe STER, conseiller pour la communication du directeur général de la gendarmerie nationale, chef du SIRPA-Gendarmerie ;

Général Jacques HEBRARD, conseiller criminalistique du directeur général de la gendarmerie nationale, commandant le Pôle judiciaire de la gendarmerie nationale (PJGN) ;

Médecin chef des services Yves SCHULIAR, directeur enseignement et recherche en criminalistique et médecine légale du PJGN, chargé de la médecine légale pour l'Institut de recherche criminelle de la gendarmerie nationale (IRCGN) ;

Colonel François DAOUST, directeur de l'IRCGN ;

Colonel Franck MARESCAL, commandant le groupement de gendarmerie départementale de la Loire ;

Colonel Bruno VANDEN-BERGHE, directeur adjoint de l'IRCGN ;

Lieutenant-colonel Yvan MALGORN, chef de la division criminalistique identification humaine de l'IRCGN ;

Lieutenant-colonel Jérôme SERVETTAZ, commandant la section de recherches des transports aériens de PARIS – Charles de Gaulle ;

Lieutenant-colonel Marc SOULAS, chef de la division criminalistique ingénierie et numérique de l'IRCGN ;

Chef d'escadron Frédéric BRARD, chef du service central d'analyses génétiques de la gendarmerie – IRCGN ;

Chef d'escadron Patrick TESTUZ, chef du département informatique – électronique de l'IRCGN ;

Capitaine Emmanuel GAUDRY, chef du département entomologie de l'IRCGN.

Capitaine Philippe MALAQUIN, chargé de projets auprès du général commandant le pôle judiciaire de la gendarmerie nationale.

Brigadier-chef Erwan LOUCHOUARN, photographe du bureau enseignement, documentation et relations extérieures – PJGN ;

Ainsi que toutes celles et tous ceux qui, du haut en bas de la hiérarchie de l'IRCGN, ont fait preuve d'une disponibilité et d'une patience à toute épreuve au cours de cette enquête, pour répondre à nos questions et témoigner de leur passion.

Enfin, une mention spéciale pour Stéphane Watelet, mon éditeur et néanmoins ami, dont la confiance et l'énergie n'ont jamais fait défaut même dans les moments de doute.

DU MÊME AUTEUR

Parole d'espion
(avec François Gardes)
Mercure de France, 1982

Haïti, la République des morts vivants
(avec Jean-Yves Casgha)
Éditions du Rocher, 1983

Le Guide Contacts de la France qui bouge
(avec Caroline Glorion et Martine Mauléon)
Éditions de l'Instant, 1986

Perdu de vue
(avec Jean-Marie Perthuis)
1. « Les coulisses »
2. « Les grandes énigmes »
Jean-Claude Lattès, 1992 et 1995

Y a pas de justice
(avec Patrick Meney)
Ramsay, 1997

Disparues de l'Yonne
La 8ᵉ victime
(avec Stéphane Munka)
Michel Lafon, 2005

Mes chemins secrets
Y a-t-il des arbres à pain aux îles Sandwich ?
Éditions du Rocher, 2006

Saint-Exupéry, l'ultime secret
Enquête sur une disparition
(avec Luc Vanrell)
Éditions du Rocher, 2008

Côté crimes
1. 36 affaires qui ont passionné la France
Télémaque, 2009
et « Pocket », n° 14267, 2010

2. 40 affaires exceptionnelles
de la saison 2 de Café crimes
Éditions Télémaque, 2010
et « Pocket », n° 14861, 2014

Les Génies du mal
Télémaque, 2013

Le Roman de Tahiti
Éditions du Rocher, 2014

Vous avez dit étrange ?
Confessions d'un chasseur de mystères
(avec Guillaume Lebeau)
Télémaque, 2016

Les Grandes Affaires criminelles pour les nuls
First Editions, 2016

Livres audio

Les Reportages de l'Histoire
16 livres audio
Nathan, 1988

Les Reportages de l'Aventure
5 livres audio
Nathan, 1989

COMPOSITION : IGS-CP À L'ISLE-D'ESPAGNAC
IMPRESSION : CPI BRODARD ET TAUPIN À LA FLÈCHE
DÉPÔT LÉGAL : MAI 2017. N° 136344 (3022108)
Imprimé en France